CYFLWYNO'R GYMRAEG

LLAWLYFR I DIWTORIAID IAITH

Golygydd
Christine Jones

Argraffiad cyntaf—2000

ISBN 1 85902 903 5

ⓗ y cyfranwyr ©

Argraffwyd yng Nghymru gan
Wasg Gomer, Llandysul, Ceredigion

CYNNWYS

RHAGAIR

Bwriadwyd y gyfrol hon yn bennaf ar gyfer tiwtoriaid Cymraeg i Oedolion, yn enwedig y rheiny sydd newydd ddechrau cyflwyno'r iaith i eraill. Gobeithio, sut bynnag, y bydd ei chynnwys hefyd o ddiddordeb ac o ddefnydd i diwtoriaid mwy profiadol, yn ogystal ag athrawon Cymraeg yn ein hysgolion.

Mawr yw fy niolch i'r Athro Bobi Jones am ei gyflwyniad pwrpasol ac i'r cyfranwyr hynny a ymatebodd mor gadarnhaol i'r gwahoddiad i rannu eu profiadau a'u syniadau gwerthfawr. Rhaid i mi ddiolch iddynt hefyd am eu hamynedd yn disgwyl cyhyd i'w herthyglau weld golau dydd.

Ni fyddai'r gyfrol wedi gweld y golau dydd hwnnw o gwbl, oni bai am y nawdd a dderbyniwyd o dan gynllun ADAPT y Gymuned Ewropeaidd, sy'n un o nifer o gynlluniau a reolir gan Adran y Gymraeg, Prifysgol Cymru, Llanbedr Pont Steffan. Rwyf yn hynod ddiolchgar i staff y Brifysgol am eu cefnogaeth.

Yn olaf, hoffwn ddiolch i Wasg Gomer am eu parodrwydd i gyhoeddi'r gyfrol a'u gofal wrth argraffu.

Llanbedr Pont Steffan   CHRISTINE JONES

7

CYFLWYNIAD

Erbyn hyn, mae gennym yng Nghymru fyddin o athrawon ail iaith hynod o fedrus. Ymhlith arweinwyr y fyddin fywiog honno ceir rhai megis y cyfranwyr i'r gyfrol hon. Pobl ydynt sydd wedi meddwl yn ddwys am y gelfyddyd hon, ac wedi efrydu'r hyn sydd ar waith mewn gwledydd eraill. Maent hefyd yn gyfarwydd ag wynebu'r her mewn dosbarthiadau ymarferol: hynny yw ar y ffas.

Mae'n bwysig gyda chrefft broffesiynol o'r math hwn ein bod yn myfyrio o hyd am yr hanfodion ac yn dadansoddi'r prif broblemau. Cyfraniad sylweddol yw'r gyfrol hon i arolygu llawer o'r agweddau mwyaf ymarferol yn y maes. Ac mae'n briodol bod rhai o'r cyfranwyr yn y fan hon yn bwrw golwg tuag yn ôl hefyd er mwyn adeiladu ar sail enillion y gorffennol.

Yn Oes Fictoria ceid dwy wedd fawr ar ddysgu iaith ddieithr: (i) gramadeg a chyfieithu, (ii) llawlyfr ymddiddanion. Yr oedd y naill mor anfoddhaol â'r llall, am fod y ddau'n seiliedig ar y 'rhestr'. Pentyrru gramadeg neu eirfa neu 'frawddegau defnyddiol' blithdraphlith a geid heb drefn ystyrlon a heb olyniad adeileddol. Dichon mai'r ail yw'r rhybudd mwyaf perthnasol yn yr oes 'gyfathrebol' hon.

Wedyn, ym mhumdegau a chwedegau'r ugeinfed ganrif cafwyd chwyldro Copernicaidd. Darganfuwyd natur y 'mecanwaith' bychain cynnil a allai esgor ar filiynau di-rif o frawddegau. A sylwyd, yn hytrach na dechrau gyda'r canlyniadau, ar hyd llwybr hirfaith, mai meistroli'r cnewyllyn achosol oedd yr ateb priodol i ddysgu effeithiol. Adeiladu'r mecanwaith cynhyrchu (sef TAFOD) oedd yr her, ac arweiniai hynny nid at gasgliad o ffwythiannau neu o sefyllfaoedd ond at allu i ymateb i *bob* sefyllfa.

Gwelwyd os yw athro neu gwrs yn rhoi ystyriaeth i strwythur o ddysgu adeiladol a chynyddol, heb gilio i ailgychwyn gyda phob gwers, bod y dysgwr heb sylweddoli pam, ei hun yn cyflymu'n eithriadol. Mae'r ymdeimlad o lwyddiant yn cynyddu'n aruthrol.

Hyn a arweiniodd at ymarfer â phatrymau, dysgu llafar adeileddol, graddio, iaith lafar safonol a dysgu dwys. Meithrinwyd sgiliau yn llawer mwy trefnus ymarferol nag a wnaethpwyd ynghynt. Dadansoddwyd a dosbarthwyd ymarferion iaith (mewn categorïau amlochrog).

Deil campwaith W. F. Mackey, *Language Teaching Analysis* (1965) i ragori ar bob arolwg o'r maes a gafwyd ynghynt nac wedyn. Mae ei ddadansoddiad a dosbarthiad o ddulliau – yn ôl dethol, graddio, cyflwyno, ailadrodd a mesur – yn dal i osod sylfaen ar gyfer yr oes hon. Ac yn wir, os gellir ymdeimlo â diffygion gwelediad heddiw, fe'i ceir yn ôl goleuni'r dadansoddiad trylwyr a phellgyrhaeddol a roddwyd gan Mackey ddoe. Mewn cynllunio a thechnegau gwersi mae'r criteria a amlinellodd yn dyngedfennol o berthnasol. Ond nid oedd hyn oll yn ddigonol.

Yn saithdegau a dechrau wythdegau'r ugeinfed ganrif cafwyd symudiad yn ôl tuag at ddull ymddiddanol neu gyfathrebol ar ffurf 'Nodau Cyfathrebu'. Bu llawer o'r datblygiad hwn yn fuddiol. Ond nid popeth. Collwyd llawer o'r ennill a fu yn sgîl y chwyldro adeileddol, weithiau oherwydd cryn anwybodaeth amdano.

Ond yn niwedd yr wythdegau cafwyd gan y *Centre for Information on Language Teaching and Research* adroddiad o ymchwil at y defnydd o'r dull 'cyfathrebol'. A'r casgliad rhybuddiol cyson o'r pryd hynny ymlaen, drwy'r nawdegau, oedd mai'r angen mawr oedd *priodas rhwng egwyddorion adeileddol ac egwyddorion cyfathrebol.* Dyna union safbwynt rhai o athrawon mwyaf arwyddocaol y cyfnod adeileddol yng Nghymru – rhai fel Gwyn Daniel, Moelwyn Preece, Carl Dodson a Dan Lyn James. Ond y farn gyson ar y pryd oedd fod angen y ddau bwyslais – ystwythder a hwyl a naturioldeb cyfathrebu ynghyd â threfnusrwydd adeileddol y graddio a'r cyflwyno mwyaf effeithlon. Diau y gwelir bod ymwybod o'r ddeuoliaeth gyfoethog hon yn aros yn y gyfrol bresennol.

Aberystwyth   BOBI JONES

9

DULLIAU DYSGU
A'R DOSBARTH IAITH

Mae dulliau dysgu iaith wedi newid dros y blynyddoedd. O'r dull 'gramadeg-a-chyfieithu' hyd at y dull 'cyfathrebol' sydd mewn bri o hyd, mae'r newidiadau wedi adlewyrchu datblygiad mewn athroniaeth ddysgu. Ni fwriedir olrhain y newidiadau hyn yma o'r safbwynt hanesyddol, ond rhaid sôn am yr athroniaeth sy'n sail i'r dulliau gwahanol. Dylid nodi cyn cychwyn mai yn y pedwardegau a'r pumdegau y dechreuwyd dysgu Cymraeg i oedolion yn benodol; cyn hynny, proses o gymathu naturiol oedd yn peri bod oedolion yn dysgu Cymraeg o gwbl. Fodd bynnag, bu'r dulliau a ddefnyddiwyd i ddysgu Saesneg ac ieithoedd eraill i blant ysgol yn ddylanwad ffurfiannol ar athroniaeth y dosbarth iaith, gan gynnwys y dosbarth Cymraeg i Oedolion cyfoes ac maent wedi lliwio ein diffiniad o rôl y tiwtor a'r dysgwr yn y broses ddysgu.

Dibynna'r dull 'gramadeg-a-chyfieithu' ar awdurdod y tiwtor, a'i allu yntau i drosglwyddo gwirioneddau gramadegol yn eglur, a'u profi trwy gyfieithu o'r naill iaith i'r llall. Mae'r pwyslais felly ar y sgiliau darllen ac ysgrifennu, a rhagdybir bod y dysgwr yn medru cymhwyso'r rheolau i siarad a deall, gan ddwyn yr eirfa briodol i gof. Cyfrwng y dysgu yw mamiaith y dysgwyr a threulir cyfran helaeth o'r wers yn dysgu rheolau, darllen a deall testun a chyfieithu. Nod cudd y dull hwn yw galluogi myfyrwyr academaidd eu bryd i fedru darllen gweithiau llên clasurol yn yr iaith wreiddiol. Yn Gymraeg, lle ceir gwahaniaeth rhwng yr iaith lafar a'r iaith lenyddol, ffurfiol, golygai hyn fod dysgwyr yn clywed ffurfiau a oedd wedi hen ddiflannu o lafar gwlad, fel 'euthum' a 'bûm' a bod yr enghreifftiau testunol wedi eu dethol o'r Beibl neu'r canon llenyddol.

Mae'r patrwm dysgu sydd ymhlyg yn y dull 'gramadeg-a-chyfieithu', yn unffordd ac yn awdurdodol, na fyddid yn ei gymeradwyo erbyn hyn efallai. Yn un peth, rôl oddefol sydd gan y myfyrwyr, a'r tiwtor yn traethu tuag atynt: nid yw'n cynnwys myfyrwyr yn y broses ddysgu. Hefyd, ychydig iawn o bobl sy'n medru cymhwyso rheolau haniaethol i fedru siarad a deall, e.e. nid yw dweud bod 'gwrthrych uniongyrchol i ferf gryno'n treiglo'n feddal'

11

yn golygu dim oll i'r rhan fwyaf o ddysgwyr, (na thiwtoriaid o ran hynny). Felly byddai'r mwyafrif o'r myfyrwyr yn methu â chynnal unrhyw fath o sgwrs yn yr iaith darged. Mae jargon gramadegol yn rhwystr enfawr i lawer, a chyfieithu'n sgìl tra arbenigol, a'r ddau'n rhagdybio mai rhywbeth a berthyn i elît academaidd yw dysgu iaith, lle erbyn heddiw gwelir dysgu Cymraeg fel rhywbeth a ddylai fod o fewn cyrraedd pawb. Fodd bynnag, y feirniadaeth fwyaf ar y dull 'gramadeg a chyfieithu' yw ei fod yn diystyru'r sgiliau llafar yn llwyr. Creu siaradwyr Cymraeg yw nod dysgu Cymraeg i Oedolion.

Yr athroniaeth y tu cefn i'r 'dull union' yw bod dysgu ail iaith yn broses debyg i ddysgu iaith gyntaf, ac mai trwy drochi dysgwyr yn yr iaith darged y mae cyrraedd y nod. Mae gofyn cryn ddyfeisgarwch ar ran tiwtor er mwyn trosglwyddo ystyr trwy feim a llun o ddilyn y dull union, sy'n sefyllfa debyg i'r dosbarth lle nad yw'r tiwtor yn medru mamiaith ei ddysgwyr o gwbl. Efallai y byddai rhai athrawon yn medru graddio a rheoli'r iaith a gyflwynid, ond i'r rhan fwyaf byddai diffyg unrhyw drefn yn y dysgu'n rhwystr ac yn debygol o ddigalonni llawer o ddysgwyr. Ffordd gwmpasog iawn o fynd ati yw'r dull union, lle gellir osgoi camddealltwriaeth a rhwystredigaeth i'r dysgwr trwy raddio patrymau a geirfa a defnyddio'r Saesneg pan fo rhaid. Mae un agwedd ar y dull hwn sy'n debyg i ddulliau mwy diweddar, sef y pwyslais ar ddefnyddio'r iaith darged fel cyfrwng dysgu a'r pwyslais ar siarad ac ynganu. Fodd bynnag, nid yw'r iaith yn cael ei dyrannu mewn ffordd ystyrlon, raddol: mewn gwirionedd, gellir disgrifio'r dull fel ceisio paentio tŷ trwy daflu bwceidiau o baent ato – mae'n bosib cyrraedd y nod, ond ei bod yn ffordd wastraffus iawn o fynd ati! Gellir nodi fan hyn nad yw'r un o'r dulliau a grybwyllir yn y rhan hon yn ddrwg i gyd, a bod elfennau gwerthfawr ym mhob dull a all fod yn adnodd defnyddiol i'r tiwtor. Y peth pwysig yw peidio â dilyn un ideoleg cyfyng, ond defnyddio'r 'dull sy'n gweithio'; hynny yw, bod yn ddethol, a defnyddio beth bynnag sy'n llwyddo orau i gyrraedd y nod o greu siaradwyr Cymraeg newydd.

Yng nghanol y ganrif hon, daeth y dull 'clywlafar' (*audio-lingual*) i fri yn sgil ymchwil i seicoleg ymddygiadol yn yr Unol Daleithiau, a dyma'r tro cyntaf o bosibl i faes dysgu oedolion gael ei weld fel rhywbeth o fewn cyrraedd mwy na llond dwrn o academyddion. Yr athroniaeth yma yw mai trwy ddynwared arferion ieithyddol y dysgir iaith, a gwneud hynny trwy ddethol brawddegau byrion 'craidd' i'w drilio'n drwyadl. Yng Nghymru, datblygodd y syniad hwn i fod yn rhan o fethodoleg y cyrsiau Wlpan, cyrsiau a fu mor llwyddiannus wrth ddysgu Cymraeg i Oedolion. Ceir rhagor am ddrilio a'r Wlpan maes o law, ond prif nodwedd y cyrsiau 'clywlafar' oedd tablau disodli – wrth newid un elfen ym mhob colofn wrth fynd ar draws tabl yn cynnwys elfennau brawddeg syml, byddai'r dysgwr yn sicr o fedru creu brawddeg gywir, waeth beth oedd yr ystyr. Rôl y tiwtor oedd bod yn ddriliwr patrymau a bod yn 'fodel' o gywirdeb ac ynganu dilys i'r dysgwr ei ddynwared. Nodweddid y cyrsiau gan ddeialogau a fyddai'n rhoi'r patrymau ar waith heb fod ynddynt ymgais i fod yn naturiol nac yn berthnasol o reidrwydd i'r hyn yr oedd dysgwyr am ei ddweud. Yr oedd pwyslais hefyd ar yr elfennau ieithyddol a oedd yn gwahaniaethu'r iaith darged a mamiaith y dysgwyr; hynny yw, tueddid i ganolbwyntio ar y gwahaniaethau ieithyddol rhwng, dyweder, y Saesneg a'r Gymraeg, yn hytrach na defnyddio amlder defnydd fel y prif egwyddor wrth ddethol patrymau. Os bydd y dysgwr yn debygol o ddefnyddio elfen ieithyddol benodol, yna fe gyflwynir yr elfen honno'n gynnar. Yr oedd y labordy iaith yn rhan bwysig o'r dull hwn hefyd, yn rhoi cyfle i'r dysgwr ailadrodd a gwrando ar ei lais ei hun. Buddsoddwyd llawer o arian mewn labordai i ysgolion yn nechrau'r saithdegau (i ddysgu ieithoedd eraill yn ogystal â'r Gymraeg) a llawer o'r offer hynny'n segur cyn pen fawr o dro. Beirniadwyd cyrsiau 'clywlafar' am nad oeddynt yn galluogi dysgwyr i ddefnyddio'r iaith darged yn y byd go iawn, ac yn fwy na hynny am eu bod yn fecanyddol anniddorol, gyda dysgwyr yn fynych yn llafarganu brawddegau heb syniad beth oedd eu hystyr, heb feithrin yr hyder i ddefnyddio'r iaith mewn sefyllfa real.

Oherwydd y diffyg hwn, daeth y syniad o ddyrannu'r iaith darged yn ôl sefyllfa, e.e. yn y caffi, amser brecwast, yn y feddygfa ac ati, a chyflwyno'r gwahanol sefyllfaoedd trwy ddeialogau byrion i'w dysgu ar y cof. O leiaf roedd yma gydnabyddiaeth yn y dull dysgu fod yr iaith i'w defnyddio yn y byd go iawn. Fodd bynnag, hap a damwain i raddau helaeth yw ceisio cyplysu patrwm â sefyllfa, ac nid yw'n ystyried bod yr un patrymau weithiau'n perthyn i sawl sefyllfa, a hefyd fod nifer o elfennau iaith na ellir mo'u gwasgu'n hawdd i sefyllfa benodol. Y datblygiad nesaf oedd rhannu'r iaith darged yn ôl ffwythiant, yn ôl yr hyn y mae iaith yn galluogi'r dysgwr i'w wneud, e.e. ymddiheuro neu ddiolch, ac mae'r ffordd hon o lunio maes llafur yn gysylltiedig â'r dull 'cyfathrebol' sydd mewn bri hyd heddiw. Deillia'r syniad o rannu iaith yn ôl ffwythiant *(function)* a thybiant *(notion)* o waith a wnaed o dan Gyngor Ewrop, a daeth yn fframwaith i gyrsiau dysgu Cymraeg yn ogystal â Saesneg. Lle y byddai cwrs gramadegol yn cynnwys unedau ar 'y presennol', 'rhagenwau personol' neu bethau tebyg, rhennir cwrs ffwythiannol yn benawdau fel 'cyfarch' ac 'ymddiheuro' – hynny yw, beth y mae dysgwr yn medru ei wneud â darn arbennig o iaith. Cyfeiria 'tybiannau' at syniadau neu destunau mwy haniaethol fel 'cymharu', ac mae cyrsiau sy'n seiliedig ar ffwythiannau neu dybiannau hefyd yn cynnwys unedau testunol eu natur, e.e. yr amser neu iechyd. Dyna'r math o benawdau a geir mewn llawer o gyrsiau y bydd tiwtoriaid Cymraeg i Oedolion yn gyfarwydd â nhw. Dyma'r fframwaith hefyd a ddefnyddir ar gyfer cofnodi cyrhaeddiad myfyrwyr, o dan hen drefn y nodau cyfathrebol a threfn bresennol safonau Rhwydwaith y Coleg Agored.

Oes angen felly i'r tiwtor unigol boeni ynglŷn â pha ffwythiannau a ddysgir, ac ym mha drefn y dylid eu dysgu? Gan amlaf, bydd y penderfyniadau hyn eisoes wedi eu gwneud cyn i'r tiwtor gyrraedd y dosbarth hyd yn oed, gan ei fod fel rheol yn dilyn llyfr cwrs, ond dylai fod yn ymwybodol o'r athroniaeth sy'n sail i'r maes llafur. O dan y penawdau hyn yn y cynllun nodau cyfathrebol, rhestrir nifer o ymadroddion enghreifftiol, e.e. o dan bennawd fel 'trafod iechyd', ceir 'Mae pen tost 'da fi', 'Dych chi'n well?', 'Beth sy'n bod?' a.y.y.b. Nid amcan rhestr o'r fath yw ffurfio cwrs na bod yn ddisgrifiad cyflawn o frawddegau i'w dysgu ar y cof a'u ticio wrth asesu, ond enghreifftiau o'r math o batrymau a fydd yn galluogi dysgwr i gyflawni nod penodol. Bydd y llyfr cwrs ei hun yn awgrymu'r patrymau y gellir eu cyflwyno a gweithgareddau i ddangos bod dysgwyr yn gallu 'gofyn am rywbeth', 'mynegi barn' ac ati. Ar un olwg, mae'r llyfr cwrs yn ceisio dod â dwy egwyddor anghymarus ynghyd: rhannu'r iaith yn ôl nodau cyfathrebu **ac** adeiladu ar sail patrymau. Y gwrthdaro hwn fu'n achos cryn drafod mewn cylchgronau Cymraeg – a ddylid trefnu'r ymadroddion o dan benawdau ffwythiannol yn unig, neu a ddylid adeiladu'n gydlynus ar

14

sail patrwm ac ystyriaethau ieithyddol? O fwrw golwg ar y llyfrau cwrs Cymraeg i Oedolion sydd ar gael, yr argraff a geir yw bod pwyslais gwahanol yn adlewyrchu natur y cwrs ei hun. Tuedda cyrsiau unwaith yr wythnos i restru ychydig ymadroddion o dan benawdau ffwythiannol sy'n neidio o un patrwm i'r llall, lle y bydd cyrsiau dwys yn adeiladu patrwm ar batrwm mewn modd mwy trefnus. Eto, mae perygl gorgyffredinoli yma – ceir amrywiaeth o fewn pob llyfr cwrs, ac yn y pen draw, nid beth sydd yn y llyfr ei hun sy'n cyfrif ond yr hyn sy'n digwydd yn y dosbarth.

Rhaid cofio hefyd fod pob dysgwr yn unigolyn, yn meddwl mewn ffordd wahanol ac yn dysgu yn ei ffordd ei hun. Gall lleiafrif o bobl feddwl ar wastad haniaethol yn iawn gan droi rheolau'n iaith lafar. Mae rhai'n dysgu iaith gan feddwl am y patrwm fel bachyn i'r cof, e.e. y rhai sy'n fwy tebygol o ddweud 'We did' 'Ga i . . . something yesterday' yn hytrach na 'We did' 'asking permission to have or do something' yesterday'. Gwell gan ddysgwyr eraill beidio â meddwl am batrymau ond cysylltu brawddegau a geirfa â ffwythiant neu thema. Nod tiwtor yw ceisio cyrraedd y rhan fwyaf o ddysgwyr y rhan fwyaf o'r amser gan ofalu yn fwy na dim i beidio â digalonni dysgwyr na pheri iddynt deimlo embaras. Yn gyffredinol, mae angen bwydo patrwm a geirfa i'r dosbarth a'u rhoi ar waith o fewn cyd-destun ystyrlon trwy weithgaredd a sgwrs. Dyma'r athroniaeth sy'n sail i'r llyfr cwrs a ddefnyddir gan y tiwtor fel arfer erbyn heddiw – bydd uned waith yn cynnwys nod ffwythiannol neu destunol, nifer o batrymau sy'n gysylltiedig â'r nod ynghyd â llawer o weithgareddau sy'n rhoi'r darnau iaith hynny ar waith.

Sut bynnag, dyna ddigon o fynd ar ôl y sgwarnog ffwythiannol. Gwelir datblygiad felly o'r dulliau tiwtor-ganolog a'r pwyslais ar ysgrifennu a darllen hyd at ddulliau mwy diweddar sy'n anelu at greu siaradwyr Cymraeg, ac athroniaeth sy'n rhoi'r dysgwr a'i anghenion yng nghanol y broses ddysgu.

Dylid nodi ar yr un pryd, mai braslun arwynebol a roddir o ddatblygiad dulliau dysgu iaith yma. Afraid dweud na fu'r twf hwn mor unffurf a threfnus ag y mae'r ymdriniaeth hon yn ei awgrymu, nac ychwaith yn adlewyrchu datblygiad hanesyddol dysgu Cymraeg yn benodol. Fodd bynnag, mae sawl tuedd a chyfeiriad sy'n nodweddu'r twf yn y maes y gellir eu hamlinellu, gan eu bod yn

15

dylanwadu'n uniongyrchol ar ddysgu Cymraeg i Oedolion. Er enghraifft, wrth feirniadu cyrsiau am ddiffyg naturioldeb, cydnabyddir bod yr iaith a ddysgir i'w defnyddio y tu hwnt i furiau'r dosbarth. Ffenomen gymdeithasol yw iaith, a dylai'r dysgu amlygu hynny. Un o sgil-effeithiau hyn yw chwilio am fodel o iaith a oedd yn adlewyrchu'r iaith lafar naturiol, ymdrech a fu'n asgwrn cynnen gwaeth na'r un arall yng nghyd-destun y Gymraeg, sef y dadleuon ynghylch Cymraeg Byw. Wrth reswm, peth cadarnhaol yw pellhau oddi wrth ffurfiau llenyddol fel 'yr ydwyf' ac 'euthum', ond peth anodd oedd diffinio'r ffurfiau llafar naturiol hynny, gan wneud cyfiawnder â'r holl amrywiaeth tafodieithol mewn cyrsiau i ddechreuwyr, yn enwedig pan fo'r cyrsiau i'w darlledu a'u defnyddio dros Gymru gyfan. Erbyn heddiw, perchir y gwahaniaethau Gogledd / De yn y ffurfiau ysgrifenedig, a'r disgwyl yw bod hynny'n ddigon naturiol i roi'r dysgwr ar ben ffordd i fedru defnyddio'r iaith ac ymaddasu'n raddol i'r dafodiaith leol wedi hynny. Yr hyn sy'n allweddol yw derbynioldeb – pan fo ffurf yn dderbyniol i Gymry Cymraeg / siaradwyr rhugl yr ardal heb ddieithrio'r dysgwr, yna bydd yn cael ei dderbyn fel siaradwr Cymraeg, e.e. fel arfer derbynnir 'Dw i'n byw yn . . .' fel ffurf, er mai 'Fi'n byw . . .' a arferir ar lafar yn fynych.

Datblygiad arall sy'n nodweddu'r twf diweddar ym myd dysgu iaith yw sylweddoli pa mor bwysig yw'r sgiliau llafar, siarad a gwrando. Yn ôl yr ystadegau, wrth ddefnyddio iaith bob dydd, yr ydym yn treulio 45% o'r amser yn gwrando a 30% yn siarad. Dim ond 16% a dreulir yn darllen a 9% yn ysgrifennu ar gyfartaledd. Dim ond yn ddiweddar y daethpwyd i weld na ellir cymryd y sgiliau llafar yn ganiataol ac mai dyna'r sgiliau pwysicaf i'w meithrin. Weithiau, bydd dysgwyr yn mynychu dosbarth gan ddisgwyl gwneud llawer o ysgrifennu a darllen, yn ogystal â gramadeg. Dylid pwysleisio o'r cychwyn mai cyrsiau sy'n canolbwyntio ar y llafar yw cyrsiau Cymraeg, ac nid dysgu am y Gymraeg a'i theithi gramadegol yw'r bwriad. Problem sy'n wynebu tiwtoriaid Cymraeg i Oedolion yw datgyflyru pobl o synio am ddysgu iaith fel yr oeddynt wedi dysgu ieithoedd yn yr ysgol.

Y ffon hudol ddiweddaraf sy'n dal i fod yn allweddair mewn dysgu iaith yw 'cyfathrebol' sydd wedi dod i olygu athroniaeth gyffredinol yn hytrach na dull penodol. Ni fwriedir sôn am ddatblygiad dysgu 'cyfathrebol' o'r safbwynt hanesyddol yma, ond edrych ar rai elfennau sy'n nodweddu'r athroniaeth hon. Nod dysgu cyfathrebol fel yr awgryma'r enw yw galluogi dysgwr i fedru cyfathrebu'n naturiol ar lafar. Mae hynny'n codi rhagor o gwestiynau: beth yw 'cyfathrebu'? Sut mae cyflawni rhywbeth sydd i fod yn 'naturiol' dan amodau artiffisial, sef sefyllfa ddosbarth? Un nodwedd ar gyfathrebu yw nad yw'r gwrandawr yn gwybod beth fydd gan y siaradwr i'w ddweud ymlaen llaw – mae elfen annisgwyl mewn sgwrsio. Wrth ofyn i ddysgwr fynegi rhywbeth sy'n hysbys yn barod, e.e. gofyn 'Beth yw'ch enw chi?' i ddysgwr y mae'r tiwtor yn ei adnabod eisoes, mae'r weithred gyfathrebol yn ddiystyr. Wedi dweud hynny, mae llawer o'n sgwrsio bob dydd yn arwynebol ac yn dweud yr hyn sy'n amlwg, ac nid trosglwyddo neges gynhwysfawr a wneir bob tro. Mewn sgwrs naturiol hefyd bydd y siaradwr yn dewis beth i'w ddweud, a does neb wrth law i'w fwydo â phatrwm neu eirfa ddefnyddiol. Rhaid i'r tiwtor greu'r ymdeimlad hwnnw o annibyniaeth fel y bo'r dysgwr yn magu'r hyder i ddefnyddio'r iaith darged ar ei ben ei hun ac i gyfathrebu â siaradwyr brodorol. Ar y llaw arall, ni ellir penderfynu beth a ddysgir ar sail mympwy'r dysgwr neu'r tiwtor hyd yn oed, neu byddai hynny'n arwain at anhrefn lwyr. *Ymdeimlad* o benryddid a geir; mewn gwirionedd rhaid wrth drefn a rheolaeth gadarn a chanolbwyntio ar ffurf yn ogystal, er mwyn ennyn hyder yn y dysgwr i ddweud a fynno. Felly, er bod anghenion y dysgwr a meithrin annibyniaeth yn bwysig, nid yw hynny'n gallu digwydd mewn gwagle.

Nodwedd arall sy'n perthyn i ddysgu cyfathrebol yw'r pwyslais ar wneud tasgau a gweithgareddau trwy'r iaith darged. Deillia hyn o'r maes dysgu plant lle nad yw'r ffiniau traddodiadol rhwng pynciau mor haearnaidd, e.e. defnyddio ymarfer corff fel gweithgaredd i adolygu gorchmynion. Sonnir am ddefnyddio gweithgareddau a thasgau estynedig maes o law, ond yn gyffredinol, gall tiwtor dyfeisgar droi pob dim at ei felin ei hun a'i ddefnyddio yn y dosbarth iaith. Un egwyddor arall sy'n rhan o'r ethos cyfathrebol yw bod yr iaith darged, cyhyd ag y bo modd, yn gyfrwng i'r dysgu. Dylid galluogi dysgwyr i fedru holi cwestiwn, gwneud sylw, cynnal gweithgareddau a chwarae gêm trwy'r Gymraeg yn fuan. Felly mae 'Beth yw . . . yn Gymraeg?' yn gwestiwn a ddylai gael blaenoriaeth yn gynnar ar y cwrs yn ogystal ag ymadroddion fel 'Fi sy nesa', 'Taflwch y dis', 'Trowch y cerdyn'. Er nad yw iaith o'r fath yn ddefnyddiol y tu allan i gyd-destun dosbarth, mae'n bwysig cynnal awyrgylch yn yr iaith darged a bod dysgwyr yn sylweddoli na ddylid troi i'r Saesneg onid oes raid. Yn un peth, mae hyn yn osgoi'r duedd i siarad *am* y Gymraeg yn Saesneg ac yn estyn y cyswllt rhwng y dysgwr a sŵn yr iaith. Seilir yr athroniaeth gyfathrebol felly ar y syniad bod y dysgwr yn ganolog i'r broses ddysgu; mae'n gyfrannog o'r broses honno a'r tiwtor yn chwarae sawl rôl, fel sbardunwr, cynorthwy-ydd, driliwr, a chyflwynydd gweithgareddau.

Dyna ddigon o sôn am y dull cyfathrebol fel haniaeth; y cwestiwn sy'n wynebu tiwtoriaid newydd, a rhai profiadol, wrth sefyll o flaen dosbarth yw, 'Beth ydw i i fod i'w wneud?' Gan gofio'r holl egwyddorion a grybwyllwyd, ar un lefel mae dwy brif agwedd ar y sesiwn ddysgu neu ddwy ran i'r wers:

1. Cyflwyno elfennau newyd.
2. Adolygu'r elfennau a gyflwynwyd yn barod trwy gyfrwng gweithgaredd.

Tuedd llyfrau sy'n honni trafod y dull cyfathrebol yw cynnwys llawer iawn o'r ail elfen a bod braidd yn annelwig ynglŷn â sut dylid cyflwyno darnau o iaith am y tro cyntaf. Yr argraff a roddir yw bod sefydlu patrwm yn digwydd ohono'i hun rywsut, a bod ynganu a ffurfio brawddeg mewn iaith gwbl ddieithr yn digwydd trwy osmosis. Erfyn cwbl anhepgor i'r tiwtor oedolion yw dril, sy'n ffordd effeithiol o gyflwyno iaith newydd yn drylwyr ac yn gofiadwy, fel y tystia llu o gyn-ddysgwyr. Yn sgil gwaith Yr Athro Carl Dodson ac eraill daeth y 'dull dwyieithog' yn gyfarwydd yng Nghymru, a dyma wreiddyn y syniad o ddrilio hyd heddiw wrth ddysgu Cymraeg, yn enwedig ar gyrsiau dwys. Does dim angen i'r tiwtor unigol ymboeni pa batrymau i'w drilio fel rheol, gan fod y rheiny i'w cael yn y llyfr cwrs. Mae'r drefn strwythurol, adeiladwaith y darnau iaith i'w cyflwyno, yn y llyfr cwrs, er bod tiwtor profiadol yn gallu newid ac addasu beth sydd ar y daflen waith i ymateb i anghenion y dysgwyr yn ei ddosbarth, boed hynny'n amlwg ai peidio. Mater arall yw cyflwyno geirfa achlysurol sydd ei hangen ar y dysgwyr, e.e. teitl swyddi a geirfa berthnasol i'r amgylchfyd dysgu. Rhan o rôl y tiwtor yw cyflwyno'r rheiny. Ceir sawl amrywiad ar ddrilio a gellir dadlau ynglŷn â'r union gamau y dylid eu dilyn. Mae'n gyfle yn anad dim i ganolbwyntio ar ynganiad a ffurf, er na ddylai'r dysgwyr fod heb syniad o ystyr yr hyn a ddywedir. Dril llafar yw hwn, ac felly ceisir osgoi dibynnu ar y ffurf ysgrifenedig, er bod rhai'n hoff o gael eu llyfrau cwrs ar agor o'u blaenau. Dyma'n fras gamau'r drilio:

1. Esbonio'n fyr nod y wers a'r hyn y bydd y darnau o iaith yn eu galluogi i'w wneud.
2. Ailadrodd y brawddegau byrion fel corws (y tiwtor, yna'r dosbarth yn efelychu) gan esbonio ystyr elfennau newydd lle bo angen.
3. Gwahodd unigolion i ailadrodd.
4. Disodli un elfen o'r frawddeg, e.e.   Es i i'r dre
                                          Es i i'r siop
                                          Es i i'r dosbarth
a defnyddio'r elfen a ddisodlir fel sbardun i frawddeg gyfan. Mae modd cynnwys elfennau sy'n berthnasol i anghenion y dosbarth yma, e.e.
                                          Es i i'r ysgol feithrin
Gellir defnyddio lluniau syml fel modd o gyfleu ystyr lle bo hynny'n bosibl.
5. Wedi mynd trwy'r amrywiadau, rhoi'r dysgwyr mewn parau i ymarfer â'r tiwtor yn mynd o gwmpas i helpu pawb a chanmol pob dim i'r cymylau!

Mae sawl ffordd o amrywio'r camau hyn, a cheir trafodaeth bellach ar y rhain ac ar ddrilio yn gyffredinol mewn pennod arall. Rhaid wrth amrywiaeth rhag i'r drilio fynd yn fecanyddol ac yn ddisgwyliedig. Er enghraifft, lle bo'r elfen a ddisodlir yn rhagenw, gellir dosbarthu disiau rhagenwol i'r parau er mwyn newid elfennau. Hynny yw, mae modd sicrhau llawer o ailadrodd sy'n canolbwyntio ar ffurf trwy gyfrwng gêm neu weithgaredd, sydd ynddo'i hun yn rhyw fath o ddril 'cudd'. Mantais drilio, fel y camau a nodwyd uchod, yw bod ynganu dysgwyr yn cael sylw, a thrwy ailadrodd yn cael ei gywiro mewn ffordd anfeirniadol. Rhaid i'r brawddegau fod yn fyr – nid prawf ar y cof yw'r rhan hon o'r wers i fod, ond modd o feithrin hyder. Gellir dadlau dros roi sbardun gweledol wrth ddrilio, hynny yw ysgrifennu'r frawddeg ar y bwrdd du a defnyddio'r cyfieithiad Saesneg fel sbardun i'r frawddeg Gymraeg. Fel y nodwyd hefyd, gellir defnyddio lluniau neu gartwnau fel sbardun gan fanteisio ar y storfa enfawr o ddeunyddiau sydd ar gael i ddysgu Saesneg fel ail iaith, e.e. mae lluniau o fathau gwahanol o dywydd – stormus, braf, oer ac ati – yn ddefnyddiol dros ben.

Gellir amrywio'r drilio mewn ffyrdd eraill, e.e. gellir taflu bag ffa o gwmpas y dosbarth er mwyn dethol y dysgwr nesaf i ymateb. Gêm gyfarwydd hefyd yw'r 'cofio cynyddol' – mynd o gwmpas y cylch yn ailadrodd brawddeg gan ychwanegu at yr wybodaeth a geir, e.e. 'Mae e'n byw ym Mrechfa, Mae hi'n byw yn Llanelli, Mae e'n byw yng Nghaerfyrddin . . .' ac ati. Gellir rhoi elfennau newydd ar y bwrdd gwyn rhag gorlethu'r cof a'u defnyddio fel sail i waith pâr wedi hynny, e.e. 'Ble mae . . . yn byw?' neu 'Pwy sy'n byw yn . . .?' Byddai rhai'n dadlau dros ddefnyddio'r brawddegau fel sail i arddywediad er mwyn hoelio'r ffurf ysgrifenedig wrth yr ymadrodd llafar. Mewn cyrsiau Saesneg yn aml, cymerir ynganu a ffurfio brawddegau'n ganiataol, ond mewn dosbarthiadau Cymraeg, yn enwedig lle bo'r synau'n ddieithr, sylweddolwyd bod dril yn hanfodol. Mae llawer llai o gyfle i ymglywed â synau'r Gymraeg na'r Saesneg hollbresennol a chan fod trefn y frawddeg Gymraeg hefyd yn wahanol i'r Saesneg, rhoddir mwy o bwyslais ar yr elfen hon. Wedi dweud hynny, mae modd sicrhau ailadrodd mewn ffyrdd amrywiol, fel yr awgrymwyd eisoes, heb lynu wrth yr un drefn fecanyddol.

Felly, gan dderbyn nad oes ffin hollol bendant rhwng cyflwyno ac adolygu, ail elfen y wers yw atgyfnerthu'r patrymau a'r eirfa a gyflwynwyd eisoes trwy gyfrwng amrywiaeth o weithgareddau neu dasgau. Yn y rhan hon o'r broses ddysgu y gwelwyd llawer o ddatblygu dyfeisgar dros y blynyddoedd diwethaf ac adlewyrchir hynny yng nghynnwys penodau eraill o'r gyfrol hon. Gellir nodi rhai enghreifftiau sylfaenol yma. Mewn gwirionedd, daw llawer o'r syniadau o faes dysgu plant ac yn wir gêmau plant yw llawer o'r gweithgareddau mwyaf effeithiol. Dylai gêm fod yn rhan integreiddiedig o'r wers, ac nid yn rhywbeth i lenwi pum munud ar y diwedd. Waeth pa mor wirion yw'r gweithgaredd, bydd oedolion yn fwy na pharod i gymryd rhan fel rheol. Maent yn fodd o dorri'r garw, yn cadw'r sesiwn rhag bod yn rhy ffurfiol ac yn llawer o hwyl. O'u

20

hintegreiddio'n iawn i'r wers gall gêmau fod yn gyfle i ailadrodd patrymau penodol mewn ffordd ddilys gan ddefnyddio'r sgiliau iaith i gyd.

Un enghraifft gyfarwydd o weithgaredd / gêm yw 'pelmanism' neu gofio lleoliad cardiau wedi'u troi wyneb i waered lle bo timau neu unigolion yn gorfod cofio lleoliad parau. Nod y gêm yw casglu cymaint o barau â phosibl, ond y nod ieithyddol yw ailadrodd brawddeg benodol, e.e. 'Mae hi'n braf' yn paru â llun o'r tywydd; paru hanner brawddeg fel 'Taswn i'n mynd i Lundain . . .' â hanner arall fel '. . . baswn i'n gweld Big Ben'. Dyma'r math o weithgaredd y gellir ei addasu i ganolbwyntio ar unrhyw batrwm o fewn unrhyw thema a'r cyfan yn fath o ddril cudd lle'r ailadroddir darnau penodol o iaith o fewn cyd-destun y gêm.

Enghraifft gyfarwydd arall o weithgaredd yw'r holiadur – y dysgwyr yn mynd o gwmpas yn holi'i gilydd, gan ddefnyddio patrwm penodol, e.e. 'Dych chi'n hoffi . . .?' 'Dych chi wedi . . . erioed?' gan rannu'r wybodaeth a gasglwyd mewn grwpiau ar ôl gorffen. Dylid pwysleisio na all gweithgaredd felly ddigwydd heb fod y dysgwyr wedi eu harfogi i'w wneud yn hyderus. Mae cael dysgwyr i godi o'u seddau yn werthfawr ynddo'i hun, a hel ffeithiau go iawn yn dasg realistig o fewn cyd-destun afreal y dosbarth. Ni ddylai tasg ddigwydd o fewn gwagle ychwaith: gall tasg lafar fel holiadur arwain at waith pellach gan gynnwys gwaith ysgrifennu.

Un enghraifft eto o weithgaredd ag iddo nod ieithyddol clir a chyfyng yw'r ymarfer 'bwlch gwybodaeth' lle rhoddir gwybodaeth anghyflawn i Ddysgwr A y mae gofyn iddo'i chyflawni trwy ofyn cwestiynau i Ddysgwr B, e.e. gall fod yn hanner rhestr brisiau ar fwydlen, neu'n hanner yr wybodaeth ar amserlen drenau, ac yn y blaen. Amrywiad ar yr un gweithgaredd yw'r gêm blant 'battleships' lle bydd Dysgwr A yn ticio nifer o ddewisiadau a Dysgwr B yn dyfalu pa rai a ddewiswyd ganddo. Trwy ofyn cwestiynau am yn ail am ddewisiadau'r llall, y cyntaf i ddyfalu'r cyfan sy'n ennill y gêm, e.e. o restr lleoedd rhaid dewis pum cyrchfan gwyliau: Paris, Dulyn, Rhufain, ac yn y blaen. Rhaid i'r naill ofyn i'r llall cwestiwn fel 'Hoffech chi fynd i . . .?' a'r cyntaf i gael y pump yn gywir sy'n ennill. Eto gellir addasu'r gweithgaredd i atgyfnerthu unrhyw batrwm bron o fewn unrhyw thema gan esgor ar ddigonedd o ailadrodd.

21

Un peth pwysig y dylid ei nodi yw bod gweithgareddau cyfyng fel y rhai a ddisgrifiwyd yn arwain at drafodaeth rydd. Er enghraifft, wrth ddefnyddio cyrchfannau gwyliau fel sail i holiadur 'Dych chi wedi bod yn . . .?' gellir trafod i ble byddai'r dysgwyr yn hoffi mynd mewn gwirionedd ar ôl cwblhau'r gêm, ac yn gyfle i holi'n fanylach am wyliau diweddar. Ni ellir gorbwysleisio pwysigrwydd sgwrsio rhydd yn y dosbarth iaith (yn yr iaith darged, wrth reswm). Wrth i ddysgwyr gyrraedd y dosbarth neu ymadael, yn ogystal ag ynghanol gwers, dylai'r tiwtor sbarduno sgwrs am unrhyw bwnc dan haul: ni ddylid ofni dosbarth swnllyd lle nad yw'r tiwtor yn rheoli, cyhyd bo'r siarad yn Gymraeg. Dyma, o bosibl ran bwysicaf y wers, lle y mae'r cyfathrebu mwyaf real a naturiol yn digwydd – yr elfen fwyaf naturiol mewn sefyllfa sydd yn ei hanfod yn annaturiol.

Pan fo dysgwyr wedi cyrraedd lefel uwch, gellir cyflwyno tasgau / gweithgareddau lle nad oes rheolaeth gan y tiwtor ar yr iaith a ddefnyddir. Er enghraifft, gellir dosbarthu lluniau wedi eu torri o bapur newydd, a'r dosbarth yn dyfalu pa stori sydd y tu cefn i'r llun. Gall hyn arwain at drafod y storïau dan sylw, eu rhoi yn nhrefn blaenoriaeth ar gyfer papur newydd, meddwl am benawdau Cymraeg a.y.y.b. Er na all y tiwtor reoli'r trafod, ac ni ddylai wneud hynny, gorau oll os yw'r cyfathrebu'n digwydd yn annibynnol. Un o nodweddion gweithgaredd da yw bod y tiwtor ar yr ymylon, neu o leiaf fod ei rôl yn un fugeiliol, yn mynd o gwmpas grwpiau neu barau'n porthi, yn cadarnhau ac yn canmol. Y gweithgaredd gorau yw'r un sy'n esgor ar y mwyaf o iaith o'r nifer mwyaf o ddysgwyr, heb iddynt boeni'n ormodol ar ffurf a chywirdeb, na phwyso ar y tiwtor am eirfa a phatrymau.

Ymddengys fod nifer o'r egwyddorion a ddisgrifiwyd hyd yn hyn yn croes-ddweud ei gilydd: mae angen canolbwyntio ar ynganu a phatrwm **a** rhoi amser i sgwrsio rhydd; mae angen graddio a chyfyngu'r hyn y bydd angen i ddysgwr ei ddweud yn ôl ei gyraeddiadau ac ar yr un pryd gwneud iddo deimlo ei fod wedi dewis yr hyn a gyfathrebir. Fodd bynnag, mae un agwedd ar ddysgu iaith sy'n fwy o fwgan na'r un arall, a derbyn bod iddi ei lle yn y ffordd 'gyfathrebol' o gwbl, sef gramadeg. Consenws barn tiwtoriaid iaith yw na ddylai gramadeg fod yn sail i gwrs a byddai rhai'n dadlau y dylid ei osgoi'n llwyr, gan anwybyddu cwestiynau'n dechrau â

'Pam?' Daw llawer iawn o oedolion i ddosbarth Cymraeg yn llawn rhagdybiau ynglŷn â beth i'w ddisgwyl a chŵyn gyffredin o du dysgwyr yw nad oes lle o gwbl yn y dosbarth iaith i ramadeg. Gan amlaf, rhagdybiau o ddyddiau ysgol sydd i gyfrif am hyn, ond mae lle i ddynnu sylw at reol neu ddwy a allai arbed dysgwyr rhag gwneud camgymeriadau, yn enwedig yn y cyfnodau ôl-ddechreuol. Nid yw hyn yn anghydnaws â bod yn gyfathrebol, fel y dywed David Nunan:

> ... It now seems widely accepted that there is value in classroom tasks which require learners to focus on form. It is also accepted that grammar is an essential resource in using language communicatively.[1]

Dadleuwyd eisoes dros bwysigrwydd ffurf a phatrwm, ond nodwyd hefyd fod gramadeg yn dieithrio dysgwyr ac yn negyddol ei effaith. Fodd bynnag, o ddiffinio gramadeg fel llwybr cyflym at y nod, yn hytrach nag fel fframwaith ieithyddol cyflawn, yna mae diben a gwerth iddo. Camp y tiwtor yw taro ar fan canol rhwng esboniadau haniaethol a'r hyn y gellir disgwyl i oedolyn ei gymhwyso, neu rhwng rheol a rhoi'r rheol ar waith. Er enghraifft, synnwyr cyffredin yw rhoi rhestr o lythrennau sy'n treiglo'n feddal ar ryw adeg yn y cwrs. Gellir llunio nifer o weithgareddau sy'n seiliedig ar y rhestr a fyddai'n gorfodi dysgwyr i gynhyrchu brawddegau go iawn, e.e. rhoi rhestr o enwau lleoedd / y pentrefi neu'r strydoedd lle mae'r dysgwyr yn byw ar gardiau, eu rhoi i bâr, a gofyn iddynt droi cardiau am yn ail gan ddweud 'Mae . . . yn dod o <u>Landeilo</u>' ac yn y blaen. Wrth gwrs, ni ellir disgwyl i bobl ddeall yr hyn a olygir wrth 'ferf anghyflawn' 'gwrthrych berf gryno' neu hyd yn oed 'berf', ond rhaid i'r tiwtor feddwl am ffyrdd o dynnu sylw at nodwedd gyffredinol gan osgoi termau cymhleth. Rhaid gweithio o'r enghreifftiau at y rheol honno, lle y byddai dulliau traddodiadol yn rhoi'r rheol yn gyntaf ac ychydig o enghreifftiau i egluro'r rheol.

Enghraifft o broblem ieithyddol sy'n faen tramgwydd i'r dysgwyr gorau yw'r ymadrodd enwol dibynnol, e.e. 'canol y dre', ac a ddylid rhoi 'yn' neu 'mewn' o'i flaen. Gellir ymarfer hyn trwy roi ymadrodd ar gerdyn, e.e. 'neuadd y sir', 'siop Mr. Jones', 'swyddfa brysur' i

---

[1] David Nunan, *Designing Tasks for the Communicative Classroom*, (Caergrawnt, 1989),13.

Ddysgwr A eu fflachio; rhaid i Ddysgwr B wedyn ddweud 'Mae e'n gweithio yn / mewn . . . ' a chadarnhau'r ateb priodol ar gefn y fflachgardiau. Gellir dadlau nad oes angen tynnu sylw at ymadroddion penodol ac amhenodol, os yw'r parau'n medru gwneud yr ymarfer yn llwyddiannus. O ddechrau gyda'r dystiolaeth a'i defnyddio fel erfyn i ragweld nodweddion a phroblemau, yna nid rhywbeth i'r academydd yn unig yw gramadeg.

Mae gêm 'ramadegol' arall sy'n delio â'r rhagenwau personol a'u treigladau amrywiol – rhaid cael nifer o wrthrychau, e.e. pen, cwpan, taflen ac ati y gellir eu pasio o gwmpas y dosbarth. Gan ddechrau â'r tiwtor, rhaid dweud brawddeg fel 'Dyma fy . . . i' a'r treiglad priodol, yna pasio'r gwrthrych o gwmpas. Gellir cael sawl brawddeg yn mynd o gwmpas ar yr un pryd, a chyda dosbarth da, newid y rhagenwau: 'Dyma ei . . . e / hi' ac yn y blaen. Wedyn, byddai modd dosbarthu taflen gyda'r rhestr o ragenwau a'r treigladau a achosir. Gall ymarfer sydd yn ei hanfod yn ramadegol hefyd fod yn hwyl ac yn ddefnyddiol. Wedi dweud hyn oll, rhaid cyfaddef ei bod hi'n amhosibl weithiau ateb cwestiynau 'Pam?' heb droi at dermau cymhleth. Dylid sicrhau nad yw cwestiynau o'r fath yn mynd ag amser y dosbarth cyfan ac mai adeg gwaith pâr / grŵp yw'r amser priodol i blagio'r tiwtor. Y peth pwysig wrth ddefnyddio gramadeg yw peidio â chaniatáu i'r trafod droi i'r Saesneg. Er bod y dysgwyr dan yr argraff eu bod yn rheoli, rhaid wrth unbennaeth gadarn tiwtor ynglŷn â'r rheol 'Cymraeg cyhyd ag y bo modd' a bod problemau gramadegol eu natur yn cael eu lapio gan enghreifftiau dijargon. Unwaith eto, mater o ddefnyddio'r 'dull sy'n gweithio' yw hi ac os gall 'gramadeg' yn yr ystyr a geir yma fod o help, gorau oll.

Mae llawer o'r hyn a nodwyd eisoes yn berthnasol i ddysgu unrhyw iaith, i ddysgu mewn ysgol a'r dosbarth oedolion. Serch hynny, dylid anelu at greu awyrgylch mewn dosbarth Cymraeg i Oedolion sy'n wahanol iawn i'r ysgol, neu'r atgof sydd gan y dysgwyr o'r ysgol. Mae meithrin anffurfioldeb a chael oedolion i deimlo'n gartrefol yn y dosbarth iaith yn bwysig, er mwyn meithrin yr hyder i ddefnyddio'r iaith darged. Gall 'dosbarth' lle bydd disgwyl i'r unigolyn gyfrannu fod yn llwyfan bygythiol iawn i lawer. Peth arall yw meithrin yr hyder i ddefnyddio'r iaith darged y tu allan i derfynau'r dosbarth. O geisio creu siaradwyr Cymraeg, gorau po

24

gyntaf y daw'r dysgwr wyneb yn wyneb â siaradwyr rhugl, trwy ddefnyddio cyfryngau (tâp, fideo ac ati) ar gyfer gwrando neu drwy ddod â siaradwr gwadd i mewn i'r dosbarth. Wrth reswm, mae angen gofal wrth wneud hyn gan sicrhau nad yw'r dysgwyr yn wynebu sefyllfa sydd yn llwyr o'u gafael ieithyddol. Ar y llaw arall, dylid annog dysgwyr i dderbyn sefyllfaoedd lle na fyddant yn gallu deall pob gair, gan fod y sgìl o ddyfalu ystyr yn ddefnyddiol iawn. Mae'r iaith a'r sefyllfa felly'n gymharol ddilys a naturiol, ac yn dechrau paratoi'r dysgwr i wynebu byd y siaradwyr Cymraeg.

Gellir hefyd droi rhaglenni radio a theledu'n adnoddau dysgu gwerthfawr, er, rhaid cydnabod bod llawer o ddosbarthiadau Cymraeg i Oedolion yn digwydd mewn neuaddau oer diarffordd, lle nad oes sôn am gyfarpar felly. O du'r cyfryngau y daeth rhai o'r ymdrechion cynharaf i ddysgu Cymraeg i oedolion yn benodol gan ddarparu rhaglenni radio a theledu ar gyfer dechreuwyr a dysgwyr ar lefelau uwch, e.e. gellir rhestru *Now You're Talking, Talk About Welsh, Catchphrase* a *Clonc* fel enghreifftiau diweddar o'r rhain. Ni fwriedir cloriannu'r rhain yn y fan hon, ond nodi eu bod yn gymorth gwerthfawr iawn i ddysgwyr na allant fynychu dosbarth am ryw reswm. Fodd bynnag, ni raid i'r tiwtor boeni y bydd y rhain, na rhaglenni cyfrifiadurol aml-gyfryngol megis *Dyma Hwyl* a *Chymraeg Ar-lein* yn disodli'r dosbarth iaith gan mai yn y cyfathrebu byw a'r ymwneud â phobl eraill y mae dysgu iaith. Atgyfnerthu'r broses honno a wna'r deunyddiau heuristig wrth gefn.

Wrth gloi pennod agoriadol gyffredinol fel hon, dylid crybwyll rhai o'r dulliau mwy arbrofol sydd ar droed. Un arbrawf sydd ar waith yw 'dysgu cyflym' lle cyflwynir yr iaith darged pan fo'r dysgwr yn ymlacio wrth wrando ar gerddoriaeth. Seilir y dull hwn ar ymchwil i seicoleg dysgu a bydd yn ddiddorol cymharu llwyddiant cyrsiau o'r math hwn â chyrsiau mwy traddodiadol. Cafwyd 'cyrsiau' arbrofol hefyd fel *Linkword* sy'n seiliedig ar y syniad fod y dysgwr yn cofio'n well trwy gyplysu'r gair â delwedd. Cyfyng, fodd bynnag, fu dylanwad y syniad hwn ar ddysgu dosbarth. Mewn gwirionedd, does dim ffon hudol y gellir ei rhoi i diwtor na dysgwr er mwyn dysgu Cymraeg dros nos na'r un cwrs na dull sy'n gweddu i bawb yn ddiwahân. Wrth i ymchwilwyr ddarganfod mwy am sut mae'r meddwl dynol yn gweithio a sut mae iaith yn gweithio, mae'n siŵr y bydd ein syniadau am ddysgu iaith yn newid eto. Nes i hynny ddigwydd, ymddengys fod angen i'r dysgwr ymroi llawer mewn dosbarth a chymdeithas er mwyn llwyddo, ac mae angen yr un faint o ymroddiad o du'r tiwtor. Rhaid wrth frwdfrydedd a sensitifrwydd i anghenion dysgwyr yn ogystal â pharodrwydd i chwilio am syniadau newydd.

Caerfyrddin   EMYR DAVIES

DATBLYGIAD YR WLPAN

Tua chanol y chwedegau daeth rhyw ddeffroad i fyd y Gymraeg fel ail iaith yn sgîl nifer o ddigwyddiadau megis, penodi Jac L Williams i Gadair Addysg Aberystwyth, agor yr Uned Iaith Genedlaethol yn Nhrefforest o dan y Cyd-bwyllgor Addysg Cymreig, fel yr oedd yr adeg honno, a phenderfyniad hen Gyngor Sir Forgannwg i sefydlu cwrs blwyddyn llawn amser yng Ngholeg Hyfforddi'r Barri i ddysgu'r iaith i rai o athrawon ysgolion cynradd yr awdurdod.

O Adran Addysg Aberystwyth, ymhen tipyn, gwelwyd llif o gyhoeddiadau'n cyrraedd megis *The Bilingual Method,* Yr Athro Carl Dodson a *Geiriadur Dysgwyr* a oedd i weddnewid ein syniadau am gynnwys cyrsiau a thechnegau dysgu. Dyma hefyd gyfnod cyhoeddi llyfrynnau Cymraeg Byw gan y Cyd-bwyllgor Addysg – ymgais dewr ac arloesol i wynebu her trosglwyddo'r iaith lafar i'r dysgwr. Yn dilyn hyn daeth llawlyfrau newydd o'r wasg megis *Cymraeg i Oedolion* R. M. Jones, a *Conversational Welsh Course* Dan Lyn James, a werthodd 8,000 copi o fewn tair blynedd mae'n debyg, a chwrs oedolion yr Uned Iaith.

Yr oedd arwyddion o ddiddordeb newydd ar bob llaw. Llwyddodd mudiad newydd o'r enw *The Institute of Wales,* trwy ddefnyddio dulliau marchnata soffistigedig, i ennyn diddordeb mawr yn yr iaith a denu cannoedd i rai o'i gyfarfodydd. Yn ôl ymchwil a wnaed gan Adran Addysg Aberystwyth, erbyn 1972-3, yr oedd 388 o ddosbarthiadau nos yn dysgu Cymraeg i 5,189 o oedolion yng Nghymru a thros 50 dosbarth yn dysgu 570 y tu allan. Dechreuwyd trefnu cyrsiau preswyl a chyrsiau Sadwrn i oedolion hefyd a chyda'r cynnydd yn yr oriau Cymraeg ar y teledu cafwyd cyfresi dysgu megis *Croeso Christine* (1967 TWW) a *Chroesi'r bont* (BBC Cymru) i fodloni'r chwilfrydedd newydd yn y di-Gymraeg a grewyd gan y rhaglenni ychwanegol.

Ond yng nghanol yr holl fwrlwm hwn o weithgarwch yr oedd rhyw nodyn o ansicrwydd yn codi ambell waith ynglŷn â faint, mewn gwirionedd, a oedd yn cael ei gyflawni a beth yn wir oedd amcan y cyfan – cynhyrchu siaradwyr newydd ynteu codi diddordeb a chreu ewyllys da yn unig. Dysgwr a oedd wedi ymddangos ar y teledu yn ystod y gyfres *Croeso Christine* oedd gŵr o'r enw Trevor Vaughan – Cymro di-Gymraeg o Aberdâr yn wreiddiol a henadur ar Gyngor Tref Casnewydd. Yr oedd hefyd yn un o gynrychiolwyr yr awdurdodau lleol ar Fwrdd Estyn Prifysgol Cymru – corff a oedd yn cyfarfod ddwywaith y flwyddyn i gyd-gordio gwaith y pedair Adran Allanol. Yr oedd Trevor Vaughan yn dysgu Cymraeg ers rhai blynyddoedd ond yn anfodlon iawn ar ei gynnydd a byddai'n defnyddio cyfarfodydd y Bwrdd Estyn i leisio'i gŵyn mewn geiriau tebyg i'r rhain:

> I've been learning Welsh now for three years. I can say things like, 'Mae'r dyn yn cerdded', but I still can't understand people talking. What are you going to do for people like me? I'm on a plâteau and I can't get off it.

Aeth 'plâteau Vaughan', mae'n debyg, yn gymaint o fwrn ar aelodau'r Bwrdd Estyn yn y diwedd, nes iddynt benderfynu galw am femorandwm manwl ar gyfraniad y Brifysgol i holl faes dysgu Cymraeg i Oedolion a gofyn i Tedi Millward o staff Adran y Gymraeg, Aberystwyth i'w baratoi. Argymhelliad y memorandwm, pan ddaeth i'w drafod yn Hydref 1973, oedd sefydlu Canolfan Iaith o dan y Brifysgol i ganolbwyntio ar waith ail iaith i oedolion[1] . Ymateb y Bwrdd i hyn oedd cymeradwyo i Gyngor y Brifysgol fod Swyddog Ymchwil a Datblygu i'w benodi o fis Hydref 1974 am gyfnod o ddwy flynedd a chanddo gyfrifoldeb am y canlynol:

1. Dysgu myfyrwyr i'r safon uchaf
2. Darparu a dilysu Diploma mewn Cymraeg (ail iaith)
3. Hyfforddi tiwtoriaid
4. Gwaith ymchwil angenrheidiol
5. Trefnu cyrsiau preswyl i fyfyrwyr a thiwtoriaid o 1 – 3 mis o hyd

---

[1]In my submission, the University of Wales, through the medium of the Extension Board, should give a positive lead in this context by advocating the establishment of a Language Centre concerned exclusively with the teaching of Welsh as a second language to adults.
(79 cyfarfod o Fwrdd Estyn y Brifysgol, ddydd Mercher 17 Hydref, 1973, Yr Amwythig.)

Pan hysbysebwyd y swydd hon cynigiais amdani a'i chael ac o ganlyniad ymadael â'm gwaith fel cynorthwy-ydd yn Adran Gymraeg y Cyd-bwyllgor ar ddwy flynedd o secwndiad. Rhoddwyd desg i mi yn un o ystafelloedd adeilad Cofrestrfa Prifysgol Cymru ym Mharc Cathays, Caerdydd, a dyna ddechrau ar fywyd newydd heb fawr mwy o gyfarwyddid yn ganllaw na'r amodau uchod a'm breuddwydion dirgel fy hun.

Yr oeddwn ers tro yn ysu am gael gweld arbrofi pellach â chyrsiau Cymraeg dwys i oedolion, wedi edrych â llygaid edmygus ar y gwaith a oedd yn cael ei wneud gan Cennard a Basil Davies yng Ngholeg Addysg y Barri ac wedi darllen cryn dipyn am adfywiad yr Hebraeg yn Israel. Mewn erthyglau achlysurol yn y wasg Gymraeg gan rai fel Elen Garlick, Gwynfor Evans a Judith Maro[2] a oedd yn trafod y pwnc, mae'n debyg bod y gair 'ulpan' wedi'i grybwyll, ond cyfraniad i lyfryn a gyhoeddwyd mewn cysylltiad â chyfres o raglenni ar RTE, o'r enw *Watch your Language,* a hoeliodd fy sylw ar y sefydliadau hyn. Larry Elyan, Iddew o Ddulyn, oedd yr awdur ac ynddo adroddodd ei hanes personol ei hun fel un a oedd wedi ymfudo i Israel ac wedi gorfod ymroi i ddysgu'r iaith. Mor wahanol oedd hynny, meddai, i'r profiad a gafodd yn dysgu'r Wyddeleg:

> I was recommended an Ulpan – an intensive study course – in a town half way between Tel-Aviv and Haifa. It was voluntary, as far as I was concerned, but I kept on thinking all the time I was there about compulsory Irish and I began to realise by the way they taught there that compulsory Irish was a feeble effort, compared to the way they battered Hebrew into you there. You worked from eight in the morning till one o'clock with short breaks of a few minutes between each hour. It was all done with terrific passion, terrific enthusiasm.[3]

Yn 1948, pan ymddangosodd gwlad o'r enw Israel am y tro cyntaf ar fap y byd modern, yr oedd nifer y trigolion a oedd yn siarad Hebraeg yn llai na nifer y Cymry Cymraeg ar y pryd a'r mwyafrif

---

[2]Elen Garlick, 'Adfywiad yr Hebraeg', *Barn 71,* 1969, 296-7. Gwynfor Evans, 'Digwyddodd yn Israel', *Barn 78,* 1969, 152-3. Judith Maro, 'Adferiad Israel,' *Taliesin 23,* 1971. Judith Maro, *Hen Wlad Newydd,* (Talybont, 1974).

[3]'Success in Israel', *Watch your Language,* RTE.

mawr o'r rheiny hefyd yn siaradwyr ail iaith. Er hynny, yr Hebraeg a ddewiswyd yn brif iaith swyddogol y wladwriaeth newydd. Agorwyd ei ffiniau i ymfudwyr Iddewig o bedwar ban y byd ac o fewn ychydig o flynyddoedd dyblwyd a threblwyd ei phoblogaeth.

Ymateb i bresenoldeb y newydd-ddyfodiaid anghyfiaith hyn oedd creu y math o gyrsiau y daethpwyd i'w galw'n 'ulpanim'. Wrth ddarllen amdanynt yr hyn a wnâi'r argraff fwyaf oedd cyfanswm uchel yr oriau cyswllt â'r Hebraeg y tybiwyd eu bod yn angenrheidiol i rywun allu meistroli'r iaith. Rhwng 500 neu 600 oedd yr isafswm a'r rheiny yn aml wedi'u cywasgu i gyfnod o ryw dri neu bedwar mis.

Yr oedd yn agoriad llygad, ond yr un pryd yr oedd rhywun yn sylweddoli mai rhywbeth tebyg oedd yr hyn a oedd yn cael ei gynnig i athrawon di-Gymraeg Awdurdod Addysg Morgannwg ar y cwrs yng Ngholeg Hyfforddi'r Barri. Ond pitw, mewn cymhariaeth, oedd y 40 awr y gallai dysgwyr ddisgwyl eu derbyn mewn blwyddyn o ddosbarth nos.

Yr oeddwn yn teimlo bod mwy i stori'r 'ulpan' na'r hyn yr oeddwn wedi'i ddarllen a dyma ysgrifennu at yr Asiantaeth Iddewig yn Llundain am ragor o wybodaeth. Daeth ateb yn dweud nad oedd ganddynt unrhyw beth yn ffurf llyfr na phamffled y gallent ei anfon yn ôl. Yr oedd y dasg o gychwyn a chynnal yr 'ulpanim' wedi bod mor anferth ac amser pawb mor brin, nid oedd neb erioed wedi cael cyfle i ddadansoddi na chyhoeddi dim. Ond os nad oedd yn bosibl anfon gwybodaeth, yr oedd yn bosibl anfon siaradwr neu siaradwraig yn hytrach. Yn gweithio yn y swyddfa yn Llundain yr oedd rhywun o'r enw Mrs Shoshana Eytan a oedd wedi bod yn diwtor yn Ulpan Etzion, yr 'ulpan' gwreiddiol yn Jerwsalem a agorwyd yn 1949. Byddai'n fwy na pharod i ddod i lawr i Gaerdydd i roi anerchiad.

Cafwyd nawdd y gangen leol o UCAC i'r cyfarfod a gynhaliwyd ar 6 Tachwedd 1972 lle y bu Mrs Eytan yn annerch cynulleidfa o ryw ugain o bobl. Cyhoeddwyd adroddiad arno yn Yr Athro yn Ionawr 1973.[4]

Esboniodd Mrs Eytan fod y gair Hebraeg 'ulpan' yn ei ystyr fwyaf eang yn golygu 'stiwdio' ond ym myd addysg y diffiniad gorau fyddai 'a school employing intensive teaching methods where the result is

---

[4]Chris Rees, 'Ysgolion iaith i Oedolion', Yr Athro 24, 1973, 153-5.

guaranteed'. Yr oedd mynediad i'r 'ulpanim', meddai, yn cael ei gyfyngu'n bennaf i bobl broffesiynol a rhai a oedd eisoes wedi ennill cymwysterau tebyg i'r Dystysgrif Addysg Gyffredinol. Yr oedd hyn yn sicrhau bod y myfyrwyr wedi datblygu arferion astudio cywir. Yr oedd yr 'ulpan' gwreiddiol – Ulpan Etzion – yn gwrs preswyl. Agorodd ei ddrysau ar 21 Medi, 1949 mewn adeilad a oedd wedi bod yn fynachlog Garmelaidd ac wedyn yn glwb i swyddogion y Fyddin Brydeinig yn ystod yr Ail Ryfel Byd. Yr oedd yn adeilad a oedd wedi'i esgeuluso'n ofnadwy ac yn lle hollol anaddas i gynnal unrhyw fath o ysgol ynddo. Iddo daeth Iddewon o Fwlgaria a Iwgoslafia a rhannau eraill o Ewrop.[5] Yr oedd disgwyl iddynt weithio chwe diwrnod yr wythnos o ddydd Sul i ddydd Gwener gan ddechrau am wyth o'r gloch y bore a gorffen am un, a threulio tair neu bedair awr wedyn yn astudio ar eu pennau eu hun. Yr oedd y dulliau dysgu'n rhai eclectig ond Hebraeg trwy'r Hebraeg oedd y polisi. A chynifer yn dod o gefndir cwbl wahanol, hollol anymarferol oedd defnyddio eu hieithoedd cyntaf, heblaw bod hynny'n ideolegol annerbyniol.

Un a fu'n bresennol yn y cyfarfod hwn yng Nghaerdydd oedd athrawes Gymraeg ifanc adnabyddus o'r enw Ethni Daniel – Mrs Ethni Jones erbyn hyn. Yr oedd yn argyhoeddedig bod rhaid rhoi rhywbeth ar ei draed y gaeaf wedyn yng Nghaerdydd ar batrwm y cyrsiau a oedd wedi'u hamlinellu gan Mrs Eytan. Y canlyniad oedd iddi hi, Ethni, Nia, ei chwaer, a minnau gyfarfod yng nghartref y teulu yn West Orchard Crescent, Treganna yn gynnar ym mis Medi 1973. I'r cyfarfod hwnnw hefyd, gwahoddwyd rhywun arall a oedd yn adnabyddus iawn am ei weithgarwch mawr dros y Gymraeg yng nghylchoedd Caerdydd, sef Gwilym Roberts, Rhiwbeina. Erbyn hyn mae yr un mor adnabyddus ac am yr un rhesymau yn y Wladfa Gymraeg ym Mhatagonia. O'r funud y cyrhaeddodd Gwilym y cyfarfod dechreuodd pethau symud a chyn diwedd y noson, yr oedd trefniadau'r cwrs y daethom i'w alw yn 'Wlpan cyntaf Cymru' ar y gweill.

Ar y pryd yr oedd nifer fawr o ddosbarthiadau Cymraeg yn cael eu cynnal yng Nghanolfan yr Urdd, yn Conway Road, Treganna bob noson o'r wythnos gan ddiwtoriaid gwirfoddol. Heb unrhyw

---

[5]Richard Crowe, *Yr Wlpan yn Israel,* (Aberystwyth, 1988).

hysbysebu, yr oedd ugeiniau o bobl newydd yn cyrraedd y Ganolfan ar nos Lun gyntaf tymor yr hydref yn chwilio am wersi. Cytunwyd y byddwn ni'n pedwar yn mynd o gwmpas i siarad â phob un o'r rhain i weld a oedd cnewyllyn a fyddai'n barod i ddod i'r Ganolfan i ddysgu'r Gymraeg, nid am un noson yr wythnos yn unig ond am bump – a hynny hyd ddiwedd y tymor, sef deg wythnos i gyd. Paratowyd maes llafur neu gynllun gwaith a ffurfiodd Gwilym dîm o diwtoriaid. Gan fod athrawon mwyaf profiadol y Ganolfan i gyd yn bobl brysur iawn, penderfynwyd peidio â gofyn i neb gyfrannu mwy nag awr o waith unwaith pob pythefnos. Yr oedd hynny, wrth gwrs, yn golygu staff o ugain. Sgerbwd oedd y cynllun gwaith a roddwyd i bob tiwtor yn nodi'n foel pa batrwm brawddegol newydd a oedd i'w gyflwyno bob nos. Dwy awr yr oedd pob sesiwn yn para ac yr oedd yn ddealledig bod patrwm y noson flaenorol i'w adolygu yn ystod yr awr gyntaf. Ar wahân i hynny, yr oedd rhyddid i bob tiwtor wneud fel y mynnai. Pwysleisiwyd, serch hynny, nad oedd dim Saesneg i gael ei chlywed, ar wahân i'r brawddegau y byddai'r tiwtor yn eu llefaru yn y driliau cyfieithu. Yr oedd pawb yn gyfarwydd ag egwyddorion y Dull Dwyieithog ac yn sicr o ddilyn cyfarwyddiadau Carl Dodson.

Rhaid i mi gyfaddef nad oeddwn ar y pryd wedi meddwl am gwrs Wlpan Cymraeg fel cwrs ar gyfer dechreuwyr pur, ond ar gyfer pobl a oedd a sylfaen da yn yr iaith yn barod ond heb hyder i siarad. Yr oeddwn yn amheus a fyddai cwrs 100 awr yn llwyddo gyda rhai a oedd yn gwbl ddieithr i'r Gymraeg a byddai'n well gen i fod wedi mynd i genhadu ymhlith dosbarthiadau ail a thrydedd flwyddyn y Ganolfan. Creu siaradwyr newydd a gwarantu llwyddiant oedd y peth pwysig yn fy marn i, yn enwedig ar y cwrs cyntaf. Ond mentro a wnaethom gyda'r dechreuwyr a chael bod un ar ddeg yn barod i roi cynnig ar yr arbrawf.

Dechreuodd yr un ar ddeg felly ar nos Lun 24 Medi, 1973. Cymry di-Gymraeg oedd chwech ohonynt a phump yn Saeson. Dyma nhw:

1. Christine Madden (Jones wedyn)
2. Terry Stevens
3. Y Dr. Gerald Benchley
4. John Couch
5. John Osmond
6. Althea Osmond

7. Danny Feehan
8. John Hardy
9. David Wright
10. a 11. Dau dechnegwr a oedd newydd gyrraedd o Lundain i weithio gyda HTV. Mae eu henwau wedi mynd yn angof.

Gorffennodd y cwrs ar 7 Rhagfyr. Er gwaethaf y diffyg adnoddau a'r diffyg paratoi, y teimlad oedd bod rhywbeth pwysig wedi'i gyflawni a chafwyd tipyn o gyhoeddusrwydd ar y teledu, yn y *Western Mail* ac ar ddudalen flaen *Y Cymro*.[6] Dim ond un aelod o'r dosbarth a gollwyd ac yr oedd hwnnw wedi gadael Caerdydd oherwydd ei waith. Yr oedd safon y goreuon ar y diwedd yn rhyfeddol ac mae'n dal i fod felly dros chwarter canrif yn ddiweddarach.

Aethpwyd ymlaen ar unwaith â threfniadau'r cwrs nesaf a dechreuodd hwnnw yng Nghanolfan yr Urdd yn gynnar ym mis Ionawr 1974. Erbyn mis Mai, yr oedd pedwar Wlpan yn rhedeg yng Nghymru – un yn Aberystwyth, un ym Mhontypridd a dau yng Nghaerdydd (un dan nawdd Adran Allanol Coleg Caerdydd a oedd yn cyfarfod yn y boreau).

Fy mreuddwyd o hyd oedd gweld y ddarpariaeth a oedd yn Israel yn cael ei hail-greu yma yng Nghymru a gwelwn amodau'r swydd newydd yn gyfle i fynd rywfaint o'r ffordd, beth bynnag, tuag at wireddu'r freuddwyd honno. Yr oeddwn i'n sylweddoli, yn naturiol, faint o wahaniaeth a oedd rhwng sefyllfa gymdeithasol y Gymraeg a'r Hebraeg. Cyfrwng prif lifeiriant bywyd oedd yr Hebraeg. Iaith yr ymylon oedd y Gymraeg. Nid oedd cymhariaeth rhwng y cymhellion i'w meistroli. Ond beth bynnag oedd yr iaith yr oedd rhywun am ei dysgu, yr oedd yr ymdrech yn hawlio sylw llawn amser.

Ar 30 Medi, 1974 gadewais swyddfa'r Cyd-bwyllgor Addysg gan ddirgel obeithio na fyddai rhaid i mi ddychwelyd byth. 100 awr oedd hyd y cyrsiau Wlpan yng Nghanolfan yr Urdd, Caerdydd. Yr oedd yn ymddangos mai arbrofi gyda chwrs 200 awr oedd y cam rhesymol nesaf. Swydd dros dro oedd y swydd a swydd heb adnoddau. Yr oedd hynny'n golygu dau beth; byddai rhaid dechrau'n fuan a byddai rhaid gwneud y dysgu fy hun neu ddod o hyd i arian i dalu tiwtoriaid eraill. Ystyr 200 awr oedd rhywbeth fel 60 neu 70 awr y mis, sef 15 awr yr

---

[6]'Ulpan – cynllun o Israel i ddysgu Cymraeg', *Y Cymro*, 4 Rhagfyr, 1973, 1.

wythnos. Yr oedd yn gwestiwn a oedd unrhywun yn mynd i allu rhoi cymaint â hynny o'u hamser i ddysgu Cymraeg. Penderfynais nad oedd gobaith llenwi cwrs 200 awr heb berswadio cyflogwyr i ryddhau rhai o'u staff yn ystod eu horiau gwaith. Treuliais gryn dipyn o amser yn ystod yr wythnosau cyntaf yn cnocio drysau penaethiaid adrannau rhai sefydliadau fel y banciau, y BBC, HTV, y Bwrdd Telathrebu a.y.y.b, i'r perwyl hwn a chael ymateb digon da inni allu cychwyn ein cwrs cyntaf ar 7 Ionawr, 1975, mewn ystafell a roddwyd inni yn yr Adran Allanol yn 38 Park Place gan y Cyfarwyddwr, John Selwyn Davies. Yr oedd cyfanswm oriau'r cwrs yn llai na'r 200 yr oeddwn i wedi gobeithio amdanynt ond yn gynnydd sylweddol ar rai Wlpan Canolfan yr Urdd. Dyma'r manylion:

Cyfanswm yr oriau	177
Dyddiadau	7.1.75 – 27.3.75
Oriau cyfarfod	10.00 a.m. – 1.00 p.m.
(Dydd Llun i ddydd Gwener)	

Aelodau

Bwrdd Telathrebu Cymru a'r Gororau	4
BBC Cymru	3
Banc y Midland	2
Cymdeithas Adeiladu Nationwide	1
Llysoedd y Goron	1
Myfyrwyr eraill	5
Cyfanswm	16

Oriau dysgu

Eira Phillips	66
Yn bersonol	111

Trwy ddysgu ar dri bore'r wythnos fy hun yr oedd yn bosibl cyflogi Mrs. Phillips ar y ddau fore arall a'i thalu o incwm ffioedd y myfyrwyr.

Dilynodd cwrs arall ar yr un patrwm â hwn ar ôl y Pasg ond y tro hwn cafwyd cymorth Ethni Daniel hefyd fel tiwtor a'i gwnaeth yn bosibl imi leihau fy nghyfraniad personol i'r dysgu o dri bore i ddau.

Yr oedd defnyddio tîm o diwtoriaid fel hyn yn galw am gynllun gwaith wrth gwrs, ac un llawer mwy manwl na'r sgerbwd a

34

ddefnyddiwyd yng Nghanolfan yr Urdd. Paratowyd cyfres o daflenni – un ar gyfer pob bore – a ddosbarthwyd ychydig cyn diwedd y wers. Yr oedd un ochr i'r daflen yn crynhoi holl waith y dosbarth – yn eirfa ac yn ddriliau gyda deialog i'w hymarfer ar y gwaelod. Ar gefn y daflen yr oedd ymarferion ysgrifenedig i'w cwblhau bob nos fel gwaith cartref. Byddai'r tiwtor yn casglu'r taflenni ar ddechrau'r wers bob bore a'u marcio pan oedd y myfyrwyr yn ymarfer yn y labordy iaith a oedd yn yr adeilad. Gan fod cyfnod yn y labordy iaith yn rhan o amserlen pob bore, roedd gofyn paratoi cyfres o dapiau i'w defnyddio yn y fan honno hefyd. Yr oedd pob tâp yn adolygu'r patrymau newydd a gyflwynwyd y diwrnod cynt.

Ar wahân i hynny, yr oedd y cwrs yn gwrs llafar pur, a dyna un rheswm am beidio â defnyddio rhai o'r llawlyfrau clawr caled a oedd ar y farchnad ar y pryd. Yr oedd y llyfrau hyn hefyd yn gwerthu'n dda ac yn tueddu i fynd allan o brint ar yr union adeg yr oedd eu hangen fwyaf. Ar ben hyn, gwelwyd bod gofynion pobl a oedd yn cyfarfod yn rheolaidd bob dydd ychydig yn wahanol. Yr oedd galw amlwg am wybodaeth o Amser Gorffennol y ferf – yn enwedig y berfau afreolaidd 'bod', 'mynd' a 'gwneud' – yn gynnar iawn yn y cwrs, er enghraifft, er mwyn cyfnewid newyddion personol ac i ateb cwestiwn cyntaf bob bore, 'Beth wnaethoch chi neithiwr?'

Nid oedd gramadeg ffurfiol yn cael ei ddysgu ond gofalwyd bod pob Cam neu Uned, yn y driliau, yn cyflwyno eitemau gramadegol newydd a bod holl brif batrymau brawddegol ac amrywiadau gramadegol yr iaith yn cael eu trosglwyddo o fewn 60 cam y cwrs. Yr oedd pob Cam yn cyflwyno rhyw 20 o eitemau o eirfa newydd, yn ogystal. Ceisiwyd seilio'r deialogau yn y Camau ar sefyllfa lle byddai'r patrymau a'r gramadeg newydd yn digwydd yn naturiol.

Rhannwyd tair awr y dosbarth i dri chyfnod – yr awr gyntaf yn sesiwn adolygu ac ymddiddan anffurfiol – egwyl fer yn dilyn ac yna cyfnod yn y labordy. Yn yr awr olaf yr oedd y gwaith newydd yn cael ei gyflwyno a'r tiwtor yn drilio'n galed am dros hanner yr amser. Yna, ar ôl y drilio, byddai pawb yn cael copi o'r daflen i fynd dros y driliau mewn parau. Byddai'r ddeialog yn cael ei chyflwyno ar ddiwedd y cyfnod a'r parau yn eu tro'n darllen ac yn actio'r gwahanol rannau.

Mae rhywun yn darllen cyfeiriadau o dro i dro at 'Ddull yr Wlpan'. Nid oedd y technegau dysgu ar y cyrsiau hyn yn sylfaenol wahanol i'r

35

hyn a geid mewn dosbarthiadau ail iaith eraill. Yr oedd y pwyslais ar ailadrodd, defnyddio'r frawddeg nid y gair unigol yn sylfaen y dysgu, cadw'r tempo, osgoi dadansoddi, peidio â chaniatáu cwestiynau, na chywiro nac enwau yn ystod y drilio ac wrth gwrs, dim Saesneg – dim ond fel y stimwlws yn y driliau cyfieithu. Penderfynwyd, fodd bynnag, bod rhaid caniatáu ychydig o Saesneg anffurfiol yn ystod y dyddiau cynnar ond yr oedd yn bolisi lleihau'r ychydig hwnnw'n gyflym a chyhoeddi ar ddiwedd y pymthegfed bore na fyddai'r tiwtor yn ei defnyddio o gwbl wedyn.

Wedi cynnal cyrsiau ar y patrwm uchod yng Nghaerdydd, trowyd i'r canolfannau eraill yn y Brifysgol a ffurfio timau o diwtoriaid i gynnal rhai tebyg yn Abertawe a Bangor, ond yr oedd yr awydd i anelu at rywbeth mwy uchelgeisiol byth yn parhau. Yr oeddwn yn awr yn meddwl yn nhermau cwrs preswyl yn ystod gwyliau hir yr haf ac ar ymweliad ag Adran y Gymraeg, Coleg Dewi Sant, Llanbedr Pont Steffan, tynnwyd fy sylw at fanteision hwnnw fel lleoliad posibl. Y canlyniad fu penderfynu rhoi cynnig ar gwrs preswyl arbrofol, mis o hyd, yn Llanbedr yn ystod haf 1975 a'r un pryd cyflwyno cais i'r Brifysgol am arian ychwanegol i drefnu un y flwyddyn wedyn a fyddai'n para wyth wythnos. Cytunodd Cyngor y Brifysgol â'r cais ar 4 Gorffennaf, 1975 ac estyn grant o £2,000 i'r pwrpas – £1,200 i gyfarfod â chostau staffio a £800 i'w defnyddio ar gyfer ysgoloriaethau i'r dysgwyr. Ar yr un pryd perswadiwyd y Cyngor Prydeinig i greu dwy ysgoloriaeth ar gyfer myfyrwyr o Adrannau Celtaidd prifysgolion yn Llydaw.

Y gaeaf wedyn bu arbrofi pellach â chyrsiau 180 awr yng Nghaerdydd ar batrwm newydd. Yr oedd y rhain yn cyfarfod am awr a hanner bob dydd ond yn ymestyn dros ddau dymor yn lle un. Cam chwyldroadol braidd oedd cynnal un cwrs am 8.00 y bore. Y gobaith oedd y byddai trefniant felly'n apelio'n fwy at gyflogwyr. Tipyn yn araf serch hynny, y bu'r syniad hwn yn cydio, ond dros y blynyddoedd mae wedi'i brofi ei hun yn un o'n cynlluniau mwyaf poblogaidd. Mae'n bosibl bod presenoldeb sefydliadau fel y Swyddfa Gymreig, yr Amgueddfa Genedlaethol a Chyngor y Celfyddydau ym Mharc Cathays i'w gyfrif i raddau.

Arbrawf arall a gychwynnwyd ar yr un pryd oedd cwrs tebyg, y pen arall i'r diwrnod gwaith, sef rhwng 4.30 a 6.00 p.m. Mae'r ymateb i hwn hefyd wedi bod yn dda ond heb fod cystal â'r llall.

Mae'r ffaith bod pobl yn barod i fynd i astudio cyn dechrau'r diwrnod gwaith wedi bod o ddiddordeb i'r cyfryngau a bu criwiau teledu acw'n ffilmio ar fwy nag un achlysur, yn cynnwys un o Lundain.

Daeth Cwrs Sylfaenol yn derm cyfleus i'w ddefnyddio am yr holl gyrsiau 180 awr hyn – gwelliant o safbwynt yr oriau cyswllt ond eto'n annigonol. Unwaith yr oedd un yn dod i ben, yr oedd y rhai a oedd wedi bod arno'n gofyn am rywbeth ychwanegol. Nid oedd dewis felly ond mynd ati i drefnu cyrsiau pellach. Yr oeddwn i, yn naturiol, yn petruso braidd cyn cymryd y cam hwn. Cymeriad adnabyddus yw'r 'dysgwr proffesiynol' – y sawl sy'n dod yn ôl blwyddyn ar ôl blwyddyn i'r un dosbarth iaith a byth yn mentro allan i ymdoddi yn y bywyd Cymraeg o'i gwmpas. Nid oes gan neb hawl di-ben-draw ar amser a sylw tiwtoriaid. Yr oedd perygl gadael i bobl aros yn rhy hir yn y system ac er bod rhywun yn gorfod meddwl o hyd am ffyrdd i ddenu rhagor o ddysgwyr newydd, yr oedd angen dyfeisio dulliau o gael gwared â rhai hefyd.

Canlyniad y cyfan fu sefydlu cwrs uwch neu ôl – Wlpan y rhoddwyd yr enw Cwrs Meistroli arno a'i gyplysu â chynllun arholiad newydd. Cyflwynwyd hwnnw i Fwrdd Academaidd y Brifysgol o dan y teitl Tystysgrif Prifysgol Cymru mewn Cymraeg fel ail iaith, fel prawf addas i rywun a oedd wedi derbyn rhyw 400 awr o hyfforddiant yn yr iaith. Byddai'n torri tir newydd trwy fod yn arholiad oedolion ac yn arholiad uniaith ac felly, mewn enw beth bynnag, yn agored i bob math o ddysgwyr, nid yn unig y rhai yr oedd y Saesneg yn famiaith iddynt. Yr oedd wedi'i batrymu ar y *Cambridge First Certificate in English as a foreign language* a byddai'n profi'r pedwar sgìl sylfaenol – siarad, gwrando, darllen ac ysgrifennu. Yr oedd hanner cyfanswm y marciau i gael eu rhoi am waith llafar.

Yn ogystal â Chydbwyllgor Addysg Cymru, a oedd yn arholi disgyblion ysgolion, yr oedd cyrff eraill yn cynnig arholiadau Cymraeg ar y pryd a oedd yn agored i oedolion, sef yr *Institute of Linguistics* a'r *Royal Society of Arts* ac oherwydd hynny bu ychydig o wrthwynebiad yn y Bwrdd Academaidd, ond derbyniwyd y cynllun er hynny. Gwnaed trefniadau i arholi'r ymgeiswyr cyntaf yn 1977.

Cynigiwyd y Cwrs Meistroli wedyn i gyn-aelodau'r Cyrsiau Sylfaenol fel cwrs arholiad yn ymestyn dros ddwy flynedd gyda Thystysgrif y Brifysgol yn nod ar y diwedd. Nid cwrs dwys oedd hwn fel y lleill ond dosbarth tair awr, unwaith yr wythnos. Gyda 26 o gyfarfodydd dros ddwy flynedd, yr oedd hynny'n gwneud cyfanswm o 156 awr dros ben 180 awr ar y Cwrs Sylfaenol. Yr oedd 324 o oriau dysgu yn is na'r 400 a oedd yn ofynnol ar gyfer yr arholiad ond yr oedd cynlluniau i gau rhywfaint ar y bwlch trwy gyfres o Ysgolion Sadwrn a Chwrs Preswyl.

Yr oedd bodolaeth yr arholiad yn cryfhau'r ddadl dros wneud swydd y Swyddog Ymchwil a Datblygu'n barhaol a chytunodd y Bwrdd Estyn i argymell hyn ym mis Mai 1976. Yr oedd y Swyddog i fod yn aelod o staff canolog y Brifysgol. Argymhellion pellach oedd creu swydd Cynorthwy-ydd yng Nghaerdydd ac, ymhen amser, sefydlu tiwtoriaid-drefnyddion yn ardaloedd yr Adrannau Allanol eraill, ond ariannu'r swyddi o gronfeydd canolog y Brifysgol.

Cafwyd cryn dipyn o wrthwynebiad i'r datblygiadau hyn gan Bwyllgor y Prifathrawon. Eu dadl hwy oedd mai gwaith y colegau oedd dysgu ac nid y Brifysgol ei hun. Y Bwrdd Estyn a orfu ar y pryd ond byddai dadl y prifathrawon yn codi ei phen eto mewn blynyddoedd i ddod.

Yr oedd tŷ ar safle Gwasg y Brifysgol yn Gwennyth Street, Cathays yn wag a chytunodd y Cofrestrydd, Mr. Gareth Thomas, i hwnnw gael ei ddefnyddio yn gartref i'r gwaith. Yr oedd ynddo le i ddwy ystafell ddysgu a dwy swyddfa.

Yr haf hwnnw, haf 1976, cynhaliwyd y cwrs preswyl wyth wythnos am y tro cyntaf yn Llanbedr Pont Steffan. Cofrestrodd chwech ar hugain o fyfyrwyr a chwblhaodd ugain ohonynt y cyfnod llawn. Cafwyd help gan ddeg o diwtoriaid ychwanegol i'w staffio, sef Meirion Davies, W. H. Raybould, Rhobat Powell, W. J. Jones, Ann Rosser, Lorna Herbert, Gwyneth Phillips, Rhisiart Hincks, Lowri Gwilym ac Elaine Tyler a ddaeth yn fwy adnabyddus wedyn fel Elen Rhys, trefnydd presennol Acen. Yr haf wedyn – 1977, cynhaliwyd y cwrs eilwaith gyda phedwar ar hugain o fyfyrwyr. Gwelwyd gostyngiad eto yn y nifer ar y trydydd cwrs yn 1978. Dim ond dau ar hugain a ddaeth y tro hwnnw.

Yn haf 1978 hefyd, hysbysebwyd swydd y Cynorthwy-ydd. Penodwyd Elwyn Hughes o Ruthun a oedd wedi graddio yn Ffrangeg o Brifysgol Birmingham cyn mynd i wneud ymchwil ym Mhrifysgol Laval, Quebec. Ym mis Medi symudwyd i'r tŷ yn Gwennyth Street.

Yr oedd gan Brifysgol Cymru bellach Ganolfan Dysgu Cymraeg i Oedolion gyda dau o staff llawn-amser a Janet Parry Jones yn gweithio fel teipyddes ran-amser.

Ymhen amser dilynodd y penodiadau eraill. Ar Ionawr 1 1980, dechreuodd Elen Rhys fel tiwtor-drefnydd ym Mangor ac ar Fedi 1 1981, cyfannwyd y tîm gyda Cefin Campbell yn Abertawe a Phyl Brake yn Llanbedr Pont Steffan. Penodiad yn gysylltiedig ag Adran Allanol Aberystwyth oedd hwn oherwydd nad oedd Adran Allanol yng Ngholeg Llanbedr. Bellach yr oedd gan y Brifysgol ddarpariaeth mewn ardaloedd lle yr oedd y Gymraeg yn iaith y gymuned a daeth yn amlwg na fyddai'n bosibl glynu wrth unffurfiaeth genedlaethol Cymraeg Byw a oedd wedi bod yn sylfaen i gyrsiau Caerdydd a'r Cwrs Preswyl. Os oedd y dysgwyr yn mynd i gael eu derbyn yn gyflawn aelodau o'r gymdeithas Gymraeg leol, yr oedd gofyn eu trwytho yn y math o iaith yr oeddynt yn debygol o'i chlywed o'u cwmpas bob dydd. Gwnaethpwyd llawer iawn o waith cynhyrchu defnyddiau addas i'r gofynion lleol hyn gan y swyddogion newydd. Yng Nghaerdydd aethpwyd ymlaen i helaethu ac estyn y cynlluniau gwaith gwreiddiol a dechrau casglu a threfnu gweithgareddau dosbarth a gêmau iaith. Yr oedd y rhain ymhen amser i dyfu'n llawlyfrau tiwtoriaid.

Er bod y swyddogion 'yn y maes' yn rhydd i drefnu eu rhaglenni dysgu eu hun mewn ymgynghoriad â Phenaethiaid yr Adrannau Allanol, yr oedd disgwyl iddynt gyfrannu i'r cyrsiau preswyl a drefnwyd yn ganolog o Gaerdydd. Yr oedd hyn yn fodd i leihau rhywfaint ar gostau uchel staffio'r Cwrs Haf a hefyd i ddirprwyo cyfrifoldeb am gyfnodau. Ychwanegwyd Cwrs Cefndir i'r rhaglen adeg Pasg 1979 ar gyfer ymgeiswyr Tystysgrif y Brifysgol. Lleolwyd y cwrs hwn hefyd yn Llanbedr Pont Steffan. Yr oedd yn parhau am bum niwrnod ac yn ychwanegiad sylweddol at oriau cyswllt yr ymgeiswyr.

Cafodd y Ganolfan yng Nghaerdydd gartref newydd yn 22 Park Place, Parc Cathays pan brynodd y Brifysgol y tŷ. Symudwyd i mewn ar 1 Ebrill, 1983. Yr oedd Janet Parry Jones wedi derbyn swydd gyda HTV ers peth amser. Yn ei lle daeth Dilwen Jones ac yna Delyth Evans nes i'r Ganolfan gael yr hawl i wneud penodiad llawn amser. Yr un gyntaf i lenwi'r swydd oedd Janet Alyson Jones a ddechreuodd ar ei gwaith ar 31 Mai, 1983. Dilynwyd hi yn 1986 gan Siân Edwards ac yna, yn 1987, penodwyd Ceris Jones.

Ym Mangor dilynwyd Elen Rhys yn 1982, pan gafodd ei phenodi'n Swyddog Cymraeg i Oedolion Cyd-bwyllgor Addysg Cymru, gan Carolyn Iorwerth a phan ymadawodd hithau yn 1984, cafodd Elwyn Hughes ei drosglwyddo i'r Gogledd. Pan symudodd Cefin Campbell o Abertawe i olynu Meredydd Evans yn Adran Allanol Caerdydd, yr oedd cyfnod cwtogi wedi cyrraedd ac am dymor penodedig o dair blynedd yn unig y penodwyd Helen Prosser yn ei le yn 1985. Yr un oedd yr amodau adeg penodi Helen Williams yn gynorthwy-ydd yng Nghaerdydd i gymryd lle Elwyn Hughes. Bu'n frwydr o hynny ymlaen i gadw'r ddwy swydd hyn ac estyn oes y cytundebau. Daeth Geraint Wilson-Price (cyn-aelod o Gwrs Haf Llanbedr Pont Steffan pan oedd yn fyfyriwr yn Aberystwyth) i olynu Helen Williams yn Hydref 1987 ac yng Ngorffennaf 1990 pan benodwyd Geraint yn diwtor-drefnydd dan yr awdurdod lleol yng Ngwent, penodwyd Richard Lewis i'w olynu.

Yr oedd y swyddogion a oedd wedi'u lleoli yn yr Adrannau Allanol yn cael cyllid i ddatblygu eu rhaglenni a thalu tiwtoriaid rhan-amser trwy fformiwla grant yr Adran Addysg a Gwyddoniaeth. Nid oedd hyn yn wir am y Ganolfan yng Nghaerdydd. Yno yr oedd rhaid i'r cyrsiau fod yn hunan-gynhaliol. Dwy ffynhonnell ariannol bosibl oedd i gyfarfod ag unrhyw gostau staffio rhan-amser ychwanegol – incwm ffïoedd neu rantiau penodol, yn bennaf, Grant Adran 21 Deddf Addysg 1980. Yr oedd yr Adran hon yn rhoi'r hawl i'r Swyddfa Gymreig ddyrannu symiau o arian yn flynyddol i gefnogi addysg Gymraeg.

Trwy'r grant penodol hwn, cafwyd cyllid i gynnal nifer o gyrsiau newydd a hefyd y Cwrs Preswyl Haf yn Llanbedr Pont Steffan a ddaeth ymhen amser i ddibynnu arno'n gyfangwbl i gyfarfod â'i gostau staffio. Oherwydd bod costau aros y myfyrwyr preswyl mor uchel dros gyfnod mor hir, nid oedd rhaid i neb dalu am yr hyfforddiant. Codwyd tâl cofrestru bychan yn unig. Yr oedd y cwrs hwn – 'Welsh with tears', fel y cafodd ei lysenwi, gyda rhai cyfnodau statig ac ambell ostyngiad, wedi dangos tyfiant cymedrol, dros y blynyddoedd, fel y dengys y ffigurau isod:

1980	44	1986	51
1981	39	1987	54
1982	32	1988	57
1983	30	1989	72
1984	49	1990	66
1985	44		

O fod yn gwrs pedwar dosbarth, aeth yn gwrs pum dosbarth ac yna'n gwrs chwe dosbarth, i gyd yn cyfarfod yn ystafelloedd seminar Adeilad Celfyddydau'r Coleg o fewn cyrraedd hwylus i'r Labordy Iaith y gwnaeth pob dosbarth ddefnydd ohono ddwywaith y dydd. Yn 1989, am yr unig dro, bu'n rhaid trefnu saith dosbarth.

Cadwyd yn fras at yr un amserlen â'r cwrs gwreiddiol yn 1976, sef chwe awr o ddosbarthiadau'r dydd o ddydd Llun i ddydd Gwener – tair awr yn y bore, dwy awr ar ôl te ac awr ar ôl swper. Yr oedd y prynhawn, cyn te am bedwar, yn rhydd. Diwrnod gwaith oedd dydd Sadwrn hefyd ond bod dim dosbarth ar ôl swper. Yr oedd y Sul yn rhydd tan amser te ond wedyn yr oedd dosbarthiadau fel pob diwrnod arall. Ar ddiwedd pedwaredd wythnos y cwrs yr oedd toriad, rhwng cinio canol dydd ddydd Gwener ac amser te ddydd Llun, pryd yr oedd y rhan fwyaf o'r myfyrwyr preswyl yn manteisio ar y cyfle i adael Llanbedr.

Nid pawb, wrth reswm, oedd yn aros am y cyfnod llawn ond dim ond yn ystod yr wythfed wythnos yr oedd y niferoedd yn dechrau disgyn. Yr oedd ambell fyfyriwr yn dod am y mis cyntaf yn unig a rhai a oedd eisoes wedi gwneud cryn dipyn o Gymraeg yn cyrraedd ar ddechrau Wythnos 5. Dros y blynyddoedd gwelwyd cynnydd amlwg yn y rhai a oedd â pheth gwybodaeth flaenorol, a bu'n rhaid darparu ar eu cyfer. Er hynny, yr oedd pob dosbarth yn dilyn yr un cynllun gwaith. Ar awgrym rhai tiwtoriaid dechreuwyd rhoi prawf asesu ar y diwrnod cyntaf i bawb nad oedd yn gwbl ddieithr i'r iaith. Trefnwyd aelodaeth y dosbarthiadau yng ngolau'r asesiad hwnnw a rhoddwyd gwaith ychwanegol i'r dosbarthiadau mwyaf gwybodus.

Bu nifer o bobl leol bob blwyddyn yn dilyn y cwrs fel myfyrwyr di-breswyl a rhai'n aros mewn lletyn yn y dref neu gyda ffrindiau neu berthnasau yn y cyffiniau. Aros yn y neuaddau preswyl ar y campws yr oedd y mwyafrif – pobl ifainc gan mwyaf, llawer ohonynt yn fyfyrwyr prifysgolion eu hunain. O blith y rhain yr oedd nifer a oedd

41

wedi dilyn cyrsiau dechreuwyr neu gyrsiau Astudiaethau Cymraeg yng ngwahanol Golegau Prifysgol Cymru. Yr oedd Adran y Gymraeg yng Ngholeg Dewi Sant ei hun wedi cefnogi'r cwrs yn gryf iawn o'r dechrau ac wedi'i wneud yn orfodol i bawb a oedd am ddilyn cwrs gradd mewn Astudiaethau Cymraeg. Yn 1993 pan benderfynodd yr Adran ddechrau trefnu ei 'hwlpanim' ei hun ofnwyd y byddai'n effeithio ar ffigurau'r cwrs, ond nid felly y bu.

Nodwedd arall o'r Cwrs Preswyl Haf oedd y canran uchel a oedd yn cyrraedd o wledydd tramor – yn enwedig Unol Daleithiau America. Ceisiwyd rhybuddio pawb o flaen llaw ynglŷn â straen a thyndra cyfnod mor hir o ddysgu dwys ond dewisodd rhai ddiystyru'r rhybudd a bu mwy nag un argyfwng o ganlyniad. Wedi mynd adref yr oedd y gohebydd hwn yn canmol, chwarae teg iddo, ond yn cyfaddef nad oedd hynny'n wir am bawb o'i gyd-wladwyr:

> Others have written to *Ninnau* of their experiences on this course and been highly critical of both its contents and the teaching methods. I have nothing but praise for both.[7]

Yr oedd gan y rhan fwyaf o'r tramorwyr hyn wybodaeth o'r Saesneg ac yr oedd ein Dull Dwyieithog yn golygu defnyddio Saesneg. Weithiau, fodd bynnag, nid oedd hyn yn bosibl, yn enwedig yn achos y Llydawiaid. Yr oedd rhaid gofalu wedyn bod tiwtor a oedd yn gwybod rhywfaint o Ffrangeg yn gofalu amdanynt.

Aeth y diffyg Saesneg yn fwy o broblem yn 1990 pan gyrhaeddodd y myfyrwyr cyntaf o Batagonia. Erbyn hyn, gyda chymorth Mrs Eiluned Gonzalez o'r Gaiman, mae fersiwn Sbaeneg o'r Cwrs Sylfaenol wedi'i pharatoi i'w defnyddio ochr yn ochr a'r un arferol yn y dosbarth. Yr oedd y myfyrwyr o Batagonia o ddiddordeb arbennig i'r cyfryngau, yn naturiol, a bu S4C a Radio Cymru'n eu cyfweld ar sawl achlysur.

Rhaid dweud na wnaethpwyd rhyw ymdrech fawr i ddenu myfyrwyr o wledydd eraill mwy nag y bu unrhyw ymgyrch gyhoeddusrwydd fawr i'r cwrs yng Nghymru ei hun. Cyrraedd a wnaethant yn ddi-gymell. Yr oedd rhai sylwedyddion wedi teimlo, ar adegau mae'n siŵr, fod canran yr estroniaid yn rhy uchel ond polisi

---

[7] Peter Williams, 'Surviving Cwrs Wlpan', *Ninnau*, 1 Rhagfyr, 1993, 5.

drws agored oedd polisi Cwrs Llanbedr fel polisi'r Ganolfan yng Nghaerdydd. Nid oedd gwrthod myfyrwyr yn rhan ohono. Yn gefndir i hyn oll, dadlennol yw'r dadansoddiad canlynol o fyfyrwyr Cwrs 1989 gan olygydd y gyfrol hon:

O Gymru'n wreiddiol	37.5%
Wedi'u geni yn Lloegr	35%
O wledydd eraill	25%
sef:	
Yr Almaen	7.5%
Siapan	5%
UDA	5%
Ffrainc	2.5%
Canada	2.5%
Gweriniaeth Iwerddon	2.5%[8]

Wedi cael cyllid o dan y Grant Penodol i gynnal cyrsiau, penderfynwyd cyflwyno cais am gyllid i gynnal swydd. Cafwyd ymateb ffafriol ac o ganlyniad bu'n bosibl, yn 1990, benodi Steffan Webb yn diwtor llawn-amser ychwanegol gan godi nifer y tiwtoriaid llawn-amser yn y Ganolfan i dri. Ymadawodd Steffan ym Mai 1993 i fynd i weithio gyda Menter Taf Elái. Yn anffodus dyma'r adeg y penderfynodd y Brifysgol ddiddymu swydd y Cynorthwy-ydd.

Bu sawl datblygiad newydd yn rhaglen flynyddol y Ganolfan yn y cyfamser. Yn ogystal â'r cyrsiau newydd a oedd yn dechrau bob tymor, trefnwyd rhai hefyd a oedd yn dechrau ar ddiwedd bob hanner tymor. Dechreuwyd cwrs di-breswyl yng Nghaerdydd yn ystod gwyliau'r haf yn ogystal. Roedd hwn yn cyfarfod am dair awr a hanner bob bore dros chwe wythnos. Torrwyd tir newydd arno trwy ei agor i blant ysgol yn ogystal ag oedolion – hynny yw, disgyblion a oedd wedi penderfynu astudio'r Gymraeg ar gyfer arholiadau'r Dystysgrif Addysg Uwchradd.

Ym myd dysgu Cymraeg i Oedolion yn gyffredinol, aethpwyd i wahaniaethu'n fwy pendant rhwng y sector ddarnynol a'r sector ddwys gan ddiffinio cwrs dwys fel un a oedd yn cyfarfod yn amlach

---

[8]Christine Jones, 'The Ulpan in Wales: a study in motivation', *Journal of Multicultural and Multilingual Development,* Cyf. 12:3, 1991, 183-93.

nag unwaith yr wythnos. Dechreuwyd hawlio'r sector ddwys yn briod faes i'r Brifysgol a cheisio ehangu rhaglen y Ganolfan i ddau gyfeiriad newydd, sef, cyrsiau y tu allan i'r adeilad a chyrsiau gyda'r nos. Trydydd datblygiad oedd trefnu cyrsiau uwch dwys. Yr oedd dulliau cyllido'r gwaith yn dal i fod yn rhwystr fodd bynnag, gan fod rhaid i gyrsiau'r rhaglen fod yn hunan-gynhaliol o hyd.

Yr oedd rhaglenni'r tiwtoriaid-drefnyddion yn y canolfannau eraill yn mynd o nerth i nerth. Yn 1990, cyfanswm oriau dysgu ail iaith Bangor oedd 5,309 gyda 716 myfyriwr yn cwblhau. Cyfanswm Abertawe dros yr un cyfnod oedd 2,766 gyda 424 yn cwblhau. 2,205 oedd cyfanswm oriau di-breswyl y Ganolfan dros yr un cyfnod gyda 151 yn cwblhau.

Yn 1992, chwalwyd yr ystrwythur canolog a throsglwyddwyd y swyddi i gyd i'r Colegau. Daeth staff y Ganolfan yn Park Place yn rhan o Adran Addysg Barhaol, Prifysgol Cymru Caerdydd er bod yr adeilad ei hun yn parhau'n eiddo i Gofrestrfa Ganolog y Brifysgol. Yn 1994 bu symud pellach – i Adran y Gymraeg y tro hwn. Gyda sefydlu Cyngor Cyllido Addysg Bellach Cymru daeth yn bosibl ariannu gwaith y Ganolfan trwy'r fethodoleg gyllido newydd, a gweddnewidiwyd ei rhagolygon. Bu'n bosibl codi nifer y tiwtoriaid llawn amser yn ôl i dri unwaith eto. Y sawl a benodwyd i'r swydd newydd oedd Rhobat Bryn Jones – un a fu'n ddysgwr di-Gymraeg ar Gwrs Haf Llanbedr yn ôl yn 1981.

Oherwydd yr adnoddau helaethach sydd bellach ar gael, mae gan y Ganolfan yng Nghaerdydd o dan gyfarwyddid fy olynydd, sef, Robert Owen Jones, gynt o Adran y Gymraeg, Prifysgol Cymru Abertawe, staff o bedwar tiwtor llawn-amser am y tro cyntaf yn ei hanes. Mae pob lle i gredu ei bod, ar ddechrau'r mileniwm newydd, ar drothwy cyfnod newydd llewyrchus a chynhyrfus. Yr un yw'r her o hyd wrth gwrs, fel ymhob sefydliad arall yn y sector ddwys, sef darparu'r amodau angenrheidiol i nifer cynyddol o oedolion ennill gallu gweithredol yn y Gymraeg.

Caerdydd   CHRIS REES

Y WERS GYNTAF

Heb amheuaeth y wers gyntaf yw'r wers bwysicaf – nid yn unig i'r tiwtor, ond i'r myfyrwyr hefyd. Hwn yw'r cyfle cyntaf i'r tiwtor gwrdd â'r dosbarth newydd a chreu argraff dda arnynt, a dangos iddynt eu bod i gyd ar ddechrau'r llwybr a fydd yn arwain at lwyddo i ddysgu siarad Cymraeg. Mae'n bwysig swnio'n bositif o'r cychwyn cyntaf. Y nod yw dysgu Cymraeg a byddant yn llwyddo!

Mae'n bosibl yr ymddengys llawer iawn o'r hyn y sonnir amdano yn y bennod hon yn ddim byd mwy na synnwyr cyffredin. Ond wedi dweud hynny, mae'r sylfeini hyn yn holl bwysig i lwyddiant y dysgu. Yn aml iawn gellir olrhain methiant gyda'r dysgu i ddiffyg sylw i nifer o bethau sylfaenol. Gobeithir tynnu sylw at y sylfeini hyn yma a dangos eu pwysigrwydd, nid yn unig yn y wers gyntaf, ond ar hyd y cyfnod dysgu.

Felly, er bod teitl y bennod hon yn cyfeirio at y wers gyntaf, mae'r ystyriaethau y cyfeirir atynt yma yn ddilys am yr holl amser a dreulir yn yr ystafell ddosbarth. Rhaid felly eu cadw mewn cof yn ystod yr holl gyfnod dysgu.

Yn gyntaf oll, rhaid cofio ei bod yn bwysig ennill cefnogaeth y myfyrwyr. Hynny yw, er bod y rhan fwyaf ohonynt yn mynychu cwrs o'u gwirfodd, mae nifer gynyddol erbyn hyn yn dysgu oherwydd eu gwaith. Er eu bod, efallai, am ddysgu Cymraeg, gellid tybio bod rhai'n teimlo dan rywfaint o ddyletswydd neu bwysau gan eu penaethiaid i ddysgu'r iaith. Digon hawdd yw hi felly i rai unigolion beidio â rhoi'r ymdrech angenrheidiol sydd ei angen i gael y gorau o'r dosbarth.

Hyd yn oed gyda'r rheiny sy'n mynychu dosbarth yn gwbl wirfoddol, mae'n angenrheidiol bod y tiwtor yn ennill eu cefnogaeth i'r broses ddysgu. Os nad yw'r myfyrwyr yn hapus, mae'n ddigon naturiol iddynt bleidleisio gyda'u traed a rhoi'r gorau i'r dysgu. Mae rhaid i'r tiwtor allu dangos yn glir ei fod yn llwyr gredu y gall y dosbarth lwyddo i feistroli'r Gymraeg, a'i fod yn mynd i gefnogi'r myfyrwyr gant y cant yn ystod y cwrs.

Brwdfrydedd

Os dychmygwch fod dosbarth ar eu mwyaf brwd ar ddechrau cwrs, nid oes dim byd mwy diflas iddynt na wynebu tiwtor heb lawer o frwdfrydedd neu ddim brwdfrydedd o gwbl. Mae myfyrwyr ar ddechrau cwrs, er eu bod yn awyddus i ddysgu, yn debyg iawn o fod yn teimlo'n ofnus, neu o leiaf yn nerfus. Pwy a ŵyr am y profiadau gwael y maent wedi'u cael o'r byd dysgu ac efallai profiadau diflas yn dysgu'r Gymraeg yn yr ysgol? Pwysig yw hi felly i'r tiwtor fod yn frwd am ei waith er nad yw efallai yn teimlo'n gwbl frwd ar ôl diwrnod hir o waith, ac yna'n wynebu dosbarth nos. Mae gweld a chlywed tiwtor sy'n frwd am ei waith yn helpu creu awyrgylch hapus yn y dosbarth yn ogystal â chodi calonnau pan mae'r dosbarth yn teimlo'n isel. Mae brwdfrydedd yn heintus ac wrth reswm, mae tiwtor brwd yn creu dosbarth brwd. Felly, sut bynnag yr ydych yn teimlo eich hunan, *byddwch yn bositif a brwdfrydig!*

Bywiogrwydd

Yn naturiol, mae bywiogrwydd yn gysylltiedig yn agos iawn â brwdfrydedd. Sut bynnag, yr hyn a olygir yma wrth ddysgu bywiog, yw tiwtor nad yw'n gadael i bethau fynd yn undonog. Hynny yw, mae tiwtor bywiog yn sylweddoli nad yw dosbarth yn mynd i fodloni ar wneud yr un hen ymarferion a gweithgareddau trwy'r amser.

Wrth gwrs, mae'n naturiol bod llawer o weithgareddau iaith yn mynd i fod yn debyg i'w gilydd. Cyfrinach tiwtor bywiog yw iddo allu defnyddio amrywiaeth o weithgareddau i gynorthwyo'r dysgu. Mae amrywiaeth o weithgareddau a dulliau dysgu'n cadw'r dosbarth rhag teimlo bod pethau'n undonog. Mae tiwtor da yn defnyddio amrywiaeth o weithgareddau yn ystod y cyfnod dysgu. Ac er bod natur llawer o weithgareddau'n debyg, mae'r tiwtor yn ofalus wrth geisio eu gwneud rhywfaint yn wahanol. Gellir dweud yn ogystal bod tiwtor bywiog yn gwybod sut i reoli cyflymdra'r dysgu. Mae'n gwybod pryd i arafu a phryd i gyflymu pethau. Mae'n ymwybodol o allu ac anghenion y dosbarth wrth iddynt symud ymlaen. Peth pwysig i diwtor ei gofio yw pryd i symud ymlaen a phryd i oedi ychydig am esboniad neu eglurhad.

Mae bywiogrwydd tiwtor hefyd yn cael ei adlewyrchu yn y ffordd mae'r dosbarth yn symud o amgylch yr ystafell ddysgu. Nid yw tiwtor effeithiol yn bodloni ar adael i'r dosbarth aros yn eu seddau gan weithio gyda'r un partneriaid. Mae am weld y dosbarth yn codi, yn cerdded o gwmpas ac yn siarad â'i gilydd. Wrth wneud hyn mae'r myfyrwyr yn eu tro yn dod yn llawer mwy effro. Os gwneir hyn o'r wers gyntaf oll, bydd y myfyrwyr yn llawer mwy parod i siarad â'i gilydd gan eu bod yn dod i adnabod ei gilydd cymaint yn well wrth symud o gwmpas. Wrth reswm, os disgwylir i'r dosbarth symud, yn yr un ffordd ni ddylid disgwyl i'r tiwtor aros yn yr un man, ond yn hytrach bod ar ei draed yn ystod y wers. Yn naturiol mae'n cael eistedd weithiau, ond ar y cyfan disgwylir i diwtor fod ar ei draed o flaen y dosbarth. Os yw'r tiwtor yn fywiog, mae'n debyg iawn y bydd y dosbarth yn fodlon bod yn un sydd am symud, newid partneriaid a bod, ar y cyfan, yn llawen.

Cydymdeimlad

Sonnir uchod am ennill hyder y dosbarth er mwyn iddynt allu credu ynoch fel tiwtor a fydd yn eu harwain ar y llwybr tuag at fod yn siaradwyr rhugl. Dylent deimlo eu bod yn cael eu tywys yn ofalus gan y tiwtor. Mae'n bwysig eu bod yn teimlo bod y tiwtor yn cydymdeimlo â hwy wrth iddynt wneud ymdrechion mawr i feistroli'r Gymraeg. Mae'n hanfodol bod eu hymdrechion yn cael eu gwerthfawrogi. Maent yn ymdrechu i ddysgu iaith nad yw'n debyg o bell ffordd i'r Ffrangeg na'r Almaeneg a ddysgwyd o bosibl ganddynt yn yr ysgol.

Mae'n bosibl tynnu sylw at y ffaith bod y tiwtor ei hunan yn ymwybodol bod rhai cystrawennau'n fwy anodd na'i gilydd a'i fod yn cydymdeimlo â'r myfyrwyr oherwydd hyn. Bydd y tiwtor yn gwybod pa mor bwysig yw dysgu rhywbeth cyn bwrw ymlaen at bethau eraill, a gall benderfynu ar faint o amser a ddylid ei dreulio yn ymdrin â chystrawennau penodol sy'n achosi problemau. Dylai'r tiwtor gydnabod wrth y dosbarth bod rhywbeth yn anodd. Wrth wneud hyn, mae'r dosbarth yn sylweddoli nad eu hanwybodaeth na'u twpdra sydd ar fai ond bod hyn oll yn rhan o'r broses ddysgu.

Yn ogystal â chydymdeimlo â'r dosbarth ynglŷn â phroblemau penodol, mae'n bwysig bod y tiwtor yn gallu canmol ymdrechion pawb. Hyd yn oed os yw'r ateb yn anghywir, dylid canmol yr ymdrech a wneir. Rhaid gwneud defnydd helaeth o ymadroddion fel y canlynol; **'Da iawn'**, **'Iawn'**, **'Dim ots'**, ac efallai'r un gorau, **'Peidiwch â phoeni'**! Mae'r tiwtor yno i dywys y myfyrwyr ar hyd llwybr caregog a dylai'r myfyrwyr allu teimlo bod y tiwtor nid yn unig yn eu harwain, ond gyda hwy ar hyd y daith yn cynnig cymorth ac anogaeth pan fo angen. Mae'r rôl 'fugeiliol' yma i waith y tiwtor yn hanfodol. Gellir, hyd yn oed, edrych ar y dysgu fel 'partneriaeth' gyda'r naill bartner yn helpu'r llall i gyrraedd y nod. Dim ond gyda chyd-weithrediad pawb mae'n bosibl ei gyrraedd.

Personoliaeth y tiwtor

Yn ystod holl gyfnod y dysgu mae personoliaeth y tiwtor yn allweddol. Ar ddechrau cwrs nid yw'r tiwtor fel arfer yn adnabod y myfyrwyr ac wrth reswm, mae'n cymryd amser i ddod i adnabod y dosbarth. Wrth ddod i adnabod y myfyrwyr, mae'n naturiol i diwtor 'chwarae'n saff' i ryw raddau. Nid dechrau'r cwrs yw'r amser i gyflwyno jôcs amheus! Mae rhywfaint o bellter naturiol yn mynd i fod rhwng y tiwtor a'r dosbarth ac yn ddigon teg mae'r myfyrwyr, wrth gofio'u dyddiau ysgol, yn debyg o deimlo'r pellter hwnnw'n fwy. Ni ddylid disgwyl cau'r bwlch naturiol hwn yn gyfan gwbl gan fod y tiwtor â rôl benodol o arwain a dysgu'r dosbarth.

Ond er gwaethaf hyn, mae tiwtor yn gallu dylanwadu ar y dysgu gyda'i bersonoliaeth. Mae'n anodd iawn, wrth reswm, ddisgrifio personoliaeth y tiwtor delfrydol. Sut bynnag efallai ei bod hi'n werth nodi rhai pethau i'w hystyried wrth sôn am bersonoliaeth ac ymddygiad tiwtor wrth ei waith:

1. Mae gwenu'n bwysig iawn, yn enwedig yn y wers gyntaf wrth gwrdd â myfyrwyr am y tro cyntaf.
2. Mae chwerthin yn helpu creu awyrgylch dysgu ymlaciol braf.
3. Dylid trin y myfyrwyr fel oedolion aeddfed ac nid fel disgyblion ysgol.
4. Os yw tiwtor yn gyfeillgar, nid yw hynny o angenrheidrwydd yn amharu ar y dysgu.
5. Mae'n bosibl bod yn gyfeillgar ac yn dal i fod yn sicr o'ch lle fel tiwtor/arweinydd i'r dosbarth.
6. Nid yw chwerthin yn golygu nad oes dysgu'n digwydd.

7. Mae canmol pob ymdrech yn codi hyder.
8. Rhaid bod yn ofalus gyda hiwmor ond os defnyddir hiwmor yn synhwyrol, gall fod o gymorth mawr i'r dysgu.

Mae'r ystyriaeth olaf, sef hiwmor, yn un ddiddorol. Mae rhaid wrth hiwmor a chwerthin mewn dosbarth. Ond pan sonnir am chwerthin, mae rhaid bod yn ofalus. Dim ond trwy ddod i adnabod eich dosbarth yn dda iawn, y byddwch chi'n gwybod am ba fath o hiwmor i'w defnyddio yn yr ystafell ddosbarth. Nid yw'n gwbl gywir dweud na ddylid chwerthin am ben rhywun sy'n gwneud camgymeriad – mae'n dibynnu ar yr achlysur. Gall dosbarth chwerthin am ben y tiwtor, wrth gwrs, wrth iddo wneud camgymeriad. Ond yn amlach na pheidio mae gan bob dosbarth 'gymeriadau' – efallai un sy'n gwneud yr un camgymeriad dro ar ôl tro, a'r camgymeriad hwnnw'n un 'dwl'. Mae'r camgymeriad hwnnw'n dod yn rhyw fath o jôc ymhlith aelodau'r dosbarth ac mae pawb yn chwerthin am hynny. Mewn gwirionedd nid chwerthin am ben unigolyn a wneir yma ond chwerthin gyda'i gilydd am ben y camgymeriad. Y peth pwysicaf yw bod pawb yn gwybod **nad oes rhywbeth cas** am y chwerthin hyn. Yn anad dim, rhaid adnabod eich dosbarth yn dda iawn cyn mentro.

Mae hyn i gyd yn cyfrannu at 'hwyl' gyffredinol y dosbarth. Un peth sy'n gwbl angenrheidiol mewn dosbarth yw 'hwyl'. Heb 'hwyl' mae'r dysgu'n troi'n ddiflas yn gyflym. Pe gofynnid i unrhyw ddosbarth llwyddiannus ddisgrifio'u gwersi, heb amheuaeth 'hwyl' fyddai'n un o'r geiriau amlycaf i ddisgrifio'r dosbarth. Mae rhaid wrth 'hwyl'. Os oes 'hwyl' yn digwydd yn y dosbarth, mae'r myfyrwyr yn mwynhau, ac os ydynt yn mwynhau, mae'r dysgu'n dod yn haws o lawer.

Awyrgylch Gymraeg

Rhaid cydnabod mai dysgu siarad Cymraeg yw prif nod pob cwrs i ddechreuwyr erbyn hyn. Ond wedi dweud hyn, mae'n syndod faint o fyfyrwyr sy'n hoff iawn o godi ysgyfarnog trwy ofyn cwestiynau di-rif yn Saesneg am yr iaith, yn hytrach na dysgu siarad yr iaith ei hunan. Dylid sylweddoli bod y tueddiad hwn sydd gan rai myfyrwyr i ddilyn eu hagenda bersonol eu hunain yn amharu'n wael ar y dysgu.

I'r perwyl hwn, rhaid sicrhau y creir awyrgylch Gymraeg yn y dosbarth o'r cychwyn cyntaf. Dylid awgrymu'n gryf o'r dechrau mai Cymraeg yw prif iaith, os nad unig iaith, yr ystafell ddosbarth ac yn ogystal â hyn disgwylir i'r dosbarth geisio defnyddio'r hyn sydd ganddynt y tu allan i'r dosbarth. Dylent sylweddoli nad iaith yr ystafell ddosbarth yn unig yw'r Gymraeg ond rhywbeth a ddylid ei ymarfer gymaint â phosibl lle bynnag y maent.

I helpu creu awyrgylch Gymraeg yn y dosbarth, mae'n werth dysgu rhai ymadroddion defnyddiol o'r cychwyn cyntaf i'r dosbarth eu defnyddio pan fo angen.
Er enghraifft:

Beth yw ———————— yn Gymraeg?
Sut ych chi'n dweud ———————— yn Gymraeg?
Beth yw'r gair Cymraeg am ———————— ?

Mae'n werth nodi'r rhain ar y bwrdd-gwyn yn gynnar iawn yn y cwrs er mwyn sicrhau eu defnydd.

Mae defnydd o gyfarwyddiadau neu esboniadau syml yn ddwyieithog o ddechrau'r cwrs yn cryfhau nod y cwrs. Yn fuan iawn, unwaith mae'r myfyrwyr yn dod i ddeall rhywbeth, mae'n bosibl gollwng y cyfieithiad Saesneg.

Nid yw hyn yn golygu bod Saesneg yn mynd i ddiflannu'n gyfan gwbl o'r ystafell ddosbarth. Mae ei hamlygrwydd yn dibynnu'n fawr iawn ar ddwyster y cwrs. Ar gwrs Wlpan nodir pryd yn union y dylid peidio â defnyddio Saesneg yn yr ystafell ddosbarth. Ond wedi dweud hyn, rhaid bod yn ymarferol. Os oes angen defnyddio Saesneg at ryw bwrpas, mae rhaid. Ond dylai tiwtor cydwybodol geisio sicrhau mai'r Gymraeg yw prif iaith y dosbarth. Mae'n haws o lawer gollwng defnydd o'r Saesneg na chynyddu defnydd o'r Gymraeg yn nes ymlaen yn ystod y cwrs.

Nid oes rhaid cadw'r Gymraeg allan o'r egwyl. Er bod angen rhyw fath o orffwys rhag y dysgu ffurfiol, mae'n werth peidio â chau'r Gymraeg allan o'r egwyl yn gyfan gwbl. Wrth reswm, mae angen i'r dosbarth allu ymlacio rhywfaint, ond mae cyfle i'r myfyrwyr barhau â defnyddio'u Cymraeg trwy ddefnyddio holiadur bach, gêm grid, cardiau fflach ayyb. Hynny yw, nid yw'r dosbarth yn cael cyfle i

50

anghofio neu golli cysylltiad â'r Gymraeg am gyfnod rhy hir. Mae hyn hefyd yn cadarnhau pwysigrwydd statws y Gymraeg yn y dosbarth – nid rhywbeth a gysylltir â dysgu ffurfiol yn unig ydyw, ond cyfrwng naturiol i'w ddefnyddio ym mhob rhan o fywyd. Eto i gyd, wrth ddod i adnabod dosbarth mae tiwtor yn dod i wybod am y ffyrdd gorau i sicrhau bod y myfyrwyr yn defnyddio'r Gymraeg y tu allan i'r dysgu ffurfiol.

Wrth i'r dysgu fynd yn ei flaen, byddwch yn dod i adnabod eich dosbarth ac yn dysgu sut y gellir siarad â hwy gan ddefnyddio'r Gymraeg sydd ganddynt. Ar y naill law nid oes pwrpas bod yn oruchelgeisiol trwy ddefnyddio gormod o Gymraeg wrth esbonio gêmau a gweithgareddau cymhleth, (os oes angen gormod o esbonio, efallai dylid edrych eto ar werth y gweithgaredd) ond ar y llaw arall mae'n hanfodol bwysig bod y dosbarth yn arfer â chlywed tiwtor yn siarad Cymraeg wrth esbonio, a sgwrsio cymaint ag sy'n ymarferol. Cofier, sut bynnag, mai chi sy'n adnabod eich dosbarth orau.

Trefniadaeth y dosbarth

Wrth baratoi am y wers ei hunan, dylid rhoi sylw hefyd i nifer o bethau ymarferol a all ddylanwadu ar y dysgu yn yr ystafell ddosbarth.

Mae'n bosibl creu awyrgylch ddysgu braf trwy wneud nifer o bethau ymarferol i'r ystafell ddosbarth. Yn bur aml defnyddir ystafelloedd dysgu mewn ysgolion lle cynhelir y dosbarth yn yr 'ystafell Gymraeg'. Mwy na thebyg mae posteri, lluniau a thaflenni gwybodaeth ar y waliau – mae hyn i gyd yn helpu creu naws Gymraeg. Os nad oes pethau tebyg yno'n barod, gellir dod â nhw i'r ystafell ddosbarth ar gyfer y gwersi.

Mae rhaid bod yn ymwybodol o beryglon ffurfioldeb yr ystafell ddosbarth. Daw llawer o fyfyrwyr i'r dosbarth â phrofiadau gwael o'u dyddiau ysgol. Mae ffurfioldeb yr ystafell ddosbarth yn gallu creu awyrgylch o ansicrwydd ymhlith myfyrwyr. Digon anodd yw hi i lawer o bobl ennill yr hyder i fentro i'r dosbarth Cymraeg beth bynnag heb ychwanegu at hyn trwy ffurfioldeb yr ystafell. Cymherwch y trefniadaethau isod:

51

a) X X X X X   Myfyrwyr yn eistedd
    X X X X X   mewn rhes y tu ôl
    X X X X X   i ddesgiau.
    <u>desg</u>   Mae'r tiwtor hefyd yn
    tiwtor   eistedd y tu ôl i ddesg

b)   X X X X X   Myfyrwyr yn eistedd mewn hanner cylch
    tiwtor   gyda desgiau o'u blaen.

c)   X X X X X X X   Myfyrwyr yn eistedd mewn hanner cylch
    tiwtor   heb ddesgiau o'u blaen.

Mae'n debyg y bydd nifer fawr o'r ystafelloedd dysgu wedi'u trefnu ymlaen llaw fel **a)**. Wrth reswm mae'r drefniadaeth hon yn nodweddiadol o'r sefyllfa ddysgu mewn ysgol uwchradd. Mae atgofion o ddyddiau ysgol, methiannau a ffurfioldeb yn llifo'n ôl i feddyliau'r myfyrwyr. Nid oes modd i'r myfyrwyr allu symud yn hawdd o amgylch yr ystafell, mae'r desgiau'n creu rhwystrau rhwng y dosbarth a'r tiwtor a rhwng y myfyrwyr a'i gilydd. Mae'r myfyrwyr yn teimlo eu bod yn 'ddiogel', hynny yw, maent yn gallu cuddio y tu ôl i'r desgiau – yn enwedig y rhai yn y rhes gefn sydd ymhell o olwg y tiwtor! Ar yr un pryd gellir dweud bod y tiwtor yn defnyddio'r ddesg i greu bwlch rhyngddo a'r myfyrwyr.

Mae cynllun **b)** yn well o lawer, gan fod y tiwtor yn gallu gweld pawb yn iawn. Mae'r un pellter rhyngddo â phob un yn y dosbarth. Nid oes neb yn gallu cuddio yn y cefn fel yng nghynllun **a)**. Mae'n haws i'r myfyrwyr newid lle ond mae'r desgiau'n dal i fod yn rhwystr. Pan ddefnyddir desgiau, mae tuedd gan fyfyrwyr i bori'n ormodol yn y llyfrau a phapurau a osodir o'u blaenau ar y desgiau. Maent yn tueddu i gadw'u pennau i lawr yn y papurau yn hytrach na chanolbwyntio ar y tiwtor. Mae **b)** yn fwy addas ar gyfer dosbarthiadau uwch lle mae'r pwyslais wedi symud rhywfaint o waith llafar i fwy o waith darllen a deall, gwaith ysgrifenedig ayyb. Yma, mae mwy o angen desgiau o flaen y myfyrwyr.

Yng nghynllun **c)** mae'r tiwtor unwaith eto o flaen hanner cylch o fyfyrwyr ond y gwahaniaeth rhwng cynlluniau **b)** a **c)** yw bod y myfyrwyr yng nghynllun **c)** yn eistedd heb ddesgiau o'u blaenau. Mae rhaid iddynt ddal unrhyw lyfrau neu bapurau y tro hwn, neu, gorau oll, eu rhoi ar y llawr gan osgoi cadw'u pennau i lawr. O ganlyniad

52

gallant ganolbwyntio'n llwyr ar yr hyn sydd gan y tiwtor i'w wneud neu i'w ddweud. Gyda'r cynllun hwn, haws o lawer yw hi i'r myfyrwyr symud o amgylch y dosbarth, newid partneriaid, gweithio mewn parau neu grwpiau. Mae hefyd yn lleihau naws ffurfioldeb y dysgu. Mae'r anffurfioldeb hwn yn ychwanegu at y mwynhad wrth gwrs, ac wrth iddynt ymlacio maent yn dysgu'n well.

Un nodyn pwysig i'w nodi wrth i'r tiwtor feddwl am gynlluniau trefniadaeth y dosbarth yw, unwaith mae cynllun wedi'i ddewis, mae'n anodd iawn darbwyllo dosbarth i newid yn nes ymlaen. Yn aml ceir tiwtoriaid yn mynegi nad yw'u dosbarthiadau'n fodlon ar gynllun tebyg i c) ond pan holir yn bellach, mae'n dod yn amlwg nad cynllun tebyg i c) a ddefnyddid yn y gwersi cyntaf ond yn hytrach cynllun mwy tebyg i a). Nid oes syndod felly bod problemau wedi codi gan fod y myfyrwyr wedi dod yn gyfarwydd ag un cynllun – gyda'r drefniadaeth draddodiadol *ac efallai sicrwydd* – ac yna ceisiodd y tiwtor newid y cynllun i rywbeth gwahanol iawn i'r hyn mae'r dosbarth wedi arfer ag e. Felly, mae rhaid penderfynu ar gynllun y dosbarth yn ofalus iawn. Gall newid yn nes ymlaen achosi problemau, neu hyd yn oed anniddigrwydd ymhlith y myfyrwyr.

Gair i gall – os yw tiwtor am newid cynllun y dosbarth mewn unrhyw ffurf ac fel y soniwyd uchod, argymhellir cynllun tebyg i c); cofier mai gofalwr y ganolfan/ysgol yw cyfaill gorau pob tiwtor! Os ydych wedi symud y celfi yn yr ystafell ddosbarth cofiwch roi popeth yn ôl yn eu priodle. Mae'n werth cadw'ch gofalwr yn gyfaill!

Y Wers Gyntaf Oll

Mae'r wers gyntaf oll yn agosáu! Yr ydych wedi derbyn yr her ac wedi cytuno i ymgymryd â dysgu Cymraeg i ddosbarth o oedolion am y tro cyntaf erioed. Wrth reswm, yr ydych yn nerfus ond mae rhaid cofio y bydd y myfyrwyr hefyd yn nerfus. Gan amlaf nid oes llawer o syniad gan fyfyrwyr di-Gymraeg am beth i'w ddisgwyl yn y dosbarth cyntaf. Mae mantais gan y tiwtor – mae'n gwybod yn iawn beth sy'n mynd i ddigwydd!

Heb amheuaeth ni ellir pwysleisio'n ormodol yr angen am baratoi'n drylwyr, nid yn unig ar gyfer y wers gyntaf oll ond ar gyfer

53

y gwersi i gyd. Nid oes dim byd mwy diflas i ddosbarth na thiwtor sydd heb baratoi'n ddigonol. Bydd hyn yn creu anesmwythder ymhlith y myfyrwyr yn ogystal â'r tiwtor yn teimlo'n lletchwith neu heb gyfeiriad yn ei ddysgu. Mae hefyd yn anghwrtais gan fod y myfyrwyr yn talu (gan amlaf) a'r tiwtor yn cael ei dalu am y gwaith. Rhaid wrth broffesiynoldeb.

Mae gan y rhan fwyaf o gyrsiau Cymraeg i Oedolion gyfarwyddiadau neu ganllawiau manwl ar gyfer tiwtoriaid, sy'n rhoi cyngor ynglŷn â'r cwrs a gwybodaeth am weithgareddau atodol i'w gwneud yn y dosbarth. Yn ogystal â bod cyngor ar gael i'r tiwtor, mae'n hanfodol bwysig bod y myfyrwyr hefyd yn cael cyngor ynglŷn â'r cwrs a dysgu Cymraeg yn gyffredinol. Mae'r 'Hitch-hiker's Guide to Learning Cymraeg' a gynhwysir fel Atodiad i'r bennod hon yn enghraifft wych o'r math o wybodaeth a ellid ei chyflwyno i fyfyrwyr ar ddechrau cwrs. Ceir yma gyngor ynglŷn â sut i fynd ati i ddysgu Cymraeg. Gan ei fod wedi'i ysgrifennu mewn arddull digon ysgafn, paratoir y myfyrwyr ar gyfer rhywbeth gwahanol iawn i'w profiadau dysgu yn yr ysgolion. Mae'r 'Hitch-hikers Guide' yn cyfleu'r awyrgylch o 'hwyl' a'r agwedd na ddylid cymryd pethau'n rhy ddifrifol. Argymhellir y dosberthir rhywbeth tebyg i hyn i bob dosbarth ar ddechrau cwrs.

Wrth gwrs, mae rhaid cyrraedd yr ystafell ddosbarth mewn digon o amser i allu gosod trefn yr ystafell a chyfarch aelodau'r cwrs wrth iddynt gyrraedd. Byddai cyfarchiad tebyg i '**Helo, sut mae?**' i bob un sy'n cyrraedd y dosbarth yn dangos nid yn unig wyneb cyfeillgar, ond yn dangos bod y tiwtor yn rhoi'r pwyslais ar ddefnyddio'r Gymraeg o'r cychwyn cyntaf. Nid yw pawb yn mynd i ddeall y cyfarchiad cyn y wers gyntaf, ond mae'n dangos bod y tiwtor am sefydlu'r Gymraeg fel y brif iaith ddysgu yn yr ystafell ddosbarth. Wrth gyfarch mae angen rhywbeth pwysig dros ben – ie, gwên! Efallai ei bod yn amlwg ond mae'n syndod faint o fyfyrwyr sydd wedi tynnu sylw at hyn. Ie, gwenwch, mae'n helpu pawb i ymlacio, gan gynnwys y tiwtor nerfus!

Unwaith mae pawb wedi cyrraedd, mae'n bosibl iawn bod peth gwaith gweinyddol i'w wneud. Mae hyn yn dibynnu i raddau helaeth ar drefniadau gweinyddol lleol. Ond os oes rhaid ei wneud, mae'r amser a dreulir wrth wneud hyn yn gallu helpu torri'r garw rhywfaint. Wedi hyn mae'n amserol iawn ar ddechrau'r cwrs i sôn rhywfaint am ddysgu Cymraeg. Dyma'r amser, fel yr awgrymwyd uchod, i roi 'cyngor' i'r dosbarth ynglŷn â dysgu Cymraeg ac i sôn yn gyffredinol am y cyfleoedd a fydd ar gael iddynt ymarfer eu Cymraeg y tu allan i'r dosbarth – yr Ysgolion Undydd a Chyrsiau Penwythnos. Mae hyn yn rhywbeth y dylid cyfeirio ato'n aml yn ystod y cwrs gan bwysleisio bod mynychu cyrsiau atodol yn angenrheidiol er mwyn llwyddo.

Dylid sôn ychydig am y cwrs ei hunan; dangos y llyfr, sôn am y tapiau ar gyfer defnyddio y tu allan i'r dosbarth. Mae'n bwysig dweud wrth y myfyrwyr am gyflymdra'r cwrs, dim ond, efallai, i dawelu ofnau. Gellir sôn am y cyfleoedd / penodau adolygu a fydd yn rhoi cyfle i bobl adolygu neu fynd dros rai pethau a fydd yn cymryd mwy o amser. Dylid defnyddio'r cyflwyniad hwn i helpu creu awyrgylch ymlaciol ac i ddangos i'r myfyrwyr eich bod yn mynd i'w cefnogi a'u helpu ar hyd y cwrs er mwyn cyrraedd y nod. Nid oes angen bod yn negyddol, ond rhaid tynnu sylw at y ffaith y bydd y dosbarth weithiau yn teimlo'n isel ynglŷn â'u dysgu, ac weithiau'n teimlo bod y dysgu'n mynd yn ardderchog. Mae'r teimladau hyn i gyd yn rhan o'r broses ddysgu ac yn bethau i'w disgwyl.

Ymlaen at y dysgu

Fel ym mhob gwers, pan gyflwynir cystrawen newydd dylid esbonio wrth y dosbarth yr hyn y maent yn mynd i'w ddysgu – rhywbeth tebyg i:

> **'In this lesson today, we're going to learn how to introduce ourselves and ask somone's name'**.

Yn naturiol, fel yr â'r cwrs yn ei flaen gellir defnyddio mwy o Gymraeg wrth wneud hyn. Ond, mae'n bwysig bod y myfyrwyr yn cael rhyw syniad am yr hyn y maent yn mynd i'w gyflawni.

Yna, gan sicrhau bod pawb wedi rhoi'u llyfrau o'r neilltu, (dylid mynnu hyn pan gyflwynir patrwm newydd, fel bod pawb yn canolbwyntio ar y tiwtor yn hytrach na'r gair ysgrifenedig) gofynnwch i'r dosbarth ailadrodd y canlynol:

> **'Fel côr / As a choir – ailadroddwch / repeat 'Pwy ych chi?'**

Dylid gwneud hyn tua 10-15 gwaith gan geisio sicrhau bod y myfyrwyr yn ynganu'n iawn. Mae defnyddio'r dosbarth i gyd i ailadrodd y gystrawen fel côr yn osgoi unrhyw unigolyn rhag teimlo dan anfantais. Mae pawb yn gallu cael digon o ymarfer fel grŵp.

Unwaith mae'r tiwtor yn teimlo bod y dosbarth yn weddol gyfarwydd â 'Pwy ych chi?' a bod yr ynganiad yn iawn, yna gall fynd ymlaen:

'Nawr rhai unigolion! / Now some individuals!'

Mae'r tiwtor yn dweud 'Pwy ych chi?' ac yn gwahodd (gyda'r llaw ond nid pwyntio bys!) unigolion yn y dosbarth i ailadrodd ar ôl y tiwtor. Ar ôl i aelod o'r dosbarth ddweud 'Pwy ych chi?', bydd y tiwtor yn ei ailddweud eto. Ni ddylid tynnu sylw at unrhyw gamynganu neu gamgymeriad gan unigolion ond dylid dibynnu ar ailadrodd y tiwtor i ddangos yr ynganiad cywir neu'r fersiwn cywir. Wrth wahodd aelodau o'r dosbarth i ailadrodd y tro hwn, dylid sicrhau y caiff pawb sawl cyfle i siarad a dylid dewis unigolion yma ac acw yn hytrach na mynd o un pen i'r llall gan y bydd pawb wedyn yn gwybod pryd i ddisgwyl eu tro. Mae'r elfen hon o ailadrodd chwim yn cadw pawb ar flaenau'u traed. Ni ddylid gadael i neb dorri ar draws y drilio chwim yma i ofyn cwestiwn.

Yna, wedi i bawb gael cyfle i ddweud 'Pwy ych chi?' gellir symud ymlaen at y cam nesaf. Unwaith eto, gwahoddir unigolion i ailddweud 'Pwy ych chi?' ond y tro hwn bydd y tiwtor yn dod yn ôl gyda'r cyfieithiad.

Er enghraifft:

Tiwtor: 'Pwy ych chi?'
Myfyriwr: 'Pwy ych chi?'
Tiwtor: 'Pwy ych chi? / Who are you?'

Eto, rhoddir digon o gyfle i bawb ymarfer 'Pwy ych chi?' ac i glywed ei ystyr.

Yna, mae'r tiwtor yn gofyn i'r dosbarth gyfieithu:

'Cyfieithwch / Translate'
Tiwtor: 'Who are you?'

Myfyriwr: **'Pwy ych chi?'**
Tiwtor: **'Pwy ych chi?'**

ac yn y blaen.

Sylwer bod y tiwtor unwaith eto'n ailadrodd ar ôl i'r myfyriwr ddweud y patrwm dan sylw. Eto, dylid sicrhau bod pawb yn cael digon o gyfle. Mae rhaid hefyd sicrhau bod y tiwtor yn cadw pethau'n ddigon cyflym – nid yn rhy gyflym, ond bod pethau'n symud yn weddol gyflym. Mae drilio rhy araf yn gallu mynd yn ddiflas wastraff. Ac wrth gwrs mae cyflymdra a'r holi chwim yma ac acw'n cadw'r dosbarth ar flaenau'u traed!

Erbyn hyn mae'r dosbarth yn gwybod beth yw ystyr **'Pwy ych chi?'** ac wedi cael digon o gyfleoedd (gobeithio) i'w ymarfer. Nawr mae angen bod yn gallu ateb y cwestiwn. Unwaith eto defnyddir dril i gyflwyno ac ymarfer y gystrawen. Ond cyn hynny, dylid rhoi eglurhad ynglŷn â'r rhan nesaf:

Tiwtor: **Mae angen ateb / We need an answer to the question 'Pwy ych chi?' Ask me the question.**

(gan wahodd aelodau'r dosbarth i ofyn **'Pwy ych chi?'**).

Bob tro mae myfyrwyr yn gofyn **'Pwy ych chi?'** mae'r tiwtor yn ateb:

'Geraint dw i'.

Yna ceir tro y myfyrwyr gyda'r tiwtor yn gofyn **'Pwy ych chi?'** a'r dosbarth yn ei ateb gan ddefnyddio'r gystrawen **'————— dw i'.**

Wrth wneud y drilio dylid cadw mewn cof ei bod yn gwbl hanfodol bod y dosbarth yn cael digon o ymarfer, hynny yw, digon o ailadrodd. Digon hawdd yw hi i siaradwr Cymraeg rhugl feddwl bod ailadrodd cystrawen newydd unwaith neu ddwy yn ddigon. Nid yw hyn yn ddigonol. Mae angen yr ailadrodd niferus. Nid yw'n bosibl deddfu ynglŷn â'r nifer angenrheidiol o ailadrodd ond efallai dylid ceisio sicrhau bod pob aelod o'r dosbarth yn cael o leiaf 5 cyfle yn ogystal â'r ailadrodd fel corws. Mae hyn, wrth gwrs, yn dibynnu ar faint y dosbarth ond mae'n rhoi rhyw syniad i diwtor newydd. Gorau po fwyaf o fewn rhesymau ymarferol.

Hyd yn hyn mae'r tiwtor wedi bod ym mhob rhan o'r gwaith dysgu, naill ai'n gofyn cwestiwn neu'n ei ateb. Mae rhaid gofalu rhag gormod o'r dysgu athro ganolog hyn. Nawr mae'n bryd i'r myfyrwyr gyfathrebu â'i gilydd gan ddefnyddio'r cystrawennau sydd newydd eu cyflwyno. Gall y tiwtor wneud hyn trwy aelodau'r dosbarth yn gofyn i'w gilydd:

Myfyriwr 1: Pwy ych chi?
Myfyriwr 2: ———— dw i. Pwy ych chi?

Ac yn y blaen, fel bod pawb yn cael cyfle i holi ei gilydd.

Gorau oll os yw'r dosbarth yn gallu gwneud hyn wrth gerdded o gwmpas yr ystafell ddosbarth. Rhaid sicrhau bod digon o symud corfforol yn digwydd. Pwysig yw hi hefyd nodi eto y dylai'r tiwtor fod ar ei draed ac nid yn eistedd y rhan fwyaf o'r amser dysgu.

Wrth gwrs, peth digon syml ac eithaf diflas yw gofyn enw rhywun. Nid oes llawer iawn o 'hwyl' i'w chael wrth wneud hyn. Mae llawer mwy o ddifyrrwch i'w gael trwy ddefnyddio'r gweithgaredd hwn:

Angen: Lluniau o enwogion (ar gael o bapurau newyddion, cylchgronau a.y.y.b). Rhaid dod o hyd i luniau 'diddorol'!

Mae pob aelod o'r dosbarth yn cael llun. Y tro hwn defnyddir yr un patrwm, ond mae'r myfyrwyr yn ateb gan esgus mai nhw yw'r bobl enwog hyn.
Myfyriwr 1: Pwy ych chi?
Myfyriwr 2: Dame Edna Everidge dw i!

Fel y gwelwch, mae llawer o hwyl i'w chael wrth chwarae'r gêm hon. Mae'n syml ond mae'n helpu atgyfnerthu'r patrwm dan sylw. Yn ogystal â hyn, mae'r myfyrwyr yn eu gwers gyntaf yn dod i sylweddoli bod y dysgu'n gallu bod yn sbri.

Yn ystod hyn oll, mae'r tiwtor yn crwydro'r ystafell ddosbarth gan gynnig help pan fo angen ac os yw'n bosibl yn cymryd rhan yn y gweithgaredd. Mae'n helpu torri i lawr y bwlch traddodiadol rhwng y tiwtor a'r dosbarth a helpu creu awyrgylch ymlaciol, braf yn y dosbarth. Bob tro mae'r dosbarth yn gwneud gweithgaredd mae'n bwysig bod y tiwtor yn cadw clust agored wrth wrando ar y dosbarth yn cydweithio. Mae'n gyfle i'r tiwtor sylwi ar unrhyw broblemau, eu nodi, ac os oes angen, tynnu sylw'r dosbarth at y broblem ar y bwrdd gwyn. Ni ddylid, wrth reswm, pwyntio bys at unigolyn sy'n gwneud camgymeriad. Mae'n well o lawer sôn am y peth dan sylw fel camgymeriad sy'n gyffredin i bawb. Wrth gwrs ambell waith mae rhaid siarad ag unigolyn ynglŷn â chamgymeriad, ond os gwneir hyn, dylid ei wneud yn dawel, mewn modd cwrtais, ac mewn modd i wneud yn siŵr nad yw'r unigolyn yn teimlo ei fod yn cael ei gywiro'n gyhoeddus o flaen y dosbarth i gyd. Rhaid cofio bod gwirioneddol ofn gwneud camgymeriad ymhlith y rhan fwyaf o'r myfyrwyr oherwydd bod llawer iawn o oedolion yn ofni gwneud camgymeriad. Mae rhaid ceisio lleihau'r ofn gan ddangos nad oes gwahaniaeth gennych, fel tiwtor, bod camgymeriadau'n cael eu gwneud a bod gwneud camgymeriadau yn rhan o'r broses ddysgu. Wrth i'r dosbarth wneud camgymeriadau, gall y tiwtor ddod i wybod ble mae'r problemau a cheisio helpu'r dosbarth eu goresgyn. Yn yr un modd, os yw'r tiwtor yn gwneud camgymeriad, dylai chwerthin am ben ei hunan. Wedi'r cyfan yr ydym i gyd yn ddynol!

Fel y soniwyd amdano eisoes, mae gan bob cwrs ei gyfarwyddiadau manwl ar gyfer y tiwtor am yr hyn a ddylid ei gyflwyno ym mhob gwers. Dylai pob tiwtor ddilyn y cyfarwyddiadau hynny. Yn y bennod hon, rhoddwyd enghraifft o'r hyn a ellid ei gyflwyno yn y wers gyntaf, sef 'cyflwyno eich hun' – rhywbeth sy'n gyffredin i lawer iawn o gyrsiau. Yn ogystal â chyflwyno **'Pwy ych chi?'** ac wrth gwrs **'Pwy wyt ti?'** a.y.y.b, gellir cyflwyno cyfarchion megis, **'Shwd ych chi?'** a **'Shwd wyt ti?'** yn yr un modd y cyflwynwyd **'Pwy ych chi?'** Dylid tynnu sylw at debygrwydd **'Shwd ych chi?'** i **'Pwy ych chi?'** Mae hyn yn helpu dysgu'r patrwm hwn ond mae'r myfyrwyr hefyd yn dechrau gweld patrwm i'r iaith drostynt eu hunain o'r wers gyntaf oll. Mae gweld patrymau yn yr iaith yn rhan bwysig yn y broses ddysgu ac oherwydd hyn mae'n hanfodol bod tiwtor yn tynnu sylw at batrymau er mwyn cynorthwyo'r dysgu.

Eitemau eraill a ellid eu cyflwyno yn y wers hon, yn dibynnu ar amser wrth gwrs, yw **'Y Tywydd'** ac efallai **'Rhifau'**. Mae cynnwys y wers gyntaf yn amrywio o gwrs i gwrs ond mae rhaid bod yn ofalus na orlwythir y dosbarth yn eu sesiwn cyntaf. Byddai'n well o lawer peidio â chyflwyno gormod. Mae angen digon i'r dosbarth deimlo eu bod wedi dysgu rhywbeth ond ar y llaw arall mae'n bwysig nad ydynt wedi cael gormod, ac yna'n digalonni wrth anghofio llawer erbyn y wers nesaf. I gynorthwyo'r cof, dylid gwneud y gwaith o adolygu'r hyn a ddysgwyd eisoes yn rhan annatod o'r dysgu. Dylid gwneud yn siŵr yn ystod y wers bod digon o adolygu'n digwydd yn gyson, e.e. gan ddweud cyn troi tudalen: **'Cyn troi'r dudalen, before turning the page, who can remember . . .?'** Mae holi chwim ynglŷn ag eitemau a gyflwynwyd ar ddechrau'r wers yn werth ei wneud. Mae'n atgoffa'r dosbarth o'r hyn a ddysgwyd ac mae'n helpu bywiogrwydd y wers gan gadw'r myfyrwyr ar flaenau'u traed. Ar ddiwedd y wers cyn i bawb fynd, dylid cymryd ychydig o funudau i atgoffa'r dosbarth yn gyflym am yr hyn a gyflwynwyd yn ystod y wers honno.

Fel arfer, mae gwaith cartref i'w wneud gan y dosbarth cyn y wers nesaf, a chan amlaf mae hyn yn rhan annatod o'r cwrs ei hunan. Dylid disgwyl i'r myfyrwyr wneud rhywbeth gan y bydd hyn yn atgyfnerthu'r hyn a ddysgwyd yn y dosbarth, ond ar yr un pryd mae rhaid bod yn synhwyrol; nid yw pawb â'r amser angenrheidiol i gwblhau gwaith cartref bob tro. Serch hynny, mae gwaith cartref yn parhau'r cysylltiad â'r Gymraeg y tu allan i'r ystafell ddosbarth, a dylid gwneud hyn yn glir i'r myfyrwyr o'r cychwyn cyntaf.

Wrth ffarwelio â'r dosbarth am y tro cyntaf, mae'n hanfodol bod y tiwtor yn gwneud i'r dosbarth deimlo eu bod wedi cael gwers gyntaf fuddiol a'u bod wedi dysgu rhywbeth. *Dylai'r tiwtor orffen y wers mewn modd optimistaidd.* Mae angen sicrhau'r myfyrwyr eu bod ar y trywydd iawn er eu bod ar ddechrau'r daith. Sylweddolant fod gwaith caled o'u blaenau ond bydd eu tiwtor yno i'w harwain, i'w cynorthwyo ac efallai'n bwysicaf oll, i'w calonogi ar hyd y daith. Bydd dysgu'r iaith yn anodd, ond dylid ceisio sicrhau bob tro bod y myfyrwyr yn teimlo eu bod yn gwneud cynnydd. Yn naturiol, byddant yn dod o hyd i broblemau a rhwystrau, efallai llawer ohonynt yn rhai allanol, ond mae'n gwbl hanfodol eu bod yn teimlo bod gan eu tiwtor ffydd ynddynt a'u bod yn teimlo bod y tiwtor yn credu y llwyddant. Mae brwdfrydedd yn heintus dros ben ac os gallwch lwyddo i hadu'r brwdfrydedd hwn ymhlith eich myfyrwyr o'r cychwyn cyntaf, daw'r dysgu cymaint yn haws.

Y Fenni   Geraint Wilson-Price

Atodiad
Hitch-hiker's Guide to Learning 'Cymraeg'

1. Don't panic.
2. It is definitely not like learning languages at school. Expect to participate, play games and make a complete fool of yourself.
3. Grammar. Assume that the tutor is an idiot and knows nothing about grammar: he/she won't expect you to. Anyway you've come to learn to speak Welsh, not about grammar.
4. How to really annoy your tutor: (i) ask questions about grammar, (ii) write during oral/aural practice, (iii) bring a dictionary within 10 miles of class.
5. Within a few weeks, the tutor will have obstinately abandoned English nearly altogether. Refer back to Point 1.
6. Remembering. Some people can remember things quickly, some people can't.
7. Fustrations. Experienced 'dysgwyr' talk about 'bridges' and 'plateaux'. This has nothing to do with geography, but that learners go through alternating periods of sinking/going backwards/going mad and of feeling on top of things. Remedy: large gin and tonic.
8. Don't expect too much too soon. Having mustered enough courage to speak to a native, you will probably face a completely incomprehensible torrent. Again refer to Point 1.
9. How to really please your tutor: (i) speak Welsh to each other, (ii) speak Welsh to other people.
10. Dialect. The tutor will be enabling you to communicate with the locals and therefore will teach you local words and phrases. Rumours that Gogs/North Walians/Tibetans speak a completely different language are untrue. Be prepared for slight variations though.
11. Treigladau . . . Otherwise known as 'mutilations'. Learners find these strange at first, but they are not difficult, if you learn from examples. Just remember that a language which can change a tomato to *domato, nhomato* or *thomato* can't be that primitive.
12. English words in Welsh. Welsh speakers can lean heavily on the English language – they stick an 'o' at the end of a word and Hey Presto! a Welsh verb! Anyway, just you try to speak English avoiding the Latin /French borrowings.
13. Homework. This is usually given to reinforce aural/oral work. Getting it all right does not get half as many brownie points as clause 9 of your guide.
14. 'That's not what we did in school . . .' You will be learning colloquial Welsh, not the Rydw/Dydw stuff they ought not to teach in schools.
15. Remembering. Link a pattern or phrase to something you already know, e.g. Bues i . . . (I was . . .): think of Mad Cow's Disease, B.S.E. Also useful for remembering mutilations, e.g. Think of Llanelli losing (Ll...l).
16. Look after your fellow victims: if someone is absent, ask the tutor for worksheets, and/or give them a ring – it could avoid dropping out. Fustrations shared are often lessened.

17. Comprehension (listening or reading). You won't be in a position to understand *everything* in an authentic chunk of language for a long while. You will only be expected to pick out bits that you can understand in order to answer questions. Ignore the unintelligible bits.

18. Absenteeism. Nothing compounds frustration and the feeling of being left behind more than missing classes. However this is no reason to drop out – patterns are always revised thoroughly throughout the course.

19. Finding someone to practice with (or on?). Spouses, children and neighbours do have their uses – the family pet often makes a sympathetic listener.

20. Different tutors have different teaching styles, so don't be put off if the idiot in front of you is wearng a particularly awful tie. Have sympathy as well – the tutor may be just as exhausted as you are.

21. You will be given an opportunity to give some 'feedback' every now and then in the form of a . . . well, a feedback form. This is not an opportunity to vilify your tutors, but a means to make constructive suggestions about what you did or didn't find useful and to air any problems you may have.

22. Essentially, the tutor can't teach you anything. This does not necessarily mean that he/she can't do his/her job, but that achievement is directly linked to the commitment and application of the individual learner – how much he or she uses Welsh outside the classroom walls.

Wlpan De-orllewin Cymru, (Coleg y Drindod, Caerfyrddin, Prifysgol Cymru Abertawe, Prifysgol Cymru Aberystwyth, 1995).

GWEITHGAREDDAU CYFATHREBOL

Cyfrwng i gyfathrebu â'n gilydd yw iaith ac mae'r rhan fwyaf o oedolion (er nad pob un!) yn penderfynu ceisio dysgu iaith newydd er mwyn cyfathrebu â siaradwyr brodorol yr iaith honno, boed hynny o fewn y teulu, yn gymdeithasol, yn eu gwaith, ar eu gwyliau, ac ati. Mae'n bwysig felly bod gweithgareddau'r dosbarth yn adlewyrchu sefyllfaoedd real o'r fath a bod y dysgwyr yn cael ymarfer patrymau iaith ystyrlon ar gyfer cyfathrebu'n llwyddiannus o fewn y sefyllfaoedd hynny.

Rhaid cofio, serch hynny, bod modd cyfathrebu mewn sawl ffordd wahanol ac nad oes rhaid defnyddio iaith bob tro. Mae ystumiau, synau, symudiadau, a mwg hyd yn oed os mai Indiad ydych chi, yn gallu trosglwyddo'r neges yr un mor effeithiol. Mae'n siŵr bod nifer fawr ohonom wedi llwyddo rywsut i gael y maen i'r wal ar wyliau tramor heb ddefnyddio gair o'r iaith frodorol ond gan ddibynnu ar ein dwylo a'n hwynebau'n unig. Yn ein sefyllfa yng Nghymru, mae'r dysgwr Cymraeg hefyd yn gwybod y gall droi at y Saesneg am ambell air pan fydd mewn twll, neu hyd yn oed newid iaith y sgwrs yn gyfangwbl i'r Saesneg, gan fod pob Cymro Cymraeg yn ddwyieithog.

Yn ogystal, mae modd deall yr hyn mae person yn ei ddweud er bod yr iaith ei hun yn hynod wallus. Pe baech yn dweud 'moi manger croissant' mewn bwyty Ffrengig, byddech yn cyfathrebu'n llwyddiannus a byddai'r 'croissant' yn eich cyrraedd, er bod eich crap ar yr iaith Ffrangeg yn ofnadwy o sigledig. Yn yr un modd, pe baech yn clywed dysgwr yn dweud 'dw i rhaid i bwyta babi i tair o gloch neithiwr a dw i ddim cysgu ar ôl', mae'n siŵr y byddech yn deall yr hyn oedd ganddo/ganddi i'w ddweud ac yn mynegi eich cydymdeimlad â'i sefyllfa. Byddai'r dysgwr felly wedi llwyddo i drosglwyddo ei neges er mor garbwl ei Gymraeg. Nid oes angen cywirdeb iaith o reidrwydd i gyfathrebu'n llwyddiannus.

Rhoddir pwyslais cyson y dyddiau hyn ar bwysigrwydd cyfathrebu ystyrlon wrth gyflwyno cyrsiau iaith. Ond am ba fath o gyfathrebu yr ydym yn sôn? Gallwn drefnu gweithgareddau dosbarth lle bydd y dysgwyr yn trosglwyddo negeseuon i'w gilydd ond yn defnyddio patrymau iaith cwbl anaddas ac yn dibynnu'n helaeth ar ystumiau neu eiriau Saesneg i gyflawni'r dasg yn llwyddiannus. A phan fydd eu hadnoddau ieithyddol Cymraeg wedi'u dihysbyddu, gallant droi i'r Saesneg yn llwyr i gwblhau'r gwaith. Prin bod gweithgareddau o'r fath yn ein helpu i gwrdd ag anghenion ein dysgwyr na'n hamcanion ninnau fel tiwtoriaid.

Pe bai'r myfyrwyr yn dysgu iaith dramor er mwyn ymdopi â rhai sefyllfaoedd pob dydd mewn gwlad unieithog, mae'n bosib y byddai meistroli rhai adnoddau ieithyddol allweddol ac aml-bwrpas fel sylfaen i sgwrsio Tarsanaidd a thipyn o feim yn ddigonol. Sut bynnag, yn achos y Gymraeg fel ail iaith yng Nghymru, mae'r cymhellion yn wahanol, mae'r cyd-destun yn wahanol ac mae ymateb y siaradwyr brodorol yn mynd i fod yn wahanol. Nid dysgu'r iaith er mwyn cwrdd ag anghenion sylfaenol bywyd bob dydd mae dysgwyr y Gymraeg (nag unrhyw iaith leiafrifol arall) ond oherwydd cymhellion llai 'corfforol', mwy 'ysbrydol' bron. Cymhellion megis ymdoddi i'r gymdeithas leol, gwella eu cymwysterau ar gyfer cael gwaith, helpu gydag addysg eu plant, parch at gyd-ddyn, darganfod eu gwreiddiau, ac ati. Os na fydd yr hyn a ddywed y dysgwr yn dderbyniol i glust y Cymry Cymraeg, ymateb greddfol nifer helaeth o'r rheiny fydd troi i'r Saesneg. Mae'r dysgwr hefyd yn mynd i gael ei demtio i droi i'r Saesneg ei hun pan fydd yn mynd i ddyfroedd dyfnion neu hyd yn oed i beidio â mentro siarad Cymraeg o gwbl.

Mae'n rhaid sicrhau felly bod dysgwyr yn ymarfer patrymau 'cywir' wrth wneud gweithgareddau yn y dosbarth. Nid oes unrhyw ddiben mewn ymarfer camgymeriadau neu bydd y rheiny'n cael eu sefydlu yn y cof ac yn anod iawn eu dileu yn y dyfodol. Rhaid sicrhau hefyd bod dysgwyr yn dysgu patrymau llafar cyffredin, yn swnio mor 'naturiol' ag y bo modd ac yn ymarfer brawddegau a fydd o ddefnydd iddynt yn y math o sefyllfaoedd lle bydd hi'n bosib ddefnyddio eu Cymraeg. Mae'n hanfodol cadw'r egwyddorion sylfaenol hynny mewn cof wrth ddethol a pharatoi gweithgareddau cyfathrebol. Rhaid paratoi'r dysgwyr yn ofalus er mwyn sicrhau bod yr holl adnoddau ieithyddol angenrheidiol ganddynt i gwblhau'r dasg yn llwyddiannus mewn iaith gywir. Mae'n bwysig peidio â cholli golwg chwaith ar ymarferoldeb a pherthnasedd y brawddegau sy'n cael eu defnyddio. Dyweder, er enghraifft, ein bod yn ymarfer y trydydd person negyddol yn y presennol: mae'r frawddeg 'dydy'r tywydd ddim yn gymylog' yn enghraifft dda o'r patrwm ar waith, ond a fedrwch chi gofio pryd yr oedd y tro diwethaf i chi ddweud hynny mewn sgwrs naturiol?

Mae eisiau gwahaniaethu felly rhwng yr ymarfer mecanyddol sy'n paratoi ac yn caboli'r adnoddau ieithyddol angenrheidiol ar gyfer y gweithgaredd dan sylw, a'r cyfathrebu 'go iawn' a osodir fel nod ar gyfer y gweithgaredd yn y pen draw. Nid oes dim o'i le mewn rhoi'r dosbarth i weithio mewn parau ar newid brawddegau cadarnhaol yn rhai negyddol, e.e. mae'r tywydd yn braf > dydy'r tywydd ddim yn braf; mae'r bwyd yn oer > dydy'r bwyd ddim yn oer. Bydd hynny'n cadarnhau'r dysgu ac yn sicrhau lefel uchel o gywirdeb wrth i'r dysgwyr sgwrsio yn y man, ond nid gweithgaredd cyfathrebol mohono. Ond unwaith bydd y patrwm wedi'i sefydlu'n gadarn, gellir gofyn i'r dosbarth drafod rhagoriaethau a gwendidau tai bwyta lleol, lle bydd brawddegau megis, 'mae'r bwyd yn dda ond dydy'r staff ddim yn glên' neu, 'mae'r bwyd yn rhad ond dydy'r lle ddim yn lân iawn', nid yn unig yn gywir ond hefyd yn ystyrlon, yn berthnasol i fywydau'r dysgwyr ac yn gyfathrebu yng ngwir ystyr y gair.

Y gwaith drilio ar y patrymau newydd fydd y cam cyntaf, wrth gwrs, yn y broses o baratoi'r adnoddau ieithyddol. Rhai tasgau 'mecanyddol' eraill y gellir gofyn i'r dysgwyr eu gwneud mewn parau er mwyn ceisio sicrhau cywirdeb yw:

a) Un partner yn cynnig gair, y llall yn ei addasu yn ôl gofynion y patrwm dan sylw, e.e. A. gwaith > B. fy ngwaith i, A. bos > B. fy mos i, A. car > B. mae gen i gar, A. problem > B. mae gen i broblem; A. bwyta – fi > B. bwytais i, A. hi > B. bwytodd hi.

b) Edrych ar set o luniau gyda'i gilydd a naill ai eu disgrifio, e.e. mae hi'n sâl, maen nhw wedi colli'r bws, neu holi ac ateb, e.e. ydy'r tŷ'n hen? nac ydy, mae o'n newydd. Unwaith eto, rhaid rhoi'r pwyslais ar ymarfer patrymau cywir. Mae gwneud hyn hefyd yn sicrhau bod pawb yn deall arwyddocâd pob llun- rhywbeth na fydd bob tro'n gwbl amlwg er gwaethaf doniau'r artist!

c) Darllen deialog nifer o weithiau neu weithio trwy gyfres o gwestiynau a disodli elfen yn yr ateb bob tro, e.e. dydy Ann ddim yma > gobeithio bod hi'n cofio; dydy John ddim yma > gobeithio fod o'n cofio; dydy'r plant ddim yma, ac ati.

Rhaid pwysleisio wrth y dosbarth nad sgwrsio yw'r nod mewn ymarferion o'r fath, ond canolbwyntio ar gywirdeb, cyn symud ymlaen at waith mwy diddorol. Os bydd y cyfathrebu go iawn yn digwydd yn rhy gynnar, mae perygl i hynny ddigwydd ar draul yr iaith ei hun, gan fagu arferion drwg. Hefyd unwaith y bydd cyfathrebu ystyrlon yn dechrau digwydd, bydd rhaid rhoi rhyddid i'r dysgwyr siarad heb i'r tiwtor dorri ar eu traws yn ormodol. Felly mae'n holl-bwysig bod y sgiliau ieithyddol angenrheidiol eisoes wedi'u dysgu'n gwbl gadarn a bod y dysgwyr yn ymwybodol ac yn hyderus bod yr adnoddau ganddynt i gwblhau'r dasg yn llwyddiannus. Ni ddylid bwrw i mewn i unrhyw weithgaredd cyfathrebol heb baratoi'r dosbarth yn ofalus a thrylwyr ymlaen llaw.

Beth felly yw nodweddion gweithgareddau cyfathrebol effeithiol? Yr elfen sylfaenol sydd ar goll ym mhob un o'r gweithgareddau mecanyddol uchod yw bwlch gwybodaeth. Mae'r naill bartner yn gwybod beth mae'r llall yn mynd i'w ddweud cyn iddo agor ei geg. Fel y nodwyd eisoes, mae'n bwysig mynd trwy'r broses honno gyntaf er mwyn cael cyfle i ganolbwyntio ar yr iaith ei hun, ond fel cam nesaf rhaid sicrhau bod gwybodaeth gan un partner nad yw gan y llall, fel eu bod yn gorfod trosglwyddo neges yn glir a gwrando ar ei gilydd yn ofalus er mwyn cwblhau'r dasg yn llwyddiannus. Amrywiad bychan sydd ei angen yn aml i wneud hynny, e.e.

a) (uchod) holiadur, lle mae pawb yn y dosbarth yn mynd o gwmpas yn holi'i gilydd ynglŷn â'u teuluoedd, eu heiddo neu yr hyn a wnaethant y diwrnod cynt. Os bydd pawb yn cofnodi'r atebion, gall pawb gyfnewid gwybodaeth am ei gilydd yn y trydydd person wedyn fel ymarfer ychwanegol. Gellir casglu'r taflenni a chreu cwis neu arolwg dosbarth gyda'r grŵp cyfan, e.e.

Faint o bobl fuodd allan neithiwr?

Faint o bobl sy â byji?

Ci pwy ydy Fido?

b) (uchod)
1. Un partner yn dewis un o'r lluniau a'r llall yn gorfod dyfalu pa un mae wedi'i ddewis, naill ai trwy holi ei bartner neu ar sail disgrifiad ei bartner.
2. Un partner yn newid trefn y lluniau a'r llall yn gorfod eu rhoi yn yr un drefn trwy ddisgrifio a holi.

66

3. Rhoi set wahanol o luniau i'r ddau bartner a hwythau wedyn yn ceisio canfod gwahaniaethau rhwng y ddwy set heb weld lluniau ei gilydd.

c) (uchod)

1. Rhannu deialog yn ddwy, gan roi rhan A ar un papur a rhan B ar bapur arall, fel bod y ddau bartner yn gorfod gwrando'n astud ar ei gilydd er mwyn deall rhediad y ddeialog.
2. Tanlinellu ambell elfen mewn deialog a gofyn i'r dysgwyr gynnig amrywiadau ar yr elfennau hynny wrth ddarllen y ddeialog i greu fersiynau newydd.
3. Rhoi copi o ddyddiadur sawl person i bob partner a hwythau wedyn naill ai'n esbonio pam nad ydynt yn bresennol mewn cyfarfod heddiw neu'n ceisio trefnu dyddiad cyfleus ar gyfer cyfarfod yn y dyfodol, e.e. dydy Ann ddim yma achos ei bod hi'n sâl, dydy Gwyn ddim yma achos ei fod o'n chwarae golff, fydd Ann ddim yn medru dod achos mi fydd hi yn Llundain, ac ati.

Cyn belled â bod y dysgwr yn gorfod canfod gwybodaeth nad yw ganddo eisoes, bydd yn gorfod gofyn cwestiynau pwrpasol, bydd yn awyddus i glywed yr ateb, bydd cyd-destun ystyrlon wedi'i greu a bydd cyfathrebu go iawn yn digwydd. Cyn belled â bod yr adnoddau ieithyddol angenrheidiol wedi'u paratoi a'u dysgu'n drylwyr ymlaen llaw, bydd y cyfathrebu hwnnw'n digwydd mewn iaith safonol a fyddai'n dderbyniol ymhlith Cymry Cymraeg a bydd yr ymarfer cyson ar y patrymau iaith a geir yn ystod y gweithgaredd yn magu hyder y dysgwyr i fentro defnyddio'r iaith y tu allan i furiau diogel yr ystafell ddosbarth.

Dyma rai pwyntiau ymarferol y dylid eu cadw mewn cof er mwyn sicrhau bod gweithgareddau cyfathrebol yn cyflawni eu pwrpas:

1. Sicrhau bod y dasg yn hawdd ei hesbonio: nid oes dim pwynt treulio chwarter awr yn esbonio rheolau cymhleth yn Saesneg.
2. Esbonio'r dasg trwy ei gwneud gyda'r tiwtor fel dosbarth cyfan i ddechrau.
3. Sicrhau bod y dosbarth yn deall nod y dasg a'i phwrpas fel ymarfer ieithyddol (mae dysgwyr yn teimlo bod gweithgareddau a gêmau'n wastraff amser os nad oes diben clir i'r ymarfer).
4. Sicrhau bod elfen gref o ailadrodd patrymau o fewn y dasg.

5. Peidio â disgwyl i ddysgwr ddefnyddio ei ddychymyg a chreu patrymau iaith cywir ar yr un pryd.
6. Newid partneriaid yn gyson.
7. Peidio â gadael i'r gweithgaredd fynd ymlaen yn rhy hir. Mae'n bwysig torri'r gwaith yn ei flas. Os yw aelodau'r dosbarth yn crwydro o gwmpas yr ystafell yn holi ei gilydd, mae'n fuddiol eu stopio cyn iddynt gael cyfle i weld pawb fel eu bod yn gallu holi ei gilydd yn y trydydd person wedyn (mewn ffordd gyfathrebol!) i geisio llenwi'r bylchau yn eu gwybodaeth am weddill aelodau'r dosbarth.
8. Peidio â chywiro camgymeriadau'n ormodol wrth wneud tasg gyfathrebol (oni bai bod dysgwr yn gofyn yn benodol am gymorth), gan mai magu hyder yw'r nod, ond tynnu sylw cyffredinol at bwyntiau penodol ar ddiwedd y gweithgaredd.
9. Y tiwtor i gymryd rhan yn y gweithgaredd gyda'r dysgwyr.
10. Sicrhau awyrgylch anffurfiol, cefnogol, hwyliog.

GWEITHGAREDDAU ENGHREIFFTIOL

Hoffwn bwysleisio bod popeth a restrir yma naill ai wedi ei ddwyn yn uniongyrchol gan diwtoriaid eraill neu'n addasiad o'u syniadau. Nid oes disgwyl i diwtor greu gweithgareddau gwreiddiol trwy'r amser: ei rôl yw dewis o blith rhyw dri neu bedwar fformat cyffredinol ac adeiladu ar y sylfaen hwnnw er mwyn darparu tasgau sy'n gwbl berthnasol i lefel ac anghenion y dosbarth dan sylw.

Holiadur   Safon 1
Nod   Ymarfer ynganu ac unrhyw gwestiwn ac ateb syml

Llunio rhestr o enwau Cymraeg cyffredin ond digon anodd i'r dysgwyr eu hynganu (e.e. Eira, Hywel, Buddug, Llinos) a dosbarthu copi o'r rhestr i bawb. Rhoi cerdyn i bawb ag un o'r enwau arno, ynghyd ag elfen o wybodaeth ynglŷn â'r person ar ba batrwm bynnag sydd angen ei ymarfer, e.e.

Eira	Byw: Caernarfon	Gweithio: Banc
Hywel	Byw: Caerdydd	Gweithio: Siop

Bydd y dysgwyr yn crwydro o gwmpas yr ystafell yn holi ei gilydd gan ddefnyddio'r tri chwestiwn:

Pwy dach chi?   (Bydd rhaid i'r atebwr ynganu'n ddigon clir i'r holwr
fedru adnabod yr enw ar ei restr)
Lle dach chi'n byw?
Lle dach chi'n gweithio?

Amrywiadau:
Os yw'r dosbarth eisoes wedi dysgu'r trydydd person, stopio'r
gweithgaredd ar ôl i bawb holi tua hanner aelodau'r dosbarth a gofyn
i bawb lenwi'r bylchau trwy holi:

Dach chi'n gwybod lle mae Hywel yn byw?

Yn hytrach na chadw'r un cerdyn trwy gydol y gweithgaredd, gellir
ffeirio cardiau ar ddiwedd pob sgwrs. Trwy wneud hynny, ni fydd y
dysgwyr yn diflasu ar ddweud 'Eira dw i, dw i'n byw yng
Nghaernarfon, dw i'n gweithio mewn banc' dro ar ôl tro, ond eto
byddant yn dal i ymarfer yr un patrymau sylfaenol.

Holiadur   Safon 1
**Nod   Ymarfer y gwahaniaeth rhwng 'mae' ac 'ydy' mewn
          cwestiynau**

Llunio rhestr o gwestiynau, e.e.

Lle dach chi'n byw?
Dach chi'n licio byw yn . . .?
O le dach chi'n dŵad?
Lle dach chi'n gweithio?
Dach chi'n licio'r gwaith?
Dach chi'n siarad Ffrangeg/Sbaeneg?
Dach chi'n chwarae golff/tenis?
Sut dach chi'n dŵad i'r dosbarth?

Rhannu'n barau i holi ei gilydd. Pawb i nodi atebion eu partner.
Gyda'r tiwtor wedyn, ymarfer newid y cwestiynau i'r trydydd
person. Bydd patrwm clir yn ymddangos, sef:

dechrau'r cwestiwn gyda 'ydy'
dilyn 'lle' 'sut' ac ati gyda 'mae'

(Nid yw'r rheol honno'n dal dŵr trwy'r amser wrth gwrs, ond rhaid peidio â gorgymhlethu'r rheolau'n ddi-angen ar safon 1).

Y tiwtor yn holi rhai aelodau o'r dosbarth am eu partneriaid i sefydlu patrwm yr holi.

Rhannu'r dosbarth yn barau gwahanol, i holi eu partneriaid newydd ynglŷn â'u hen bartneriaid.

Gwerthu Safon 1
Nod   Ymarfer prisiau

Paratoi 'tocynnau' ac arnynt un gair megis 'raffl, bore coffi, disgo, pantomeim, rêf, sioe, ffair'

Ymarfer y patrwm 'Dach chi isio prynu tocyn . . .' a 'Faint ydy o?' ynghyd â phrisiau enghreifftiol.

Dosbarthu un tocyn i bawb. Crwydro o gwmpas y dosbarth yn gwerthu tocynnau i'w gilydd. Y gwerthwr sy'n pennu'r pris. Bydd y prynwr wedyn yn ail-werthu'r tocyn i aelod arall o'r dosbarth am bris uwch! Erbyn diwedd y gweithgaredd bydd tocyn raffl yn costio tua deg punt!

(D.S. Nid oes hawl gan neb i wrthod prynu!)

Holiadur Safon 1
Nod   Ymarfer cwestiwn syml ac ateb cadarnhaol/negyddol

Dosbarthu rhestr o gwestiynau sy'n ymarfer y patrwm dan sylw, e.e.

Fyddwch chi'n cael panad o de yn y gwely yr wythnos yma?
Fyddwch chi'n gwneud rhyw ymarfer corff yr wythnos yma?
Fyddwch chi'n darllen nofel yr wythnos yma?
Fyddwch chi'n byw yn yr un tŷ yn y flwyddyn 2005?   ac ati

Dach chi wedi bod mewn hofrennydd?
Dach chi wedi ennill rhywbeth ar y 'Premium Bonds'?
Dach chi wedi cyfarfod aelod o'r Cynulliad?
Dach chi wedi bod i ben yr Wyddfa?   ac ati

neu mae modd cymysgu patrymau os oes angen adolygu cyffredinol (ar safon 2, o bosib), e.e.

70

Dach chi'n bwyta cig coch?
Oes gynnoch chi deulu yng Ngogledd America?
Fyddwch chi'n mynd dros y môr eleni?
Oeddech chi'n darllen y *Beano* yn blentyn?
Dach chi wedi siarad Cymraeg ers y dosbarth diwetha?   ac ati

Gweithio fel parau i geisio dyfalu faint o aelodau'r dosbarth fydd yn ateb y cwestiynau'n gadarnhaol, (mae hyn yn ennyn mwy o ddiddordeb yng ngweddill y gweithgaredd gan fod pawb yn awyddus i gael gwybod pa mor agos ati oeddynt, a hefyd yn ffordd werthfawr o sicrhau bod pawb yn deall pob cwestiwn).

Clustnodi un cwestiwn ar gyfer pob unigolyn: rhaid iddo/iddi ddysgu'r cwestiwn ar y cof.

Pawb yn crwydro o gwmpas y dosbarth yn holi'i gilydd ac yn cyfrif yr atebion cadarnhaol a negyddol.

Sesiwn adborth fel dosbarth cyfan er mwyn gweld pwy oedd wedi dyfalu orau.

Eiddo coll   Safon 1
Nod   Ymarfer 'fy . . . i'

Mae'r gweithgaredd hwn yn hynod ddefnyddiol fel ymarfer ar gyfer sefyllfa bob dydd gyffredin iawn. Wedi dweud hynny, mae'r gweithgaredd ei hun drosodd mewn chwinciad, ond yn y paratoi mae'r budd mwyaf. Mae'n llwyddo orau mewn dosbarth tipyn o faint.

Dosbarthu un cerdyn i bawb ac arno un eitem o eiddo, e.e. pwrs, bag, cerdyn credyd, côt, pen, goriadau, ymbarél, llyfr sieciau, trowsus, coes bren.

Gofyn i bawb ddweud 'fy . . . i' yn ei dro, gan ddefnyddio'r gair ar ei gerdyn. Mynd o gwmpas y dosbarth sawl gwaith nes bod pawb yn ynganu eu gair yn gywir ac yn hyderus.

Casglu'r cardiau a gofyn i bawb ddweud:

Dw i wedi colli fy . . .
Yna gofyn i bawb ymarfer y cwestiwn:

Dach chi wedi gweld fy . . . i?
gan ddal i gyfeirio at yr eitem a oedd ar eu cerdyn personol hwy.

71

Yna, ail-ddosbarthu'r cardiau gan sicrhau nad oes neb yn cael ei eiddo ei hun yn ôl. Rhaid i bawb fynd o gwmpas yr ystafell i chwilio am yr eiddo a oedd ganddynt yn wreiddiol (nid yr eiddo sydd ar y cerdyn yn eu llaw) trwy ofyn:

Dach chi wedi gweld fy . . . i?

Bydd y gweithgaredd yn dod i ben pan fydd pawb wedi cael ei eiddo'n ôl.

Adnabod enwogion   Safon 2/3
Nod   Ymarfer 'ei'

Paratoi pentwr o gardiau gan roi sgerbwd o ddisgrifiad o berson enwog ar bob un, rhai'n fyw, rhai'n farw. Bydd rhaid dethol yn ofalus ar sail cyfoesedd yr enwogion a diddordebau'r dysgwyr, (h.y. nid pawb sy'n edrych ar deledu a fydd dosbarth ifanc erioed wedi clywed am y Beatles). Mae'r ffaith bod y sgerbwd yn cael ei ddarparu yn golygu nad yw'r dysgwyr yn ymbalfalu am wybodaeth nac yn ceisio dweud pethau rhy uchelgeisiol. (Dyna'r anhawster a all godi o chwarae'r '20 Cwestiwn' traddodiadol)

Dyma gynnwys ambell gerdyn enghreifftiol:

FO ROEDD	recordiau	:	enwog
	cartre	:	yn Lerpwl
	gwraig	:	o Siapan
(John Lennon)			

HI MAE	gŵr	:	enwog
	swyddfa	:	ym Mrwsel
	gwreiddiau	:	yng Nghaergybi
(Glenys Kinnock)			

FO MAE	gwallt	:	gwyn
	cartre	:	oer
	dillad	:	coch
(Siôn Corn)			

HI MAE	gwallt	:	du
	teulu	:	o Abertawe
	mab	:	Dylan
(Catherine Zeta Jones)			

HI	ROEDD	trwyn	:	hir
		marwolaeth	:	poenus
		cartre	:	yn yr Aifft

(Cleopatra)

Rhannu'r dosbarth yn grwpiau. Rhoi cerdyn i un aelod o'r grŵp ac yntau'n darllen un cliw ar y tro i'w bartneriaid, gan ffurfio brawddegau llawn wrth gwrs, e.e.

Mae ei wallt o'n wyn.

Bydd rhaid i'r lleill geisio dyfalu ar ôl pob cliw: dylid sicrhau bod y cliw cyntaf yn gyffredinol tu hwnt er mwyn sicrhau digon o ymarfer!

Nid oes eisiau cynnwys yr ateb ar y cerdyn, felly mae'n bosib na fydd yr holwr yn gwybod pwy yw'r person chwaith! Mae hyn yn rhoi cyfle i'r tiwtor fynd at y grŵp i ofyn beth maent yn ei wybod yn barod, (mwy o waith ailadrodd i'r dysgwyr) ac i gynnig cliwiau ychwanegol.

Adnabod y dosbarth Safon 2/3
Nod Ymarfer yr amodol

Dosbarthu cerdyn gwag i bawb, gan ofyn iddynt ysgrifennu'r ateb (mewn brawddegau llawn) i ryw dri neu bedwar cwestiwn, gan sicrhau nad oes neb yn gweld eu hatebion, e.e.

Tasai rhaid i chi symud i wlad arall, lle fasech chi'n licio byw?
Beth fasech chi'n licio ei gael yn anrheg penblwydd?
Efo pwy fasech chi'n licio mynd allan am bryd o fwyd?
Tasai hi'n bosib i chi newid eich gwaith, beth fasech chi'n licio bod?

Y tiwtor yn casglu'r papurau ac yn dyfynnu rhyw hanner dwsin o'r atebion a gafwyd i'r cwestiwn cyntaf. Y dosbarth i ddyfalu pwy ddwedodd beth trwy ysgrifennu'r enwau, (bydd y sawl a roddodd yr ateb dan sylw yn gorfod gwneud ychydig o actio rhag gollwng y gath o'r cwd!). Gyda llaw, mae'n ddifyr cynnwys atebion y tiwtor ei hun ymhlith atebion y dysgwyr.

Yna mynd dros yr atebion i weld faint a oedd yn gywir a dilyn yr un drefn gyda gweddill y cwestiynau. Y sawl â'r nifer uchaf o ddyfaliadau cywir fydd yr enillydd.

Noson Goffi **Safon 2/3**
Nod **Ymarfer dyfodol 'gwneud'**

Mae'r dosbarth i fod i gymryd arnynt eu bod am drefnu noson goffi. Rhaid i'r tiwtor restru'r gofynion, e.e. pryd? lle? pwy sy'n mynd i wneud y trefniadau? pwy sy'n mynd i ddod â bwyd a diod? pwy sy'n mynd i weithio ar y gwahanol stondinau? ac ati.

Wrth weithio mewn grwpiau, bydd y dysgwyr yn defnyddio patrymau fel 'mi wna i', 'dw i'n siŵr gweith John helpu', 'wnewch chi ddod â siwgr?'

Ar ôl cwblhau'r trefniadau, bydd modd adrodd yn ôl i weddill y dosbarth.

Pontydd a thwneli **Safon 2/3**
Nod **Mynegi caniatâd**

Y dasg yw trafod hawliau beicwyr, cerddwyr a phobl sy'n dysgu gyrru. Yng Ngwynedd, mae rheolau gwahanol ar gyfer Pont Britannia, Pont Menai, Twnel Conwy a Thwnel Penmaenmawr. Mae'n siŵr bod lleoedd tebyg ym mhob rhan o Gymru. Y dasg yw trafod mewn parau:

Geith pobl gerdded dros Bont Britannia?
Geith pobl reidio beic trwy dwnel Conwy? ac ati

Y gobaith yw na fydd neb yn rhy siŵr o'r atebion, fel bod y dasg sylfaenol yn arwain at drafodaeth. Nid oes rhaid i'r tiwtor wybod yr atebion chwaith: mae'n debyg y bydd y dasg wedi ennyn digon o ddiddordeb i wneud i bawb chwilio am yr wybodaeth drosto'i hun y tro nesaf y byddant yn mynd i'r cyfeiriad hwnnw!

Ar safon 1 a 2, cynghorir tiwtoriaid i gadw ffrwyn eithaf tyn ar y patrymau iaith a ddefnyddir. O safon 3 ymlaen, gellir cynnig mwy o ryddid i'r dysgwyr ddefnyddio amrywiaeth o batrymau, ac yn wir dylid eu hannog i wneud hynny yn hytrach na meddwl yn nhermau un patrwm yn unig wrth wneud tasgau cyfathrebol.

Trafod pwnc   Safon 3/4
Nod   Sgwrsio'n rhydd

Er mwyn gosod canllaw i'r sgwrsio, fel nad yw'r dysgwyr yn ceisio bod yn rhy uchelgeisiol nac ychwaith yn gorfod meddwl yn rhy galed am rywbeth i'w ddweud, awgrymir un o ddau ddull o gyflwyno'r gwaith:

1. Paratoi rhestr o gwestiynau i sbarduno'r sgwrsio, e.e.

Bwyd
Beth ydy eich hoff fwyd chi? Beth dach chi'n ei gasáu? Dach chi'n bwyta brecwast mawr? Pryd dach chi'n bwyta pryd mwya'r dydd? Dach chi'n bwyta'n iach? Lle dach chi'n licio mynd allan i fwyta?

Y stryd lle dach chi'n byw
Ers pryd dach chi'n byw yno? Pam penderfynoch chi symud yno? Pa fath o bobl sy'n byw yn y stryd? Faint ohonyn nhw sy'n siarad Cymraeg? Pa mor aml dach chi'n siarad â'ch cymdogion? Faint o anifeiliaid sy yn y stryd?

2. Y tiwtor i baratoi darn darllen ar y pwnc ar sail ei brofiadau ei hun. Bydd hyn yn rhoi patrymau a geirfa enghreifftiol i'r dosbarth eu dilyn.

Y pethau cyntaf dw i'n eu cofio
Mae rhai pobl yn cofio edrych allan o'r pram pan oedden nhw'n fabanod, ac mae rhai eraill yn cofio dechrau cerdded. Ond dw i ddim yn cofio dim byd o gwbl cyn mynd i'r ysgol, a niwlog iawn ydy fy atgofion i am fy mlynyddoedd cyntaf yn yr ysgol hefyd, a dweud y gwir.

Mi ddigwyddodd y peth cynta dw i'n medru ei gofio'n hollol glir pan oeddwn i tua chwech oed. Roeddwn i wedi gadael fy esgidiau glaw y tu allan i'r drws fel arfer wrth ddod i mewn i'r tŷ yn y nos. Y bore wedyn, mi wisgais i nhw eto a mynd allan i chwarae. Yn sydyn, mi deimlais i rywbeth yn symud dan fy nhroed. 'Mae 'na rywbeth byw yn fy welington i!' sgrechiais i, gan dynnu'r esgid yn gyflym a hercian yn ôl i'r tŷ mor gyflym â phosib. Dw i erioed wedi licio llygod ers hynny.

Rhai testunau trafod eraill posib:

Anifeiliaid; teithio o le i le; gwrando ar y radio; gwrando ar gerddoriaeth/hoff gân; ffilmiau; cylchgronau; chwaraeon; ar ôl ymddeol; dyddiau ysgol; yfed; codi yn y bore; ymlacio; hen bethau yn y tŷ; lluniau ar waliau'r tŷ; nofio; fy swydd gyntaf; y cymdogion; actio; fy nghartref diwetha; y bos; y ffôn; penblwyddi; teulu dros y môr; cas bethau.

Cyfiawnhau   Safon 3/4
Nod   **Ymarfer sawl ffordd o wrthod gwneud rhywbeth**

Paratoi rhestr o 'geisiadau', pob un i ddechrau gyda 'wnewch chi . . .?', e.e.

> talu'r bil ar unwaith
> dawnsio efo fi
> canu cân i mi
> benthyg tipyn bach mwy o bres i mi
> symud eich car
> cau'r ffenest
> aros am ddau funud arall
> fy helpu i efo'r llestri
> esbonio sut mae'r peiriant yn gweithio
> clirio'r llanast
> bwydo'r python i mi

Mae'r partner i fod i ateb 'na wnaf' bob tro, gan ymhelaethu trwy ddefnyddio patrymau megis:

> dw i wedi .... yn barod
> dw i ddim isio ......
> fedra i ddim ....
> mi wnes i .... ddoe
> mae'n rhy ....
> gwnewch o eich hun

Dyddiadur   Safon 1-5
Nod   **Trefnu Amser Cyfleus**

Ar y lefelau isaf, llunio dau ddyddiadur, un ar gyfer Partner A a'r llall ar gyfer Partner B. Bydd un bore neu brynhawn cyffredin ac un noson gyffredin yn rhydd gan y ddau a'r dasg fydd trefnu diwrnod i gyfarfod yn y swyddfa a threfnu noson i fynd i'r sinema. Ar safon 1, gellir cyfyngu'r holi i 'Dach chi'n brysur bore Llun?' ac ati. Ar safon 2/3 gellir defnyddio patrymau mwy cymhleth fel 'Fyddwch chi'n gwneud rhywbeth nos Fawrth?'

Erbyn safon 4/5, gellir caniatáu mwy o ryddid i'r dysgwyr a chreu sefyllfa fwy cymhleth. Bydd eisiau esbonio i'r dosbarth bod gŵyl fawr yn yr ardal wythnos nesaf ac y bydd llawer o ddigwyddiadau ymlaen bob nos, e.e.

> Drama yn y Theatr, nos Lun i nos Sadwrn
> Ffilm yn y Sinema, nos Lun i nos Sadwrn
> Darlith gyhoeddus yn y Coleg, nos Lun i nos Iau
> Dawns yn y Gwesty, nos Fercher i nos Sadwrn
> Sioe Dafarn, nos Fawrth i nos Sadwrn
> Cyngerdd yn y Neuadd, nos Lun i nos Sadwrn

Os oes modd llunio tocynnau neu bosteri ffug, gorau oll, ond bydd rhestr ar y bwrdd du yn ddigonol.

Mae pob dysgwr yn gorfod sicrhau:

> a) ei fod yn mynd allan bob nos o nos Lun tan nos Sadwrn.
> b) ei fod yn mynychu gweithgaredd gwahanol bob nos.
> c) ei fod yn mynd yng nghwmni aelod gwahanol o'r dosbarth bob nos.

Bydd y dysgwyr felly'n crwydro o gwmpas y dosbarth yn gwneud eu trefniadau. Ni ddylai fod problemau ar y dechrau, ond wrth i'r dyddiadur lenwi, bydd rhaid ehangu ar yr iaith a ddefnyddir, (e.e. mae'n ddrwg gen i, ond fedra i ddim dod efo chi nos Fawrth; mae gen i rywbeth arall ar y gweill). Tua'r diwedd, bydd y sefyllfa'n mynd yn amhosib a bydd rhaid ceisio dad-wneud rhai o'r trefniadau blaenorol. Bydd hyn yn gyfle i ehangu ymhellach ar yr iaith, (e.e. mae'n ddrwg gen i, ond mae rhywbeth wedi codi; fedra i ddim dod i'r ddarlith efo chi nos Fercher wedi'r cyfan, ac ati). Go brin y bydd neb yn gwbl lwyddiannus – byddai'r gweithgaredd yn gorfod dod i ben yn syth pe bai rhywun yn llwyddo i lenwi pob noson – felly bydd rhaid rhoi terfyn ar y sgwrsio pan fydd rhwystredigaeth pawb yn dechrau mynd yn drech na hwy!

77

Erthyglau Safon 4-6
Nod Cyfnewid gwybodaeth a thrafod

Mae defnyddio darnau darllen yn y dosbarth yn cael ei drafod yn llawn mewn pennod arall o'r gyfrol hon, ond mae'n bwysig cofio bod darllen erthyglau yn y dosbarth yn gallu esgor ar waith cyfathrebol sylweddol a gwerthfawr iawn, trwy ddilyn un o'r cynlluniau canlynol:

1. Rhoi erthygl wahanol i aelodau pob pâr.
2. Rhoi gwahanol rannau o'r un erthygl i aelodau pob grŵp.
3. Dosbarthu lluniau neu benawdau i bawb geisio dyfalu beth fydd cynnwys yr erthyglau cyn dosbarthu'r erthyglau eu hunain.
4. Dosbarthu llun i un aelod o bob pâr a'r erthygl gyfatebol i'r aelod arall.

Ar gyfer dysgwyr uwch, mae modd dewis erthyglau ar bynciau trafod cyfoes, ond ar gyfer myfyrwyr safon 4, mae pytiau o newyddion bro yn fwy addas fel arfer.

Rhag i ddysgwyr straffaglu i ddeall pob gair, ac er mwyn ceisio meithrin y grefft o ddeall rhediad darn cyfan yn hytrach na phob manylyn wrth ddarllen, byddaf bob amser yn dweud ar y dechrau bod pob unigolyn yn cael gofyn un cwestiwn geirfa, ac un cwestiwn yn unig, i mi, er mwyn ceisio eu harwain i ganolbwyntio ar y geiriau allweddol. Wrth drafod eu herthyglau gyda'i gilydd, bydd pawb yn cael cyfle i ddefnyddio'r eirfa newydd a'i dysgu'n effeithiol.

Mynegi barn Safon 2-6
Nod Ymarfer 'bod' ar y lefelau is; defnyddio ystod eang o iaith ar y lefelau uwch er mwyn cyfiawnhau safbwynt

Ar y lefelau isaf, gellir rhestru gwahanol bobl a phethau i'r dysgwyr fynegi barn yn eu cylch a hefyd llunio rhestr o'r ansoddeiriau sydd bellach yn gyfarwydd iddynt. Rhaid i bawb fynegi barn ynglŷn â phawb a phopeth a restrir; gorau oll os oes modd mynnu bod y partner yn anghytuno bob tro! Dyma restrau enghreifftiol:

pwdin reis	ofnadwy	del
nionod	go lew	mawr
tîm rygbi Lloegr	gwlyb	sych
y Nadolig	niwlog	da
The Sound of Music	chwerw	prysur
Aberystwyth	araf	sâl
Bill Clinton	clên	pwysig
pryfed cop	drud	rhad
Michael Douglas	hawdd	caled
Marks & Spencer	bendigedig	anobeithiol
dysgu Cymraeg	lwcus	neis
Daily Post	stormus	diddorol
Rolf Harris	hen	diflas
Blaenau Ffestiniog	clir	poeth
wisgi		
criced		
fy nghariad		
fy mos		
fy nghymdogion		
fy noctor		

Wrth ofyn i aelodau grwpiau ar lefelau uwch fynegi barn, rhaid cofio nad yw pawb mor barod nac mor abl â'i gilydd i fynegi barn yn groyw yn eu mamiaith, heb sôn am ail iaith, tra gall rhai godi cymaint o stêm nes llwyddo naill ai i ddigio neu i ddiflasu pawb arall yn llwyr. Er mwyn ceisio osgoi problemau o'r fath, gellir rhannu'r dosbarth yn ddwy garfan a mynnu bod un garfan yn gorfod meddwl am bwyntiau o blaid y gosodiad dan sylw a'r garfan arall yn chwilio am ddadleuon yn erbyn. Gellir rhannu'r dosbarth yn barau wedyn i gynnal dadl ffug. Mae'n bosib cyflwyno gweithgaredd o'r fath mor fuan â safon 3 neu 4, o ddewis pynciau trafod yn ofalus, e.e. smocio, y teulu brenhinol, ffyrdd osgoi. Bydd yn gyfle da i'r dysgwyr ar y lefelau hynny geisio tynnu eu patrymau at ei gilydd a rhoi eu hiaith ar waith.

Wedi dweud hynny, bydd mwy o ddyfnder ac ystod i drafodaeth o'r fath gyda dysgwyr safon 5 a 6. Er mwyn sicrhau'r ehangder mwyaf posib i'r ddadl, gellir rhoi cymeriad i bob aelod o'r grŵp a gofyn i bawb ddadlau o safbwynt y cymeriad hwnnw, e.e.

Pwnc: Agor chwarel yng nghanol ardal dwristaidd
Cymeriadau:
Rheolwr y cwmni sy'n gwneud y cais
Chwarelwr lleol di-waith
Perchennog cwmni lorïau lleol
Perchennog gwesty lleol
Rhiant sy â phlant yn yr ysgol sy yn ymyl y chwarel
Perchennog y fferm lle mae tir y chwarel
Naturiaethwr lleol
ac ati

Dyfalu'r sefyllfa   **Safon 3/4**
Nod   **Ymarfer patrwm penodol, e.e. tasech chi, mi**
                        ddylech chi, gorchmynion

Rhannu'r dosbarth yn grwpiau a rhoi sefyllfa wahanol i bob grŵp.

Patrwm i'w ymarfer	**Enghraifft o sefyllfa**
Baswn/taswn	Beth fasech chi'n ei wneud tasai'r to'n gollwng?
	Beth fasech chi'n ei wneud tasai cloch y drws ffrynt yn canu pan oeddech chi yn y bath?
	Beth fasech chi'n ei wneud tasech chi'n gweld ysbryd?
	Beth fasech chi'n ei wneud tasai rhywun yn eistedd ar eich glîn chi mewn sinema dywyll?
mi ddylech chi (fod wedi)	Dw i ddim yn medru cysgu
	Dw i eisiau cariad newydd
	Mae'r car wedi torri i lawr
	Ches i ddim byd gan Siôn Corn
	Roedd 'na ormod o sŵn yn y disgo
	Mae'r parot wedi marw
gorchmynion	Mae'r person dach chi'n siarad efo fo/hi . . .
	. . . eisiau gwybod sut i baratoi caserol
	. . . yn mynd am gyfweliad yfory
	. . . yn methu cychwyn y car
	. . . yn blentyn drwg
	. . . yn trio gwerthu ffenestri dwbl i chi
	. . . ar fin neidio oddi ar Bont Menai

Bydd rhaid i aelodau'r grŵp feddwl am dri neu bedwar ymateb addas i'r sefyllfa. Cynnig yr ymatebion hynny un ar y tro i weddill y dosbarth a'r rheiny ceisio dyfalu beth yn union yw'r sefyllfa.

Cymharu   Safon 3-6
Nod   Ymarfer gwahanol ffurfiau'r ansoddeiriau

Am ryw reswm, mae cymharu ansoddeiriau yn peri trafferthion mawr i ddysgwyr a bydd angen adolygu'r ffurfiau, os nad eu hail ddysgu, ar bob lefel. Ar y lefelau isaf, gwell cadw'r gwahanol 'raddau' ar wahân, e.e.

1. Y radd gymharol
Paratoi pentwr o gardiau ar gyfer pob pâr, gydag enwau pobl gyfarwydd arnynt, e.e.

King Kong, Dawn French, Ronnie Corbett, Esther Rantzen, y tiwtor, Naomi Campbell, Popeye, Hugh Grant, Tywysog Charles, Rod Richards, Lassie, Colin Jackson, Shirley Bassey, Frank Bruno

Pawb i godi dau gerdyn yn eu tro a llunio cymhariaeth rhwng y ddau a enwir, e.e.

Mae Dawn French yn dewach na Colin Jackson
Mae Lassie yn fwy clyfar na Rod Richards
Mae'r tiwtor yn ddelach na Hugh Grant

2. Y radd eithaf
Paratoi rhestr o gwestiynau i'w trafod mewn parau, e.e.

Pa un ydy'r tŷ bwyta gorau yn yr ardal?
Pa un ydy'r dafarn orau yn yr ardal?
Pa un ydy'r ffilm orau dach chi wedi'i gweld yn ddiweddar?
Pa un ydy'r llyfr gorau dach chi wedi'i ddarllen yn ddiweddar?
Pa un ydy'r rhaglen orau ar y teledu/radio?
Pa un ydy'r rhaglen waetha ar y teledu/radio?
Pa un ydy'r canwr/grŵp gorau?
Pa un ydy'r lle dela yng Nghymru?
Pa un ydy'r lle mwya diflas yng Nghymru?

81

Wrth symud ymlaen at y lefelau uwch, bydd rhaid rhoi pwysau ar y dysgwyr i feistroli'r ddau batrwm ar y cyd. Gellir ail-wneud y ddau weithgaredd uchod ond gan ofyn i bawb ddefnyddio'r radd gymharol a'r radd eithaf y tro hwn. Yn achos y gweithgaredd cyntaf, bydd eisiau i bob pâr roi'r cardiau i gyd ar y bwrdd o'u blaenau a meddwl am radd eithaf addas ar gyfer pob unigolyn, ond gan gyfiawnhau neu anghytuno trwy ddefnyddio'r radd gymharol, e.e.

Colin Jackson ydy'r cyflyma.
Nage, mae Lassie'n gyflymach na Colin Jackson.

Yn yr ail weithgaredd, bydd rhaid cyfiawnhau'r dewis, e.e.

Y Pantri Bach ydy'r gorau, achos bod y staff yn fwy cyfeillgar nag yn Y Gegin Fach.

Ar lefelau uwch, mae cwis yn ffordd effeithiol o gadarnhau'r patrymau, yn ogystal ag o godi hwyl, dim ond i'r tiwtor sicrhau bod y cwestiynau'n ddigon annelwig fel bod neb yn siŵr o'r atebion. Mae'n bwysig nad yw unrhyw weithgaredd yn tynnu sylw at wahaniaethau rhwng lefel gwybodaeth gyffredinol gwahanol aelodau'r dosbarth. Mae'r *Guinness Book of Records* yn ffynhonnell dda. Dyma rai cwestiynau posib:

Pa un ydy'r actor hyna?
<u>Burt Reynolds</u>   Robert Redford   Dustin Hoffman
Pa un ydy'r ci mwya poblogaidd ym Mhrydain?
Ci defaid   <u>Alsatian</u>   Pwdl
Pa un ydy'r enw mwya cyffredin ar dafarn?
Y Goron   <u>Y Llew Coch</u>   Y Fictoria
Pa un ydy'r babi tryma fel arfer?
Almaenwr   <u>Pygmy</u>   Americanwr

Y drefn orau yw:
1. Rhannu'r dosbarth yn dimau o ddau neu dri.
2. Gosod y cwestiwn cyntaf a gofyn i bob unigolyn ei ateb, gan ddefnyddio brawddeg lawn fel, 'Dustin Hoffman ydy'r hyna'. (Nid oes rhaid i unrhyw un gytuno â gweddill aelodau ei dîm). Bydd rhaid i'r tiwtor gadw cofnod o'r nifer o atebion cywir a gafwyd gan bob tîm ac yna rhoi'r sgoriau ar y bwrdd gwyn.

3. Cynnig bonws i un tîm os medrant lunio brawddeg gymharol gwbl gywir ar sail y cwestiwn, h.y. 'Mae Burt Reynolds yn hŷn/henach na Dustin Hoffman'. (Bydd rhaid sicrhau cyfle i bob un o'r timau wneud hyn yn ei dro). Gall y tiwtor fod yn greulon o gadarn a thynnu chwarter marc am gamgymeriad treiglo, hanner marc am gamgymeriad yn ffurf yr ansoddair, hanner marc am anghofio dechrau'r frawddeg gyda 'mae', ac ati. Bydd hyn yn creu difyrrwch ond yn canolbwyntio'r meddwl ar yr egwyddorion hefyd!

Gweithgaredd difyr ar gyfer dechrau tymor neu Ysgol Undydd, lle mae nifer o bobl sy'n ddieithr i'w gilydd yn dod ynghyd, yw gosod set o gwestiynau megis:

Pwy sy'n dod yn wreiddiol o'r lle agosa atoch chi?
Pwy sy â'r diddordebau mwya tebyg i'ch rhai chi?
Pwy fuodd bella yn ystod yr haf?

Bydd rhaid i bob un siarad â phawb arall yn yr ystafell er mwyn medru ateb y cwestiynau'n foddhaol. Fel cam ychwanegol, yn enwedig os bydd y grŵp yn gymharol fawr, gellir gofyn i bawb sefyll mewn rhes, gan osod eu hunain yn nhrefn pellter eu man geni i ddechrau, yna ad-drefnu'r rhes yn ôl pellter y mannau lle y buont yn ystod yr haf, ac ati.

Gellir sbarduno gwaith sgwrsio mwy llac ac eang, sy'n rhoi cyfle i'r dysgwyr ar safonau 5 neu 6 ddefnyddio'r ansoddeiriau mewn modd mor hyblyg â phosib, trwy gynnig canllawiau fel a ganlyn, lle nad oes ateb 'cywir' fel y cyfryw ond lle mae'r cyfan yn fater o farn:

Chwaraeon

Badminton	Tenis	Sboncen	Snwcer	Golff

y mwya diddorol i'w chwarae
y mwya diddorol i'w wylio
y gorau i gadw'n heini

Prifddinasoedd

Caerdydd	Llundain	Caeredin	Dulyn	Paris

y fwya diddorol
y fwya rhamantus
y lanna
y rhata

Y teulu brenhinol

Charles   Fergie   William   Andrew   Margaret

yr un mwya poblogaidd
yr un sy'n byhafio orau
yr un gorau i fod yn
frenin/frenhines

Anifeiliaid anwes

Ci mawr   Ci bach   Cwningen   Cath   Byji

y gorau/y mwya diddorol
yr hawsa i'w gadw
y druta i'w gadw

Dysgu Cymraeg

Siarad efo pobl   Gwrando ar y radio   Edrych ar y teledu
    Darllen llyfrau/papurau   Gramadeg

y peth mwya pwysig
y peth mwya anodd
y peth mwya diddorol

Penderfynu   **Safon 4-6**
Nod   **Sgwrsio rhydd er mwyn dod i gytundeb**

Mae gosod tasg lle mae gofyn i grŵp o ryw dri neu bedwar ddod i benderfyniad ar y cyd bob amser yn sbardun ardderchog i gyfathrebu ystyrlon. Mae penodau eraill yn y gyfrol hon yn crybwyll sawl math o ddefnyddiau y gellir eu defnyddio fel sail i sgwrsio, ond dyma ychydig o enghreifftiau ychwanegol:

1. Darllen ceisiadau tri ymgeisydd am swydd ac/neu wrando ar eu cyfweliadau, ac yna penderfynu pa un sy'n mynd i gael y swydd.
2. Darllen neu wrando ar sawl eitem o newyddion a phenderfynu ar drefn eu pwysigrwydd er mwyn eu cyhoeddi ar dudalen flaen papur newydd neu mewn bwletin radio.

Mae digon o dasgau eraill ar gael hefyd, lle nad oes rhaid wrth waith darllen neu wrando fel sbardun, e.e.

84

3. Edrych ar luniau o wahanol ganolfannau gwyliau a dewis yr un sy'n apelio fwyaf at y grŵp cyfan. Bydd rhaid meddwl am chwaeth pob unigolyn o fewn y grŵp a cheisio dod o hyd i gyfaddawd!

4. Gêm debyg i 'Family Fortunes' ar y teledu, lle mae rhaid dyfalu pa atebion a gafwyd amlaf pan ofynnwyd i gant o bobl enwi, e.e.

rhywbeth sy'n anodd ei fwyta â dannedd gosod
y ffordd orau o roi'r gorau i ysmygu
rhywbeth dach chi'n ei wneud ar soffa
gwaith tŷ maen nhw'n ei gasáu
y peth ola maen nhw'n ei wneud cyn mynd i'r gwely
ynys boblogaidd i fynd ar wyliau iddi hi
rhywbeth mae angen gwynt arno fo
man enwog yn Llundain
rhywbeth y basech chi'n ei weld ar sedd gefn car

Mae modd i'r tiwtor dwyllo rhywfaint: nid oes rhaid holi cant o bobl, ond da o beth fyddai casglu rhwng deg ac ugain o atebion o blith ffrindiau a chydnabod fel bod rhyw sail 'wyddonol' i'r atebion! Bydd y dosbarth yn gweithio mewn grwpiau gan geisio rhagweld y tri ateb mwyaf poblogaidd i bob cwestiwn ac yn ennill pwyntiau am bob ateb cywir, wrth gwrs. Mae ychydig o gystadleuaeth bob amser yn sbardun i gyfathrebu'n effeithiol!

5. Tasg ychydig yn wahanol yw'r Deryn Dieithr. Rhoi rhestri fel a ganlyn i bob grŵp:

gwartheg, ceffylau, defaid, moch, geifr
bwrdd, cwpwrdd, drws, ffenest, cadair
llaw, bys, braich, penelin, ysgwydd,
awr, diwrnod, wythnos, mis, blwyddyn
Ffrainc, Sbaen, Yr Eidal, Yr Almaen, Gwlad Groeg
cath, ci, parot, iâr, cwningen

a gofyn iddynt ddewis un nad yw'n perthyn bob tro, gan gyfiawnhau'r dewis hwnnw wrth gwrs. Mae'n debyg y bydd pob grŵp wedi dewis 'deryn' gwahanol bob tro ac felly dylai'r sesiwn adborth fel dosbarth cyfan ar ddiwedd y gweithgaredd fod yn ddifyr a bywiog.

Ditectif Safon 1-4
Nod Ateb cwestiynau amrywiol a chofio manylion

Dwy gêm dditectif hwyliog lle mae modd sicrhau bod dysgwyr ar y lefelau is yn cael cyfle i ddefnyddio eu hadnoddau ieithyddol i'r eithaf unwaith y byddant wedi dysgu'r amser gorffennol:

1. Rhannu'r dosbarth yn barau. Dweud bod rhyw anfadwaith wedi'i gyflawni rhwng wyth a naw o'r gloch neithiwr a bod pawb yn y dosbarth dan amheuaeth. Mae gan bawb alibi gan ei fod yng nghwmni ei bartner ar y pryd. Rhoi ychydig funudau i bob pâr lunio'r alibi honno. Yn eu tro, bydd rhaid i bob unigolyn fynd allan o'r ystafell tra bydd ei bartner yn cael ei holi am ddau funud gan weddill y dosbarth. Bydd yntau wedyn yn cael ei holi i weld i ba raddau bydd yr alibi'n dal dŵr. Y dosbarth i benderfynu pwy sy'n euog!

2. Y dosbarth cyfan i ymddwyn fel un person a'r tiwtor yn dditectif. Bydd y tiwtor yn taflu cwestiynau at wahanol aelodau o'r dosbarth, ond bydd rhaid i bawb roi'r un ateb a chofio pob manylyn. Mae'n gyfle gwych i'r tiwtor ymarfer pob patrwm mae'r dosbarth wedi'i ddysgu hyd yma, ac mae digon o gyfle i ail-wneud y gweithgaredd yn achlysurol pan fydd y dosbarth wedi dysgu mwy o batrymau. Os bydd rhywun yn rhoi ateb 'anghywir', yna dyfernir hwnnw'n euog, ond fel arfer bydd aelodau'r dosbarth yn cefnogi ei gilydd er mwyn sicrhau mai'r tiwtor sy'n colli pob tro!

Wrth grynhoi felly, dylid nodi mai dwy brif rôl gweithgareddau cyfathrebol yw dod ag amrywiaeth i'r dysgu a gwneud yr hyn sy'n cael ei ddysgu'n berthnasol i ddefnydd y dysgwr o'r Gymraeg y tu allan i'r dosbarth. O gymryd y camau canlynol ar gyfer pob elfen o waith newydd:

1. dril dynwared
2. ymarfer mecanyddol mewn parau
3. ymarfer cyfathrebol

ac o geisio sicrhau bod y gweithgareddau'n gweddu i'r patrymau sy'n gyfarwydd ac yn addas o ran lefel, yna byddant yn gyfraniad gwerthfawr tu hwnt at gynnydd a hyder y dysgwyr ac effeithiolrwydd y tiwtora.

Bangor ELWYN HUGHES

GWRANDO A DEALL
A GWYLIO A DEALL

Erbyn hyn, mae i ymarferion gwrando a deall a gwylio a deall, le pwysig mewn unrhyw gwrs dysgu Cymraeg, a chydnabyddir bod magu'r sgiliau sy'n angenrheidiol i ddeall amrywiaeth o ddeunyddiau llafar yn peri cynnydd yn adnoddau ieithyddol y dysgwyr. Mae'n rhaid i bawb wrando cyn dysgu siarad iaith, boed yn iaith gyntaf neu'n ail iaith. Treuliwn oll fwy o amser yn gwrando ar iaith nag yn ei siarad a'r gred yw bod pawb yn y gorllewin yn clywed mwy o iaith ar y cyfryngau torfol nag mewn sefyllfa o un i un.

Gellir crynhoi pam y dylid ymdrechu i feithrin sgiliau gwrando a deall a gwylio a deall yn y dosbarth fel a ganlyn:

- Drwy wrando ar y radio neu edrych ar y teledu, caiff y dysgwr y cyfle i glywed cyfathrebu mewn iaith lafar naturiol mewn cyd-destun cyflawn ystyrlon, lle mae'r iaith yn cael ei chynhyrchu'n ddigymell, yn hytrach na chael ei chyflwyno drwy gyfres o enghreifftiau moel ac artiffisial mewn dosbarth iaith. Daw'r dysgwr yn ymwybodol o'r iaith fel rhywbeth a chanddo ddilysrwydd a gwerth cyfathrebol, sy'n bodoli mewn sefyllfaoedd real, ac nid rhywbeth i'r dosbarth yn unig.

- Mae gwrando ar gyfathrebu, sy'n digwydd mewn gwahanol sefyllfaoedd, yn ymestyn ffiniau ieithyddol y dysgwr. Drwy weld a chlywed sut y mae'r iaith yn cael ei defnyddio gan siaradwyr Cymraeg yn y gymdeithas gyfoes, mae modd dangos i'r dosbarth sut y mae ystumiau, ymddygiad a goslef yn cael eu defnyddio mewn sgwrsio naturiol. Gall y dysgwr weld sut y trinnir iaith gan nifer o wahanol bobl a'u clywed yn trin yr iaith i newid cywair, i gellwair, i ymddiheuro, i wylltio, i hel clecs, i fynegi barn a hyd yn oed i regi. Bydd y dysgwr yn gyfarwydd â'r nodweddion hyn yn ei iaith gyntaf, ac ymestynnir ei afael ar yr un nodweddion yn ei ail iaith. Erbyn hyn mae bron pob cwrs iaith yn gweithredu Cynllun Achredu'r Coleg Agored lle mae disgwyl i'r dysgwr gyflawni tasgau sy'n seiliedig ar nodau ieithyddol pendant megis cyfleu manylion personol, cydymdeimlo, gwadu a derbyn bai a gofyn caniatâd. Mae gwrando ar bobl yn gwneud hyn mewn sefyllfaoedd naturiol, a gweld y driliau yn eu cyd-destun, yn ffordd effeithiol iawn o ddysgu'r patrymau angenrheidiol.

87

Prin yw'r cyfleon a gaiff llawer o ddysgwyr i glywed y Gymraeg yn cael ei siarad y tu allan i'r dosbarth, heb sôn am gymryd rhan mewn sgwrs â siaradwr brodorol. Dylid, felly, achub ar bob cyfle i gyflwyno testunau clywedol a gweledol yn y dosbarth. Caiff y dysgwr y cyfle i glywed amrywiaeth o leisiau brodorol a chael y profiad o wrando ar wahanol acenion, ar leisiau gwryw a benyw, a lleisiau hen ac ifanc, a lleisiau pobl o wahanol statws cymdeithasol ac mewn gwahanol sefyllfaoedd. Mae llawer o ddysgwyr yn cwyno eu bod yn deall eu tiwtor yn iawn ond eu bod yn methu â deall neb arall. Drwy efelychu acen a goslef siaradwyr brodorol daw'r dysgwr i swnio'n fwy rhugl a naturiol a chael ei dderbyn a'i gymathu i'r gymdeithas Gymraeg. Mewn cyrsiau uwch, gellir defnyddio deunyddiau a fydd yn dangos arddulliau gwahanol, a chyweiriau gwahanol dafodieithoedd. Prin y gall yr un tiwtor, pa mor brofiadol a dawnus y bo, ddarparu'r un ystod o acenion, lleisiau, a themâu â fideo a radio, na chynnal a sbarduno dosbarth i'r un graddau â deunydd wedi ei recordio a'i ddefnyddio'n ofalus yn y dosbarth.

- Os caiff y dysgwr ei gyflwyno'n raddol i iaith y radio a'r teledu yn y dosbarth, mae'n fwy tebygol o droi at y ddau gyfrwng y tu allan i'r dosbarth. Mae gwrando ar yr iaith yn gyson yn allweddol i lwyddiant y dysgwr gan ei fod yn ychwanegu'n sylweddol at yr amser cyswllt â'r Gymraeg. Mae llawer yn digalonni wrth weld cyn lleied o gynnydd a wneir mewn un wers yr wythnos, yn enwedig os na chânt ddigon o gyfle i ymarfer rhwng y gwersi.

- Mae nifer fawr o ddysgwyr yn dysgu'r iaith er mwyn deall y radio a'r teledu. Drwy ddefnyddio eitemau addas wedi'u recordio a'u dewis yn ofalus ymlaen llaw, gellid cyflwyno y cyfryngau Cymraeg i'r dysgwyr o ddechrau'r cwrs.

Mae'n rhaid wrth argymhelliad a hyder er mwyn dysgu iaith. I lwyddo yn y nod o greu siaradwr Cymraeg newydd, a all fynegi ei hun yn hyderus a digymell, a deall, cychwyn a chynnal sgwrs, mae'n rhaid meithrin hyder a chymhelliant y darpar-siaradwr. Rhydd llawer o ddysgwyr y gorau i ddysgu'r iaith oherwydd embaras. Gall llwyddo i ddeall darn o ddeunydd wedi ei recordio gynyddu hyder y dysgwr gan ei fod yn rhoi cyfle iddo lwyddo mewn cyfrwng lle nad yw'r llwyddiant yn dibynnu ar feistrolaeth lafar. Mae'n hanfodol bwysig bod hyder y dysgwr yn cael ei gynnal yn y dosbarth; heb feddu ar hyder yn ei allu ei hun, go brin y bydd yn llwyddo yn ei nod o feistroli'r iaith. Drwy ddefnyddio'r radio a'r teledu'n ofalus, gellir dangos i'r dysgwyr fod modd iddynt ddeall siaradwyr brodorol, a bydd yr ymdeimlad hwn yn esgor ar deimlad o gyrhaeddiad a'r cymhelliad sydd ei angen er mwyn parhau i ddysgu rhagor a dod yn rhugl yn yr iaith.

• Gellir defnyddio fideo neu dâp i ganolbwyntio ar broblem ramadegol benodol. Gall gwrando ar fwletin newyddion byr, er enghraifft, atgyfnerthu ffurfiau'r stad oddefol. Yn yr un modd, gellir ffocysu ar agwedd gyfathrebol benodol sy'n haws ei dangos na'i hesbonio mewn geiriau megis defnydd yr ail berson wrth gyfarch.

• Creu digon o amrywiaeth yw nod unrhyw diwtor wrth baratoi gwers. Daw ymarferion gwrando a deall a gwylio a deall ag amrywiaeth i'r dysgu yn ogystal â chyfrwng newydd. Apelia'r teledu at y llygaid, y glust a'r emosiwn, yn enwedig pan fo'r cymeriadau yn ymddwyn yn naturiol ac nid yn ymdrechu i gyfleu gwers ieithyddol.

Dylid pwysleisio mai cynorthwyon yw'r radio a'r teledu, ac na ddylent ddisodli'r athro. Mae rôl y tiwtor yn allweddol i lwyddiant y gweithgaredd, ac fel pob gweithgaredd a gyflwynir yn y dosbarth, dylai'r gweithgareddau gael eu paratoi'n drwyadl ac yn drefnus ymlaen llaw. Mae rhai pethau y dylid eu cadw mewn cof wrth ddefnyddio cyfarpar clywedol a gweledol yn y dosbarth:

1. Rhaid sicrhau cyn y dosbarth bod yr offer yn gweithio'n iawn a bod ansawdd y deunydd yn dda. Mae hyn yn arbennig o bwysig wrth ddefnyddio'r radio lle nad oes cliwiau gweledol. Nid oes dim sy'n fwy tebygol o ddryllio hyder y dosbarth, nag esgor ar rwystred-igaeth, na methu â deall darn.

2. Rhaid sicrhau bod pawb yn y dosbarth yn gallu gweld/clywed. Bydd eisiau, efallai, i'r dysgwyr symud yn nes at y cyfarpar.

3. A yw'r tâp/fideo'n addas ar gyfer y dosbarth? A oes rhywun ag anawsterau clyw? Nid yw'n syniad da defnyddio deunydd nad yw'n rhan o gwrs gyda dosbarth yr ydych yn ei ddysgu am y tro cyntaf. Mae eisiau adnabod y dosbarth yn dda cyn cyflwyno deunydd clywedol a gweledol a meithrin eu hunan-hyder. Mae eisiau bod yn

gyfarwydd iawn â safon dosbarth a gwybod eu gwendidau a'u cryfderau; os bydd y deunydd yn rhy anodd – fel pob deunydd a ddefnyddir mewn dosbarth – bydd yn esgor ar rwystredigaeth ymhlith y dosbarth a chollant hyder o ganlyniad. Ni ddylid gadael i unrhyw ddysgwr fethu â chyflawni tasg gwrando a deall neu wylio a deall. Mae unrhywun sy'n eistedd heb ddeall nemor ddim o'r hyn sy'n cael ei gyflwyno ac yn methu â chyflawni'r hyn a ofynnwyd iddo ei wneud yn mynd i deimlo'n annigonol ac yn fethiant llwyr. I'r perwyl hwn, syniad da yw pennu lefel y gweithgaredd fymryn yn is na gallu ieithyddol y dosbarth.

4. Mae'n bwysig cadw'r gweithgaredd yn fyr, ni ddylai'r tâp/fideo fod yn hwy na rhyw dair munud, yn enwedig gyda dechreuwyr. Fel rheol gyffredinol, gwell dewis darn byr, a gweithio'n drylwyr arno, na chyflwyno darn hir a braidd cyffwrdd ag ef. Yn achos bwletinau newyddion er enghraifft, gyda grŵp llai hyderus, mae'n syniad da chwarae'r pytiau fesul eitem.

5. Dylid esbonio tipyn o gefndir y darn a rhoi cyflwyniad byr a nodi'ch amcanion wrth gyflwyno'r darn. Gellir esbonio natur y darn, a sôn yn fras am leoliad y sgwrs, neu natur y rhaglen a recordiwyd, fel bod y dysgwr yn gwybod beth i'w ddisgwyl. Mae rhyw fath o elfen ragddisgwyliedig ymhob sgwrs yr ydym yn cyfrannu ati yn ein bywydau bob dydd. Gall cyflwyniad byr fel hwn ennyn diddordeb y dysgwr yn yr hyn sydd i ddod. Ni ddylid byth adael i'r dysgwr fynd i mewn i'r gweithgaredd yn 'oer'.

6. Gellir darparu geirfa ragbaratoadol i helpu'r dysgwr i ddeall y darn. Ni ddylid cyflwyno ystyr pob gair rhag ofn llethu'r dysgwr o'r cychwyn cyntaf a chreu pryder a theimlad negyddol sy'n cael ei amlygu gan gri megis: 'fydda i byth yn deall y darn hwn', cyn iddo hyd yn oed glywed y tâp. Weithiau, ni fydd rhaid i'r dysgwyr ddysgu geiriau newydd er mwyn deall prif rediad syniadol rhaglen. Dylid pwysleisio bod dyfalu, o fewn cyd-destun, yn sgìl i'w feithrin.

7. Gorau oll os bydd sawl peiriant casét gennych, fel bod modd troi'r gweithgaredd yn waith grŵp. Mae i waith grŵp sawl mantais, a gall y dysgwyr reoli'r tâp eu hunain a phennu eu cyflymdra eu hunain. Mae gwaith grŵp hefyd yn debygol o esgor ar gyd-drafod.

8. Dylid sicrhau bod y dysgwyr yn cael clywed y darn mwy nag unwaith. Mae dealltwriaeth y dysgwr yn cynyddu wrth iddo glywed yr un patrymau'n cael eu hailadrodd drosodd a throsodd. Dylid chwarae ac ailchwarae'r tâp, nes bod pawb wedi cwblhau'r dasg. Yn

achos dysgwyr llaị profiadol dylid chwarae'r darn yn gyntaf heb gyflwyno unrhyw weithgaredd pellach. Mae'n dra phwysig neilltuo digon o amser ar gyfer yr ymarferion hyn.

9. Os mai drwy atebion ysgrifenedig yr asesir y gweithgaredd, ni ddylid poeni'n ormodol am gamsillafu neu gamdreiglo. Cofiwch na thynnir marciau i ffwrdd yn rhan gwrando a deall Arholiad Defnyddio'r Gymraeg CBAC am wallau o'r fath. Mewn ymarferion gwrando a deall a gwylio a deall, meithrin sgiliau gwrando a wneir ac nid profi'r gallu i ysgrifennu'n gywir.

Dewis Deunydd

Cwyd llawer o broblemau wrth ddewis deunydd sy'n addas i'w ddefnyddio i feithrin sgiliau gwrando a deall a gwylio a deall. Ar y naill law, mae angen cyfyngu'r iaith i lefel gwybodaeth y dysgwyr ac, ar y llaw arall, mae angen sicrhau bod yr iaith a glywir yn adlewyrchu'r iaith a siaredir yn y gymuned leol. Mae gan fideo fanteision ac anfanteision y teledu fel cyfrwng. Un fantais amlwg yw bod gan bobl ddiddordeb cynhenid yn y teledu ac, ar y gorau, bydd diddordeb gan y dysgwyr, a byddant eisiau gwylio'r hyn sydd wedi ei recordio ar eu cyfer, hyd yn oed os na fyddant yn deall y cyfan. Un o anfanteision y cyfrwng yw ein bod yn tueddu i gysylltu'r teledu ag ymlacio a gwylio hamddenol. Ni ddylai cael gweld fideo yn ystod y wers fod yn esgus i'r dosbarth ymlacio. Dylai, yn hytrach, fod yn gyfrwng i esgor ar gydadwaith. Dylai'r deunydd fod yn symbylol, a chreu diddordeb a chymhelliant yn y dysgwyr, fel eu bod angen gweld mwy, a chael eu hysgogi i drafod yr hyn a gyflwynir. Gorau oll os yw'r deunydd yn gyfoes ac yn adlewyrchu'r hyn sy'n digwydd yn y byd y tu allan i'r ystafell ddosbarth megis bwletinau newyddion, digwyddiadau chwaraeon a hyd yn oed rhagolygon y tywydd.

Os cyflwynir darn o raglen deledu, dylid sicrhau ei fod yn cynnwys cyfresi byr, hawdd eu diffinio â digon o symud a chliwiau gweledol. Mae rhaglenni 'cylchgrawn' megis *Heno* neu *Pnawn Da* yn ddelfrydol gan fod yr eitemau'n fyr ac yn aml yn ddiddorol ac yn ddifyr. Wrth ddewis darn i feithrin sgiliau gwrando, dylid dewis darnau nad oes ynddynt ormod o eiriau nac ymadroddion dieithr, fel y gall y dysgwr ganolbwyntio ar wrando. Yn ddelfrydol, bydd y darn yn cynnwys digon o ailadrodd geirfaol a chystrawennol. Os deunydd wedi ei baratoi at ddysgu fydd gennych, mae'n debygol y bydd yr iaith wedi ei graddoli yn barod ac y bydd geiriau a strwythurau yn cael eu hailadrodd. Mae rhai adnoddau ar gael sydd ag amcan dysgu amlwg ac sy'n dod â deunydd atodol, megis y cyfresi *Now You're Talking* Acen, *Bwrw Ymlaen* a *Rap*. Er y bydd y dewis o ddeunydd yn dibynnu ar lefel y dosbarth, dylid gwneud pob ymdrech i sicrhau bod y dysgwr yn clywed deunydd a luniwyd ar gyfer cynulleidfa o siaradwyr rhugl a llunio gweithgareddau priodol i lefel y dosbarth gan fod pob dysgwr yn cael gwefr wrth lwyddo i ddeall deunydd nad yw wedi ei raddoli ar ei gyfer. Un o'r problemau a gyfyd wrth drafod gwrando a deall yw nad oes llawer o fideos sydd â'u hieithwedd wedi ei graddoli ac bod rhaid felly, dewis a dethol o ddeunydd a fwriadwyd ar gyfer siaradwyr rhugl.

Defnyddio'r fideo a'r peiriant recordio yn y dosbarth

Nid digon chwarae eitem fawr o ryw raglen deledu neu radio ac wedyn gosod cwestiynau. Mae'n bwysig peidio â bod yn rhy uchelgeisiol wrth ddewis gweithgareddau i'w gwneud yn y dosbarth. Hawdd iawn anghofio pa mor anodd i'r dysgwr yw gweithgaredd 'gwrando a deall' neu 'gwylio a deall' nad yw ond yn rhes o gwestiynau moel. Mae gweithgaredd o'r fath yn anodd iawn i'r dysgwr gan ei fod yn gorfod:

- adnabod eitemau ieithyddol yn y deunydd
- deall y deunydd a dal yr hyn mae'n ei ddeall yn y cof tymor byr
- deall cwestiwn yr athro a chwilio am yr wybodaeth angenrheidiol
- mynegi'r ateb o flaen dysgwyr eraill y dosbarth

Mewn ymarferion gwrando a deall felly, mae disgwyl i'r dosbarth ddeall y darn yn y lle cyntaf, cofio llawer iawn o wybodaeth ac wedyn mynegi'r ffeithiau'n rhugl a chywir. Bydd hyn oll yn drech na llawer o ddysgwyr. Gall cyflwyno cwestiynau amlddewis, megis yr enghraifft isod, leihau eu pryder a lleihau'r pwysau arnynt a chynyddu eu hyder ar yr un pryd.

Dewiswch yr ansoddair mwyaf addas o'r rhestr isod:

Roedd Dafydd   yn ddig
mewn brys
yn brysur
yn siomedig
yn nerfus
yn hapus

Gellir gosod tasgau nad ydynt yn dibynnu ar ddealltwriaeth drylwyr o'r testun, megis chwarae'r tâp o leiaf ddwywaith, rhewi'r tâp ar ôl ysbaid a gofyn i'r dosbarth ddweud beth ddigwyddodd nesaf neu beth gafodd ei ddweud nesaf cyn ailchwarae'r tâp i wirio atebion. Amrywiad ar y gweithgaredd hwn yw chwarae darn unwaith yn unig, rhewi'r tâp a gofyn i'r dosbarth ddyfalu beth sy'n mynd i ddigwydd nesaf neu beth gaiff ei ddweud nesaf, neu osod cwestiynau megis 'Pam mae'r dyn yn edrych fel y mae? Ble mae e'n mynd? Beth fydd wedi digwydd iddo fe mewn blwyddyn/ar ddiwedd y darn, sut y bydd y sefyllfa'n datblygu neu beth fydd canlyniadau ei weithredoedd?

Gellir gwneud yr un math o weithgaredd dyfalu ond drwy chwarae darn a gofyn i'r dysgwr ddyfalu beth ddigwyddodd cyn y darn hwnnw. Drwy osod cwestiynau tebyg, mae modd i'r dysgwr fod yn greadigol ond bydd ganddo 'prop' i'w greadigrwydd a rhywbeth i gynorthwyo ei ddychymyg. Un o fanteision eraill gweithgaredd proffwydo o'r fath yw bod yr atebion yn benagored ac nid oes fersiwn cywir/anghywir. Mae hwn yn weithgaredd arbennig o dda ar gyfer dosbarth o allu cymysg. Nid oes disgwyl i'r dysgwr wrando ac ysgrifennu ymadroddion hir neu frawddegau ar yr un pryd, a gall ganolbwyntio ar wrando yn unig. Wrth wneud ymarferion lle nad oes disgwyl iddo/iddi lunio atebion ysgrifenedig hir, mae'n llai tebygol o fynd i banig wrth glywed ymadrodd neu air dieithr. Lleiheir y pwysau fwyfwy wrth gyflwyno'r gweithgareddau hyn fel gwaith pâr.

Mae sawl gweithgaredd y gellir ei gyflwyno er mwyn sicrhau bod y dysgwr yn cyflawni tasg mewn awyrgylch anfygythiol, yn ogystal â gofyn iddo dicio bylchau, neu ateb cwestiynau cywir/anghywir. Mae ateb cwestiynau sy'n seiliedig ar ddarn yn llai o fygythiad os mai'r dysgwr ei hunan sy'n llunio'r cwestiynau. Ar ôl chwarae'r darn sawl gwaith, rhowch amser iddynt lunio rhyw 4/5 cwestiwn mewn grwpiau neu mewn parau. Gallant brofi grwpiau eraill yn y dosbarth ar ffurf cwis.

Gall y dysgwr brosesu mwy o eirfa, a mwy o batrymau ieithyddol os nad oes raid iddo ateb ar lafar. Yn y broses dysgu iaith, daw dealltwriaeth cyn y gallu i siarad. Cŵyn a glywir yn aml gan lawer o ddysgwyr yw eu bod yn deall yn iawn ond nad ydynt yn medru cyfathrebu. Gellir defnyddio y gred hon er budd y dysgu drwy adael i'r dysgwr adeiladu ar yr hyn mae'n meddwl y gall ei wneud yn hawdd yn barod. Mae meddu ar sylfaen sicr o ddealltwriaeth oddefol yn fan cychwyn gwych ar gyfer gwaith llafar nes ymlaen, ac mae hyn yn ddadl gref dros ddarparu gweithgareddau sydd wedi eu cynllunio ar gyfer meithrin dealltwriaeth o hanfodion yr iaith a gwrando gweithredol heb orfod cynhyrchu ar lafar o'r cychwyn cyntaf.

Gweithgareddau Gwrando a Deall

Dylai deunydd wedi ei recordio fod yn rhan amlwg o bob cwrs iaith. Ar y dechrau, dylid anelu at gyflwyno gweithgareddau lle bydd y dysgwr yn canolbwyntio ar rythmau a synau'r iaith. Gweithgareddau sylwi yw'r rhain ac mae'r atebion i'r cwestiynau a osodwyd yn dibynnu ar wrando'n astud am gliwiau yn nhôn lleisiau'r bobl ar y tâp yn hytrach na deall pob gair a leferir. Ceir enghraifft o weithgaredd o'r fath isod. Nid oes angen deall gair o'r sgwrs mewn gwirionedd gan fod yr atebion i'r cwestiynau yn set 1 yn amlwg:

Sgript

Mair:	Bore da, Nia.
Nia:	Bore da, Mair.
Mair:	Mae'n oer.
Nia:	Mae'n oer iawn, ond mae'n sych.
Mair:	Ydy mae'n sych, diolch i'r drefn.

Cwestiynau
Set 1
1. Dynion neu ferched sy'n siarad?
   Bydd yn amlwg wrth y lleisiau.
2. Beth yw enwau'r siaradwyr?
   Gellir dyfalu pa air yw'r enw wrth ei leoliad yn y brawddegau agoriadol sy'n amlwg yn gyfarchiadau.
3. Faint yw eu hoedran nhw?
   Bydd yn amlwg wrth y lleisiau.

94

Sut bynnag, mae eisiau gwybodaeth o'r Gymraeg i ateb yr ail set o gwestiynau.

Set 2
1. Pa adeg o'r dydd yw hi?
2. Ydy hi'n dwym?
3. Ydy hi'n bwrw?
4. Pwy sy'n falch?

Gellir casglu llawer wrth dôn llais, megis pa mor dda mae pobl yn adnabod ei gilydd, eu barn am ei gilydd a'u barn am bethau eraill, a sut y maent yn teimlo. Gellir dysgu llawer hefyd wrth wrando am gliwiau eraill megis synau cefndirol er mwyn penderfynu lleoliad, a geiriau cytras â geiriau yn eu hieithoedd eu hunain er mwyn deall rhediad y sgwrs. Drwy gyflwyno gweithgareddau tebyg yn gynnar yn y cwrs, nid yn unig y daw'r dysgwr i ddeall nad oes rhaid iddo ddeall pob gair mewn sgwrs, mae hefyd yn gosod sgiliau gwrando sylfaenol y gellir adeiladu arnynt yn ystod gyrfa dysgu'r dysgwr.

Gellir datblygu'r gwrando gweithredol hwn, sy'n canolbwyntio ar sut y mae rhywbeth yn cael ei ddweud ac nid beth sy'n cael ei ddweud, drwy gyflwyno gweithgareddau nad ydynt yn dibynnu ar y dysgwr yn deall pob gair, ond sy'n gwneud iddo sylweddoli bod y modd y mae rhywbeth yn cael ei fynegi yr un mor bwysig â'r hyn a leferir. Pwrpas y gwrando yw cael i'r dysgwr gofio geiriau neu ymadroddion, hyd yn oed os na ddeallant bopeth yn y darn. Gellir gofyn iddynt sylwi ar y gwahanol atebion neu gynffoneiriau mewn darn, neu wahanol ffyrdd o fynegi hoffter neu ofyn iddynt lunio rhestri gramadegol megis y ffurfiau amhersonol neu oddefol sy'n digwydd mewn darn.

Mae llenwi bylchau yn weithgaredd arall y gellir ei ddefnyddio er mwyn datblygu'r sgìl gwrando. Gyda darnau byrion, dylid sicrhau bod y dysgwr yn cael clywed y darn ddwywaith cyn gofyn iddynt lenwi'r bylchau. Gwell rhewi'r tâp pan yn defnyddio darnau gweddol hir i roi digon o amser i'r dysgwr ddewis.

Mae grid gwrando neu grid gwylio'n ffordd effeithiol iawn o gael i'r dysgwr hoelio ei sylw ar yr hyn sy'n wirioneddol bwysig ac i beidio â phoeni'n ormodol am eiriau dieithr. Gellir defnyddio grid pan fydd y dysgwr yn chwilio am yr un math o wybodaeth megis amserau neu ddyddiadau mewn sawl eitem. Gellir defnyddio darnau 'digwyddiadau lleol' o raglenni ar y radio a'r teledu, neu fwletinau newyddion. Isod ceir enghraifft o grid gwrando y gellir ei lunio yn seiliedig ar fwletin newyddion:

Sgript

Fydd gôl-geidwad Cymru, Neville Southall, ddim yn cael treulio'r Nadolig adref gyda'i deulu. Mae Southall wedi mynd i chwarae i Southend am fis.

Dwedodd yr Ysgrifennydd Amddiffyn, George Robertson, mewn cynhadledd i'r Wasg yn Downing Street am 2.00 heddiw, ei fod yn fodlon â chyrchoedd awyr yr awyrlu yn Irac.

Yn Washington, y prynhawn 'ma, bydd Tŷ'r Cynrychiolwyr yn dechrau trafod y cais i uchelgyhuddo'r Arlywydd Clinton. Penderfynwyd mynd ymlaen â'r bleidlais er gwaethaf y cyrchoedd awyr yn Irac.

Ym Morocco y bore 'ma, dechreuodd perchennog cwmni Virgin, Richard Branson, ar ei daith o amgylch y byd mewn balŵn. Dyma ei drydedd ymgais.

Mewn cyfarfod cyhoeddus yn Llambed neithiwr, penderfynwyd bwrw ymlaen â'r cynlluniau i sefydlu menter gydweithredol i ail agor y lladd-dy yn Llanwnnen. Dwedodd arweinydd Cyngor Sir Ceredigion, Dai Lloyd Evans, mai'r bwriad oedd rhoi hwb i amaethyddiaeth yn yr ardal.

Mae Rhodri Morgan yn ymweld ag Aberystwyth heddiw. Bydd e'n dechrau ar ei ymgyrch i fod yn arweinydd Llafar yn y Cynulliad.

Enwyd y gŵr fu farw mewn damwain ar yr A48 ger Cross Hands ddoe. Bu car Fiat Thomas Thomas o Aberteifi mewn gwrthdrawiad â lorri a char Citroen. Cludwyd Mr Thomas a thri pherson arall i Ysbyty Treforus, ond bu farw rai oriau'n ddiweddarach.[1]

Grid

Pwy	Ble	Pryd	Pam
Neville Southall	Southend	dros y Nadolig	chwarae pel-droed ayyb.

---

[1]Bwletin Newyddion 9.00am *Radio Cymru,* 18 Rhagfyr, 1998.

Gellir cyflwyno gridiau gwrando/gwylio'n gynnar iawn ond nid oes rhaid cyfyngu gweithgaredd 'llenwi gwybodaeth' i gridiau'n unig. Gellir gofyn i'r dysgwr lenwi coeden achau neu ffurflen seml neu dynnu lluniau yn ôl yr hyn sy'n cael ei ddisgrifio ar y tâp. Gellir gofyn iddynt ddilyn cyfarwyddiadau a llenwi lleoedd ar fap. Gellir rhannu'r dosbarth yn grwpiau a gofyn i bob grŵp chwilio am un math o wybodaeth mewn darn, a'u hailgrwpio er mwyn llenwi'r grid cyfan. Gellir gwneud rhywbeth yn debyg mewn parau gan gloi â sesiwn holi ac ateb yn cynnwys y dosbarth cyfan. Gweler isod enghraifft o'r math hwn o weithgaredd yn seiliedig ar fwletin newyddion:

Sgript

Dyma'r newyddion.

Yn Abertawe y bore 'ma, cafodd dau ddyn eu dal yn dwyn fideos o siop yng nghanol y dre.

Cafodd merch ifanc ei lladd wrth groesi'r ffordd yng Nghaerdydd neithiwr. Mae'r heddlu wedi apelio am dystion.

Ffrwydrodd bom yng ngorsaf Paddington am saith o'r gloch y bore 'ma. Cafodd pum dyn eu harestio mewn fflat yng ngogledd Llundain.

Newyddion da i Aberystwyth heddiw. Cafodd ffatri ddillad ei hagor yn Stryd y Bont. Bydd gwaith i ddau gant o bobl.

Cafodd bws ysgol yn Llansamlet ei ddal yn yr eira yn gynnar y bore 'ma. Roedd rhaid i'r plant gerdded adre.

Yn Llanelli, cafodd deg o athrawon eu diswyddo. Do'n nhw ddim yn gallu siarad Cymraeg yn ddigon da.

Cafodd pris bara ei godi yn Rwsia eto heddiw. Dwedodd Mr Yeltsin fod rhaid gwneud hynny oherwydd y problemau economaidd.

Cafodd siec gwerth can punt ei rhoi i Oxfam heddiw gan Glwb Pysgota Felingwm. Buon nhw'n pysgota ar yr afon am ddeuddeg awr yn ddi-stop.[2]

---

[2]*Canllawiau i Diwtoriaid* ar gyfer *Wlpan De-orllewin Cymru 1999-2000*, (Prifysgol Cymru, Aberystwyth, 1999), 159.

Grid Partner/Grŵp A

Lle	Beth ddigwyddodd?
Abertawe	
Paddington	
Llansamlet	
Rwsia	

Grid Partner/Grŵp B

Lle	Beth ddigwyddodd?
Caerdydd	
Aberystwyth	
Llanelli	
Felingwm	

Cwestiynau. Partner/Grŵp A

1. Beth gafodd ei ddwyn yn Abertawe?
2.
3. Pryd a ble cafodd y bom ei danio?
4.
5. Pam roedd rhaid i blant Llansamlet gerdded adre?
6.
7. Beth ddigwyddodd i fara yn Rwsia?
8.

Cwestiynau Partner/Grŵp B

1.
2. Sut cafodd y ferch ei lladd yng Nghaerdydd?
3.
4. Faint o bobl fydd yn gweithio yn y ffatri newydd?
5.
6. Pam cafodd deg athro eu diswyddo?
7.
8. Sut cafodd yr arian i Oxfam ei godi?

Gwaith llafar

Gall fideo fod yn gyfrwng effeithiol iawn i symbylu gwaith llafar. Drwy ddangos eitem fer ac wedyn gofyn i'r dysgwr chwarae rôl yn seiliedig ar y darn a welwyd, mae modd rhoi canllawiau ieithyddol i'r dysgwr i'w gynorthwyo. Wrth chwarae rôl sydd wedi ei seilio ar ddarn a welwyd gan y dosbarth i gyd, gosodir cyd-destun clir, ond eto i gyd, caiff y dysgwr y cyfle i ddyfeisio a llunio ei hunan. Nid yw llawer o'r dysgwyr yn greadigol iawn, ond mewn gweithgaredd o'r fath, gellir dangos nad oes angen bod yn greadigol i greu. Gyda lefelau is, gellir dangos rhywun yn prynu mewn siop, neu'n trefnu gwyliau, neu ddadl seml. Mae'n rhaid sicrhau sut bynnag, y caiff y dysgwr ddigon o amser i baratoi.

Ar lefelau uwch, gellir defnyddio deunydd wedi ei recordio fel deunydd trafodaeth. Dylid cofio, sut bynnag, fod y rhan fwyaf o drafodaethau dosbarth yn elwa ar baratoi trylwyr ymlaen llaw. Os nad yw dysgwyr yn gyfarwydd iawn â phwnc trafodaeth neu os nad ydynt yn rhugl iawn, gall trafodaeth heb ei pharatoi fod yn siomedig iawn gan esgor ar rwystredigaeth os nad yw'r dysgwr yn meddu ar ddigon o adnoddau geirfaol er mwyn mynegi ei syniadau. Bydd pob dysgwr yn digalonni os nad yw'r drafodaeth yn arwain i unlle. Gall gwrando a deall helpu i strwythuro barn y dysgwr a'i ddull o drin y drafodaeth. Os defnyddir deunyddiau sydd o ddiddordeb i aelodau'r dosbarth, mae'r sgwrs yn fwy tebygol o fod yn naturiol.

Gweithgaredd llafar y gellir ei wneud ar unrhyw lefel yw chwarae fideo heb sain, a gofyn i'r dysgwyr lunio eu deialog eu hunain. Ni ddylai'r darn fod yn hwy na rhyw bedair munud a dylai fod digon o gyfathrebu amlwg yn y darn. Gellir cymharu'r gwahanol fersiynau ac wedyn gweld y fideo eto gyda'r sain. Gellir cyflwyno un ochr sgwrs, a gofyn i'r dysgwr lenwi hanner arall y sgwrs.

Gwaith ysgrifenedig

Gellir defnyddio fideo a'r radio i ddatblygu sgiliau ysgrifennu drwy ofyn i'r dysgwr lunio brawddegau syml, cardiau post, ffurflenni, llythyrau syml, neu gwblhau sgript.

99

Mae'r gweithgaredd isod yn cynnwys y sgiliau cyfathrebol i gyd ac yn addas ar gyfer dysgwyr safon 4 ac i fyny:

1. Rhannu'r dosbarth yn grwpiau o dri: un o'r grŵp mewn un ystafell ynghyd â recordydd tâp, un mewn ystafell arall â phapur a phin, un i redeg yn ôl ac ymlaen rhwng y ddau.
2. Rhaid atgynhyrchu'r stori fel y mae'n ymddangos ar y tâp.
3. Dosbarthu'r sgript – y grwpiau i gymharu'r sgript â'r hyn a gafodd ei ysgrifennu.

Nid oes modd osgoi cwestiynu uniongyrchol, mae profion gwrando a deall yn rhan o arholiadau CBAC fel y nodwyd eisoes, ac mae'n bwysig paratoi y dysgwr ar eu cyfer. Ond os bydd y dysgwr wedi dod i arfer â chlywed deunydd wedi ei recordio ac mae'n hyderus gyda'r cyfrwng, a bod ei hyder wedi cael ei adeiladu drwy weithgareddau lle mae'r cwestiynau yn rhai y gellir eu hateb heb orfod dibynnu gormod ar ddeall pob gair, ni ddylai'r naid i ateb cwestiynau uniongyrchol fod yn rhy fawr iddo. Gellir prynu hen bapurau oddi wrth CBAC i'w defnyddio gyda grwpiau sy'n paratoi i sefyll yr arholiadau.

Gall gyflwyno deunydd wedi'i recordio i'r dysgwr fod o gymorth arbennig mewn amryw ffyrdd felly, ac mae'r defnydd y gellid ei wneud o ddefnyddiau a recordiwyd yn eang dros ben. Mae deunydd o'r fath yn gyfrwng i ehangu profiad y dysgwr a rhoi'r cyfle iddo ymgynefino â theithi'r iaith. Mae gwaith fideo yn hyblyg dros ben, a gellir ei ddefnyddio ar bob lefel er mwyn datblygu sgiliau gwrando, siarad ac ysgrifennu. Mae cyflwyno fideo yn ffordd wych o gyflwyno deunydd byw, cyfoes i'r dosbarth yn ogystal â chymell dysgwyr i droi at raglenni Cymraeg eu gorsaf radio leol, Radio Cymru neu raglenni Cymraeg S4C. Dylid eu hysbysu am is-deitlau Teletestun 889 i'w cynorthwyo i ddilyn y ddeialog. Mae pob dysgwr yn elwa ar glywed neu wylio eitemau wedi eu graddio'n fwriadol ar eu cyfer ar y radio a'r teledu. Mae gwahaniaeth rhwng clywed a gwrando ac er bod y cyntaf yn bwysig wrth ddysgu iaith, rhaid sicrhau yn ogystal bod digonedd o bwyslais ar wrando'n astud.

Llanbedr Pont Steffan   JULIE BRAKE

MEITHRIN SGILIAU YSGRIFENNU

Cydnabyddir erbyn hyn mai prif bwrpas dysgu ail iaith yw ei siarad. Ond cytunir yn ogystal y gall meithrin sgiliau darllen ac ysgrifennu atgyfnerthu'r sgiliau llafar – yn enwedig yn gynnar ar gwrs ail iaith. Dyna pam y mae'r rhan fwyaf o gyrsiau Cymraeg i ddechreuwyr, yn cynnwys gweithgareddau sy'n meithrin, yn fynych yn anuniongyrchol, y sgiliau anllafaredig hyn.

Yn ogystal, mae meithrin sgiliau darllen ac ysgrifennu o gyfnod ar gwrs ail iaith yn fodd i helpu'r dysgwr i ehangu ei eirfa, cynyddu ei wybodaeth oddefol o'r iaith darged, ac yn y pen draw, ddatblygu ei arddulliau llafar yn yr iaith honno.

Wrth feithrin sgiliau ysgrifennu mewn ail iaith sut bynnag, rhaid cadw mewn cof drwy'r amser mai dim ond lleiafrif bychan o siaradwyr brodorol unrhyw iaith sy'n datblygu'r sgiliau hyn yn llawn, ac mae hyn yn arbennig o wir yn achos iaith lai ei defnydd fel y Gymraeg.

Cyn mynd ymlaen i sôn am feithrin sgiliau ysgrifennu dysgwyr y Gymraeg felly, da o beth fyddai oedi eiliad i ystyried beth yn union yr ydym yn ei feddwl wrth y term 'ysgrifennu'.

Ar ei ffurf symlaf, ysgrifennu yw'r weithred o nodi ar bapur rywbeth sy'n cael ei lefaru. Ar lefel geiriau unigol, 'sillafu' y gelwir y broses. Daw ysgrifennu'n broses fwy cymhleth pan fydd yn cyfleu elfennau penodol o ystyr. Ar ei ffurf fwyaf datblygedig, mae ysgrifennu'n cyfeirio at fynegi syniadau yn ôl confensiynau graffig yr iaith; 'cyfansoddi' y gelwir y broses hon.

Golyga hyn i gyd ei bod yn dra phwysig i ddysgwr ail iaith ddysgu:

1. System graffig yr iaith darged.
2. Sillafu yn ôl confensiynau'r iaith honno.
3. Sut i reoli strwythur yr iaith darged fel y bydd yr hyn a ysgrifenna yn ddealladwy i'w ddarllenydd.
4. Sut i ddethol o blith y cyfuniadau posib o eiriau ac ymadroddion, y rhai a fydd yn cyfleu beth sydd yn ei feddwl yn yr arddull lafar sy'n fwyaf addas.

Univ Wales Swansea
WITHDRAWN FROM STOCK
LIBRARY

Rhaid dysgu'r tair proses gyntaf mor drylwyr fel na fyddant angen sylw parhaus yr ysgrifennwr, a fydd wedyn, yn medru rhoi ei fryd ar y broses o ddethol o blith y cyfuniadau posib.

Er nad sgìl y gellir ei ddysgu ar ei ben ei hun mo ysgrifennu, gall helpu'r dysgwr i gofio'r patrymau cystrawennol y bydd wedi eu dysgu ar lafar, a thrwy dynnu sylw at ffurf ysgrifenedig geiriau ac ymadroddion, helpu'r dysgwr i feithrin cof am ffurfiau graffig a fydd, yn ei dro, yn hwyluso'r broses o ddarllen.

Gan hynny, bydd gan yr ymarferion mwyaf effeithiol berthynas agos â datblygu'r sgiliau eraill. Ni fydd lefelau uchel o gyfansoddi'n bosib oni fydd dysgwr wedi cyrraedd gradd uchel o feistrolaeth ar y sgiliau eraill. Dylai tiwtor ail iaith gadw mewn cof na fydd rhai o'r dysgwyr byth yn cyrraedd lefel uchel o gyfansoddi yn yr iaith darged, yn union fel na chyraeddasant mohoni yn eu hiaith gyntaf.

Gellir olrhain llawer o wendidau ysgrifennu mewn dosbarthiadau uwch i ddiffyg hyfforddiant systematig yn ystod lefelau cynharach cwrs ail iaith, ac felly, dylid cadw'r rheol euraid ganlynol mewn cof drwy'r amser, sef: *ni ddylid annog dysgwyr mewn dosbarthiadau sylfaenol i ysgrifennu dim ond y patrymau a'r eirfa a geir yn y dosbarth.*

Dyma restr o'r prosesau a all fod o ddefnydd wrth ddysgu ysgrifennu ail iaith:

(i) Copïo (Arddywedyd)
Gall copïo gofalus oresgyn ymyrraeth arferiadau'r iaith gyntaf drwy ganolbwyntio sylw'r dysgwr ar y gwahaniaethau rhwng yr iaith gyntaf a'r iaith darged.

(ii) Atgynhyrchu
Ysgrifennu yr hyn y bydd y dysgwr wedi ei ddysgu ar y cwrs llafar.

(iii) Ailgyfuno
Yma, mae disgwyl i'r dysgwr atgynhyrchu darnau o lenyddiaeth; gwneud driliau cystrawennol; disodli; trawsffurfio geiriau.

(iv) Ysgrifennu dan hyfforddiant
O dipyn i beth, rhoir rhagor o ryddid i'r dysgwr, e.e. ailysgrifennu adroddiadau, addasu deialogau'n adroddiadau, neu fel arall ac ati.

(v) Cyfansoddi
Hyd yn oed yma, y gair allweddol yw 'symleiddio' yr hyn y mae'r dysgwr yn ceisio'i fynegi. Mae'r lefel hon yn rhoi'r cyfle i'r tiwtor a'r

dysgwyr drafod meysedd o gamddeall a chamsynied, fel y gellir eu cywiro lle y bydd angen.

(vi) Cywiro ymarferion ysgrifenedig

Dylai'r tiwtor ragweld mathau penodol o gamsyniadau cyffredin.[1]

Hyd yn hyn buwyd yn trafod meithrin sgiliau ysgrifennu iaith darged fwy neu lai'n haniaethol, heb gyfeirio at unrhyw iaith benodol. Mae'n bryd nawr inni ystyried sut i gymhwyso'r pwyntiau a godwyd yn gynharach at ddysgu Cymraeg i oedolion.

YMARFERION COPÏO (ARDDYWEDYD)

Ynganu'r Wyddor *(Safon 1)*

Ar ddechrau unrhyw gwrs Cymraeg i ddechreuwyr, rhaid sicrhau fod pawb yn gyfarwydd â chonfensiynau'r Wyddor. Mae hyn yn arbennig o bwysig ar gyrsiau dwys fel yr wlpan. Gellir gwneud hyn yn uniongyrchol drwy esbonio ansawdd seinyddol y gwahanol symbolau ysgrifenedig, sydd ar y cyfan, yn weddol gyson. Dylid tynnu sylw'r dysgwyr at y llythrennau sy'n ddieithr i siaradwr di-Gymraeg fel 'ch', 'dd', 'ff' 'ng', 'll', 'rh' ac ati, ac esbonio'r tipyn rheolau parthed y llythyren 'y', sef ei bod yn cynrychioli'r sain ganol [ə] pan fo'n digwydd yng ngoben geiriau lluosill:

cynnig [kənig]; tynnu [təni]; penderfynu [pɛndɛrvəni]

Ond y sain flaen gaeedig [i] yn Ne Cymru, a'r sain ganol gaeedig [ɨ] yng Ngogledd Cymru, a geir pan fo'n digwydd yn y sillaf olaf:

gwely [gwe·li] / [gwɛlɨ]; felly [vɛłi] / [vɛłɨ]; hynny [həni] / [hənɨ]; gwesty [gwɛsti] / [gwɛstɨ]

Gellir dysgu rheol fel hon yn fwy effeithiol drwy ddefnyddio'r dull anwythol. Mae chwarae bingo yn enghraifft dda o hyn:

1. Ysgrifennu rhestr o eiriau sy'n arddangos y rheol sydd i'w dysgu - 'y' yn yr achos hwn – ar y bwrdd gwyn (Gwell peidio ag esbonio

---

[1]Wilga Rivers, *Teaching Foreign Language Skills,* (Chicago, 1971), 250-2.

ystyr y geiriau, i sichrau bod y dysgwyr yn canolbwyntio ar yr ynganiad yn unig):

cydio	Cymry	cysgod
cywir	dyffryn	dynol
ffyn	grym	gwely
gwyn	hynny	melys
menyn	mymryn	plentyn
pryder	pymtheg	pyst
sydyn	syndod	trydan
tybed	ynys	ystyried

2. Gofyn i'r dosbarth gopïo unrhyw bedwar o'r geiriau ar ddarn o bapur.
3. Dweud wrth y dosbarth am groesi allan bob gair y maent wedi ei ysgrifennu pan glywant y tiwtor yn ei adrodd, ac wedyn, ddechrau galw geiriau'r rhestr allan y naill ar ôl y llall mewn unrhyw drefn. (Gwell bod y tiwtor yn gwneud yr un peth i sichrau nad yw'n galw'r un gair fwy nag unwaith.)
4. Pan fydd un o'r dysgwyr wedi croesi allan y pedwar gair y mae wedi eu hysgrifennu, dylai weiddi 'Bingo' neu 'Tŷ Llawn!'
5. I sicrhau fod yr enillydd yn cofio sut i ynganu'r gwahanol eiriau, gofyn iddo ailadrodd ei restr.
6. Parhau hyd nes y bydd pawb wedi cael cyfle i wneud yr un peth.[2]

Gellir llunio rhestr o eiriau i ymarfer 'u' ac wedyn 'y' ac 'u' yn yr un gair. Syniad da arall yw ymarfer geiriau sy'n edrych yr un peth yn Saesneg a Chymraeg. (Gw. Atodiad 1.)

Enwau Lleoedd

Gellir atgyfnerthu'r ymarferion uchod trwy ddefnyddio enwau lleoedd – yn enwedig rhai lleol. Mae'n bwysig bod dysgwr yn gallu ynganu enw'r pentref/tref y mae'n byw ynddo/ynddi yn gywir!

Dylid ychwanegu unrhyw enwau lleol sy'n debygol o achosi trafferth. Cofiwch roi cyfle iddynt i ymarfer mewn parau.

---

[2] *Cwrs Sylfaenol – Nodiadau i Diwtoriaid,* (Prifysgol Cymru, Caerdydd), 5.

Prawf 'Cloze' *(Safon 1 ymlaen)*

Ar ôl cyflwyno patrwm newydd ar lafar, gellir defnyddio'r Prawf 'Cloze' (llenwi bylchau) i'w adolygu mewn sesiwn adolygu:

a) Holiadur 'Dod i Nabod Pawb' *(Safon 1)*

Ar ôl ymarfer y tri chwestiwn:

Beth yw eich enw chi?
Ble dych chi'n byw?
O ble dych chi'n dod yn wreiddiol?

a'r atebion priodol, dosbarthu holiadur a phawb i holi pawb, gan nodi'r atebion.

1. Rhannu'r dosbarth yn barau neu'n grwpiau bach.
2. Dosbarthu'r taflenni.
3. Y dysgwyr i helpu ei gilydd i lenwi'r bylchau.
4. Mynd dros yr ymarfer gyda'r dosbarth cyfan wedyn.

Mae'r Prawf 'Cloze' yn arbennig o dda os am dynnu sylw at bwynt gramadegol, e.e. y defnydd cywir o 'roedd' a 'buodd', sy'n gallu achosi problemau i siaradwyr angloffôn, gan nad yw'r ferf 'bod' yn meddu ar ffurfiau gorffennol yn Saesneg:

b) *(Safon 1/2)*

Llenwch y bylchau â ffurf briodol amser gorffennol (bu-) neu amser amherffaith (roedd-) 'bod':

1. _____ i yn y dref ddoe.	(I was in town yesterday.)
2. _____ hi'n wyntog echdoe.	(It was windy the day before yesterday.)
3. _____ chi yn y tafarn neithiwr?	(Were you in the pub last night?)
4. _____ y teulu i gyd yn sâl echnos.	(All the family were ill the night before last.)

5. _____ hi ddim yn braf y bore 'ma.   (It wasn't fine this morning.)

6. _____ i'n meddwl bod hynny'n iawn.   (I thought that was all right.)

7. _____ rhywun yn holi amdanoch chi.   (Someone was inquiring about you just now.)

8. _____ e ddim eisiau mynd ma's.   (He didn't want to go out.)

c) *(Safon 3/4)*

Llenwch y bylchau yn y darn canlynol â ffurf briodol y gair rhwng cromfachau:

Dw i'n dod o _____ (Llundain) yn wreiddiol, ond dw i'n byw yn _____ (Pontarddulais) nawr. _____ (Cael) i fy ngeni yn West Ham, ond _____ (mynd) i i'r ysgol Gymraeg ynghanol y _____ (dinas). Ar ôl _____ fi symud i _____ (Cymru) dechreuais i ddysgu Cymraeg, a _____ (gwneud) i sawl cwrs, a dweud y gwir. _____ (Clywed) am y cwrs yma drwy hysbyseb yn y papur. Dw i'n mynd i _____ (Caerfyrddin) ar gwrs arall cyn bo hir.[3]

ch) *(Safon 4)*

Llenwch y bylchau yn y darn canlynol:

Mae eleni, wrth gwrs, yn flwyddyn _____ (pwysig) i'r bobl _____ 'n hoffi athletau a chwaraeon achos bydd y Gêmau Olympaidd yn _____ eu cynnal yn Barcelona.

Os _____ diddordeb gyda chi, felly, bydd yr haf yn fendigedig i chi. _____ (cael) chi fwynhau eich hunain o flaen y teledu am _____ (awr) yn edrych _____ gampau o bob math. Mae'n bosib bod rhai _____ (o) chi hyd yn oed yn meddwl ymweld _____ 'r Gêmau.

---

[3]*Cwrs Pellach,* (Coleg y Drindod, Caerfyrddin, 1996), 5.

106

Ond fydda i ddim yn gwylio'r teledu bob awr i weld pwy
_____'n ennill gwobr. Na, does dim diddordeb 'da fi
_____ chwaraeon ac yn yr ysgol fy _____ (cas)
bwnc i oedd chwaraeon. Dw i'n cofio chwarae hoci bob prynhawn
dydd Gwener. Ofnadwy! Dw i'n cofio un prynhawn yn arbennig.
Roedd hi'n _____ (oer) nag arfer ac ro'n i'n teimlo'n
_____ (drwg) nag arfer.

'_____ (rhedeg) o gwmpas y cae ddwywaith i gynhesu,'
meddai'r athrawes, ac _____ (mynd) hi i mewn i'r sied i
gadw'n gynnes. _____ (hoffi) i fod wedi mynd i'r sied hefyd,
ond na, roedd _____ i fi rewi tu fa's.

Na, dw i'n meddwl _____ dim ond pobl dwp sy'n rhedeg
o gwmpas caeau neu neidio dros bolion ac ati. Felly, eleni, pan fydd
pawb arall yn sownd i'w seddi o flaen y teledu bydda i rywle arall –
unrhywle yn bell _____ sŵn y Gêmau.[4]

d) *(Safon 4/5)*

Mae angen tair stori debyg iawn, ynghyd â holiadur, (Gw. Atodiad
2.) ar gyfer pob dysgwr ac yn ddelfrydol, mae angen naw o ddysgwyr.

1. Ysgrifennu'r geiriau canlynol ar y bwrdd, a gwneud yn siŵr bod y
   dysgwyr yn gyfarwydd â nhw:

   Geirfa

canolfan	llwyddiant	gwych
cynllunio	aruthrol	addasu
gweithgareddau	anabl	anhwylder
gwallgof	elwa	teclyn
egnïol	canlyniadau	byddar
ymdrech	adnoddau	

2. Rhannu'r dosbarth yn grwpiau o dri.
3. Mae pob grŵp yn cael stori a thri chopi o'r grid.
4. Maent i fod i lenwi'r grid fel grŵp.
5. Ar ôl i bawb orffen, mae un o bob grŵp yn ymuno â grŵp arall fel y
   gellir llenwi manylion stori arall i mewn.

---

[4]*Arholiad Defnyddio'r Gymraeg*, (CBAC, Caerdydd, 1992).

6. Felly ymlaen nes bod y grid wedi ei lenwi.

7. Trafod y gwahaniaethau fel gwaith dosbarth.

dd) *(Safon 5/6)*

Llenwch y bylchau yn y darn canlynol:

Merch ysgol chwech oed o Ynys Môn oedd un o'r rhai a ysbrydolodd fersiwn newydd o Braille yn Gymraeg. Fe fydd llyfryn yn cael _____ (1) gyhoeddi yn ystod yr wythnosau nesa'.

Mae Fflur Owen o Ddwyran, ac eraill fel hi, yn debyg _____ (2) arwain at gynnydd anferth yn y llyfrau sydd ar gael i blant _____ (3) phroblemau gweld. Yn ôl ei hathrawon, mae hi'n ferch fach ddisglair sy'n llarpio llyfrau.

'Pan ddaeth hi i'r ysgol gynta, doedd yna ddim byd _____ (4) ei chyfer hi', meddai Gwen Mitchell, yr athrawes ran amser sydd wedi cymryd gofal ohoni – a chael modd i fyw ar ddiwedd ei gyrfa ddysgu. 'Mae hi'n hogan alluog ac mae'n rhaid cynhyrchu lot _____ (5) lyfrau ar ei chyfer hi.'

Mae gŵr o Gaergybi, Ian Hughes, yn helpu gyda throsi llyfrau ac mae Gwen Mitchell yn dweud _____ (6) y profiad wedi ei newid hithau. 'Dyma'r peth mwya' ffantastig yr ydw i wedi _____ (7) wneud erioed,' meddai.

Ar ôl i'r Cwricwlwm Cenedlaethol ddweud bod rhaid i blant dall hefyd ddysgu darllen Cymraeg a Saesneg, fe benderfynodd swyddogion yn y maes weithredu ac eisoes mae llyfrau wedi _____ (8) datblygu sy'n caniatáu i blant dall ddilyn straeon yn y stafell ddosbarth yr un pryd â phlant eraill, gyda dalen glir o Braille wedi ei gosod dros y tudalennau arferol.

Cyn bo hir, mae gobaith y bydd rhaglen gyfrifiadur wedi ei datblygu i droi llyfrau yn Braille ac, yn ôl un _____ (9) aelodau'r pwyllgor _____ (10) helpodd ddatblygu'r system newydd, mae'r datblygiad _____ (11) un cyffrous.

'I Fflur a rhai fel hi y mae llawer o'r diolch,' meddai Rhian Evans o Gynllun Casetiau'r Deillion. 'Mae angen llyfrau ar gyfer plant fel hi ac, wrth iddi dyfu'n hŷn, fe fydd angen mwy a mwy o ddeunydd. Dw i wrth _____ (12) modd gyda'r system newydd.'

Roedd hi wedi dechrau gweithio ar ei Braille personol ei hun ar ôl anfodloni ar yr hen system a gafodd _____ (13) dyfeisio gan y

Gweinidog dall, Puleston Jones, tua'r 20au. 'Erbyn hyn, mae'n bleser trosi llyfrau'n Braille,' meddai.

'Darllen a sgrifennu yw dau o hoff weithgareddau Fflur,' meddai hithau. 'Hynny ac ymarfer corff. Ond efallai _____ (14) bydd rhaid i'r pwyllgor fynd ati cyn bo hir i drosi llyfrau ar drin gwallt – dyna y mae Fflur eisiau _____ (15) wneud ar ôl iddi dyfu i fyny.'[5]

Ailffurfio Brawddegau *(Safon 2/3)*
Ymarfer negyddu amser dyfodol y ferf gryno.

Deialog (Rhowch y ddeialog yn y drefn iawn)

Ydych chi moyn i fi recordio'r sgwrs?
Welwch chi ddim ohona i heno.
Fyddwch chi yn y cyfarfod heno?
Dim diolch. Dw i wedi ei chlywed hi o'r blaen.
Mae'n eitha posib. Cholla i ddim o hwnna, peidiwch â becso.

Ymarfer Arddywedyd *(Safon 3/4)*

a) Dewiswch ddarn byr ac ynddo lawer iawn o ailadrodd. Er enghraifft:

Does gyda fi ddim cof da am ddyddiadau. Dw i'n gallu cofio'r rhai adnabyddus, fel er enghraifft, y pumed ar hugain o Ragfyr a'r cyntaf o Fawrth. Ond, ar ôl hynny, dw i'n mynd ar goll yn gyflym. Ife ar y pedwerydd ar ddeg o Chwefror mae Dydd Sant Ffolant? A beth am Ddydd Santes Dwynwen – y pumed ar hugain o Ionawr? Dw i'n waeth byth pan mae'n dod i ben-blwyddi. Dw i'n sicr taw'r unig reswm dw i'n cofio mhen-blwydd fy hunan yw'r ffaith i fi gael fy ngeni ar ddiwrnod byrra'r flwyddyn, sef yr unfed ar hugain o Ragfyr.

1. Dylid mynd drwy'r eirfa newydd gyntaf, ac wedyn, darllen y darn yn uchel. Holi am unrhyw broblemau cyn esbonio unrhyw ymadroddion sydd heb eu deall.
2. Holi cwestiynau am y darn. Er enghraifft:
   a) Beth nad yw'r ysgrifennwr yn gallu eu cofio?
   b) Ar ba ddyddiad mae Dydd Nadolig?

---

[5]*Golwg*, 25 Mai, 1995.

  c) Ar ba ddyddiad mae Dydd Gŵyl Ddewi?

  ch) Sut un yw'r ysgrifennwr am gofio pen-blwyddi?

  d) Pam mae'r ysgrifennwr yn gallu cofio ei ben-blwydd ei hun?

3. Darllen y darn, yn araf, bob yn gymal, gan ddweud wrth y dysgwyr am atgynhyrchu'r hyn a glywant air am air.

4. Gofyn i bawb ailadrodd y darn – un frawddeg ar y tro.

5. Ailysgrifennu'r paragraff uchod gan ddefnyddio'r 3 pers. un. Er enghraifft:

   'Does gyda Ffred ddim cof da am ddyddiadau . . .'[6]

b)

1. Dewis tri aelod o'r dosbarth – dau i fynd allan a'r llall i aros yn yr ystafell.

2. Pawb i gael darn o bapur.

3. Pawb i gopïo stori fer (fel yr un isod) ond yr un a ddewiswyd i aros yn yr ystafell. Rhaid i hwnnw geisio cofio'r stori:

Carol yw enw'r fenyw 'ma. Mae hi'n byw yn Y Borth, wyth milltir o Aberystwyth. Mae hi'n dod o Sheffield yn wreiddiol. Mae gŵr Carol yn dod o Dregaron, ac mae dau o blant 'da nhw. Cymraeg yw iaith y tŷ. Dysgodd hi siarad Cymraeg ar ôl iddi briodi, ac yn 1985, pasiodd hi'r arholiad 'Defnyddio'r Gymraeg'. Mae mam a thad Carol yn byw yn Rhydypennau, ond mae rhieni ei gŵr wedi marw.

4. Un o'r ddau a ddanfonwyd allan i ddod yn ôl i glywed y stori oddi wrth yr un a arhosodd.

5. Hwnnw i ailadrodd y stori o'i gof â help y lleill drwy ddarllen eu sgriptiau.

6. Yr un peth eto gyda'r trydydd un yn dod yn ôl i'r ystafell. Gwaith yr ail un yw ailadrodd y stori wrth y trydydd gyda help os bydd angen.[7]

Ymarfer y cymal enwol *(Safon 1/2)*

1. Un aelod o'r dosbarth yn gadael yr ystafell.

---

[6] *Cwrs Uwch De Ceredigion,* (Prifysgol Cymru, Aberystwyth, 2000), 86. Mae'r ymarfer hwn yn debyg iawn i'r un a gymeradwyir yng Ngham Dysgu Ysgrifennu Un Wilga Rivers, (1971, 250-2).

[7] *Cwrs Adolygu'r Gorllewin,* (Prifysgol Cymru, Aberystwyth, 1995), 15.

2. Pob aelod arall yn cael darn o bapur.

3. Pawb i ysgrifennu brawddeg am y person a aeth allan yn dechrau â 'Mae . . .' neu 'Roedd . . .'

4. Casglu'r papurau a'u cymysgu.

5. Galw'r aelod a aeth allan yn ôl, a'i wahodd i ddyfalu pwy ysgrifennodd beth drwy ddweud, 'Pwy ddwedodd eich bod chi'n byw mewn tŷ mawr?'

6. Rhaid ateb â'r patrwm, 'Dw i'n credu mai/taw Bob ddwedodd fy mod i'n byw mewn tŷ mawr.'

7. Un pwynt am bob dyfaliad cywir.

8. Mae hwn yn ymarfer y gellir ei ailadrodd – y troeon nesaf gydag un o'r dosbarth, yn eu tro, yn gofyn y cwestiynau.

YMARFERION ATGYNHYRCHU

a) Canlyniadau *(Safon 1/2)*

Y gêm boblogaidd sy'n dod â thipyn o hwyl i ymarfer ysgrifennu. Er enghraifft:

1. Dosbarthu darnau o bapur A4 i bawb yn y dosbarth.

2. Dweud wrth bawb am ysgrifennu, 'Gwelodd . . .' ac wedyn enw dyn enwog neu ddyn sy'n gyfarwydd i bawb yn y dosbarth.

3. Pawb i blygu'r papur, fel na ellir gweld yr hyn a ysgrifennwyd, a'i basio i'r chwith.

4. Dweud wrth bawb am ysgrifennu enw menyw enwog, neu un sy'n gyfarwydd i bawb yn y dosbarth.

5. Pawb i blygu'r papur, fel na ellir gweld yr hyn a ysgrifennwyd, a'i basio i'r chwith.

6. Dweud wrth bawb am ysgrifennu, Meddai fe, '...' ynghyd â brawddeg, neu ymadrodd, a gafwyd ar y cwrs.

7. Pawb i blygu'r papur, fel na ellir gweld yr hyn a ysgrifennwyd, a'i basio i'r chwith.

8. Dweud wrth bawb am ysgrifennu, Meddai hi, '...' ynghyd â brawddeg, neu ymadrodd, a gafwyd ar y cwrs.

9. Pawb i blygu'r papur, fel na ellir gweld yr hyn a ysgrifennwyd, a'i basio i'r chwith.

10. Dweud wrth bawb am ysgrifennu, Meddai'r Papurau, '...' ynghyd â brawddeg, neu ymadrodd, a gafwyd ar y cwrs.

11. Pawb i blygu'r papur, fel na ellir gweld yr hyn a ysgrifennwyd, a'i basio i'r chwith.
12. Pawb i ddarllen y stori sydd ganddynt yn eu llaw.

Fel y rhan fwyaf o weithgareddau a geir yma, gellir addasu hwn i'w ddefnyddio ar gyfer pob lefel.

b) *Safon 3*

Mae ystyr rhai geiriau yn amrywio o un rhan o Gymru i'r llall. Buodd y canwr a'r difyrrwr, Max Boyce, o Gwm Nedd, yn aros mewn llety ym Mangor unwaith. Gofynnodd gwraig y tŷ iddo a oedd syched arno. Dwedodd Max ei fod e bron â marw eisiau 'dishgled o de'. Heb oedi dim, dyma'r fenyw yn mynd i'r gegin, a dod yn ôl bum munud yn ddiweddarach â llond padell o de. 'Cwpan' yw ystyr 'dysgl' ym Morgannwg, ond 'padell' neu 'bowlen' yw e yng Ngogledd Cymru.

Geirfa

amrywio	to vary	bron â marw	dying to
ardal (*b*)	part of the country	heb oedi dim	without
ardaloedd	(*llu*)		delay
difyrrwr	entertainer	yn ddiweddarach	later
Cwm Nedd	Vale of Neath		

1. Dysgu'r eirfa newydd. Yna darllen y darn uchod ddwywaith i'r dosbarth – y tro cyntaf heb doriad a'r ail dro gan aros ar ddiwedd pob brawddeg.
2. Holi'r dosbarth am y darn. (Sylwer mai atgoffa ac awgrymu yw swyddogaeth y cwestiynau hyn, ac nid profi.)

   a) Beth sy'n amrywio o ardal i ardal?
   b) Beth yw Max Boyce?
   c) O ble mae e'n dod?
   ch Ble buodd e'n aros?
   d) Beth ofynnodd gwraig y tŷ iddo?
   dd) Sut dyn ni'n gwybod bod syched mawr ar Max?
   e) Gafodd Max beth ofynnodd e amdano fe?
   f) Allwch chi feddwl am unrhyw eiriau Cymraeg (neu Saesneg) eraill sy'n golygu pethau gwahanol mewn gwahanol rannau o'r wlad?

3. Dweud wrth y dosbarth am ofyn yr un cwestiynau i'w gilydd mewn parau, gan ddibynnu ar y cof.
4. Darllen y darn unwaith eto.
5. Dweud wrth y dosbarth am ailysgrifennu'r darn y maent newydd ei glywed yn eu geiriau eu hunain.[8]

Gwrando a deall *(Safon 5)*

Mae'r ymarfer hwn yn ymarfer sgiliau gwrando, ysgrifennu a siarad.

1. Recordio bwletin newyddion (fel yr un isod).
2. Esbonio unrhyw eiriau, neu ymadroddion, sy'n ddieithr i'r dosbarth.
3. Dosbarthu taflenni ac arnynt gwestiynau.
4. Sicrhau bod pawb yn deall y cwestiynau.
5. Chwarae'r tâp tra bo'r dosbarth yn ysgrifennu'r atebion.
6. Ailchwarae'r tâp nes bod pawb yn ateb pob cwestiwn.
7. Casglu'r taflenni a mynnu atebion ar lafar.
8. Dosbarthu copïau o'r sgript ac ailchwarae'r tâp.

Naw o'r gloch. Y diweddara' gan y Gwasanaeth Newyddion:

Mae Cadeirydd Banc Barings yn honni mewn erthygl mewn papur newydd heddiw mai twyll bwriadol sy'n gyfrifol am drafferthion ariannol y banc. Mae Peter Baring yn awgrymu yn y *Financial Times* bod y masnachwr oedd yn gyfrifol am y cytundebau wnaeth achosi'r helynt i'r banc yn gweithio ar ran twyllwr proffesiynol. Mae'n honni mai'r bwriad oedd elwa drwy fetio ar ba mor debygol oedd hi y byddai'r banc yn mynd i'r wal. Does 'na ddim sôn o hyd am y masnachwr.

Mae'r bachgen pedair ar ddeg oed o Lundain, a redodd i ffwrdd i Malaysia gyda cherdyn credyd a phasport ei dad, wedi cyrraedd yn ôl ym Mhrydain. Roedd teulu Peter Kerry yn aros amdano ym Maes Awyr Heathrow y bore 'ma. Dwedodd Peter ei fod o'n falch ei fod o wedi cyrraedd yn ôl. Doedd o ddim yn cael ateb cwestiynau ynglŷn â sut y llwyddodd o i osgoi mesurau diogelwch wrth fynd i Malaysia.

---

[8]*Cwrs Uwch De Ceredigion,* (Prifysgol Cymru, Aberystwyth, 2000), 49. Mae'r ymarferion hyn yn debyg iawn i'r un a gymeradwyir yng Ngham Dysgu Ysgrifennu Dau Wilga Rivers, (1971, 250-2).

Yn America mae offeiriad Catholig o Iwerddon wedi ei garcharu am bedair blynedd am ei ran mewn lladrad o filiynau o ddoleri. Fe gafodd yr heddlu hyd i ddwy filiwn o ddoleri mewn fflat yr oedd y tad Patrick Mullony yn ei ddefnyddio. Mae'r ditectifs yn credu fod llawer o arian y lladrad yn nwylo'r IRA.

Yn Somalia mae cannoedd o filwyr o America a'r Eidal wedi bod yn cynorthwyo gweithwyr dyngarol y Cenedloedd Unedig i adael y wlad. Mae dwy fil ohonyn nhw yn y brifddinas, Mogadishu, ac yn ôl swyddogion, does dim trafferth wedi bod yno hyd yn hyn.

Fe fydd pum dyn un deg naw oed yn ymddangos gerbron llys y bore 'ma ar gyhuddiad o ladd dynes ganol oed yng Ngwynedd. Fe gafwyd hyd i gorff Sonia Byrne mewn tŷ yn Frïog, ger Y Bermo, bore ddoe.

Mae'r cwmni Trydan Niwclear yn awyddus i roi cymorth o hanner miliwn o bunnau ar gyfer cynlluniau creu gwaith ac i wella'r cyfleusterau hamdden ar Lyn Trawsfynydd. Ond fe glywodd cyfarfod cyhoeddus yn y pentre' neithiwr y gall fod problemau marchnata am fod y llyn mor agos i'r hen orsaf niwclear.

A bydd y bwletin nesa' am ddeg o'r gloch.[9]

1. Ble mae erthygl Peter Baring wedi ymddangos?
2. Ble mae rhieni Peter Kerry y bore 'ma?
3. O ble mae'r tad Patrick Mullony yn dod?
4. Faint o arian y cafwyd hyd iddo yn ei fflat?
5. Ble mae milwyr Americanaidd?
6. Milwyr o ba wlad arall sy'n eu helpu nhw?
7. Faint yw oed y dynion a gyhuddir o ladd menyw?
8. Pryd y cafwyd hyd i'r corff?
9. Faint o arian mae'r cwmni Trydan Niwclear eisiau gwario yn Nhrawsfynydd?
10. Pryd mae'r bwletin nesa'?

Darllen a Deall *(Safon 3 ymlaen)*

Mae angen dewis darn o nofel, neu lyfr, i ddysgwyr neu gylchgrawn a ysgrifennir mewn Cymraeg plaen fel *Golwg,* a dilyn y

---

[9]Bwletin Newyddion *Radio Cymru*, 28 Chwefror, 1995.

camau a gymerir ar gyfer Ymarferion Atgynhyrchu, ond ni ddisgwylir i'r dysgwyr ailysgrifennu'r darn, wrth gwrs. Er enghraifft:

> Darllenwch y darn canlynol yn ofalus. Yna atebwch y cwestiynau.

Bydd cast y gyfres deledu *Pobol y Cwm* yn anfon llythyr blin at yr actor Phylip Hughes ar ôl iddo feirniadu maint eu cyflogau ar raglen deledu. Mae disgwyl hefyd y bydd undeb yr actorion, *Equity* yn galw am gyfarfod ag S4C ar ôl i ddirprwy bennaeth y sianel ddweud bod tâl actorion yn bygwth dyfodol dramâu. 'Mae Phylip Hughes wedi bradychu ei broffesiwn a'i gyd-actorion', meddai Huw Ceredig (Reg Harris) ar ôl y rhaglen *Byd ar Bedwar* nos Lun. Fe fu'n cydweithio â Phylip Hughes (Stan Bevan) am ddeng mlynedd.

Yn ôl yr actor o Ddinbych, sydd bellach wedi gadael y gyfres, mae cast y gyfres sebon yn ennill arian rhy fawr – roedd y rhaglen yn awgrymu symiau o rwng £45,000 a £70,000. Doedd hynny'n fusnes i neb, meddai Huw Ceredig.

Roedd e hefyd yn gwadu honiadau dirprwy bennaeth S4C, Deryk Williams, fod cyflogau actorion wedi codi'n sylweddol yn ystod y flwyddyn ddiwetha. Ond mae cynhyrchwyr annibynnol wedi cadarnhau y gall actorion profiadol ennill £750 yr wythnos a mwy am gynyrchiadau.

Ond mae'r ffrae bennaf ynglŷn â *Pobol y Cwm* – roedd Huw Ceredig yn honni fod y gwaith yn 'uffernol o galed' a Phylip Hughes yn dweud ei fod e'n rhyfeddol o hawdd.

Geirfa

blin	cross	cynhyrchydd	producer
beirniadu (beirniad-)to criticise		cynhyrchwyr	*(llu)*
cyflog	salary	cynhyrchiad	production
cyflogau	*(llu)*	cynyrchiadau	*(llu)*
dirprwy bennaeth deputy head		annibynnol	independent
bradychu (bradych-)to betray		cadarnhau (cadarnha-) to confirm	
bellach	now	profiadol	experienced
cyfres *(b)*	series	ffrae *(b)*	row
cyfresi	*(llu)*	ffraeau	*(llu)*
gwadu (gwad-)	to deny	rhyfeddol o hawdd	remarkably easy
uffernol o galed	hellishly hard		
honiad	allegation		
honiadau	*(llu)*		
yn sylweddol	substantially		

1 Beth mae cast *Pobol y Cwm* yn mynd i'w wneud?
2 Pam maen nhw'n grac â Phylip Hughes?
3 Beth mae dirprwy bennaeth S4C wedi ei ddweud?
4 Am faint o amser buodd Huw Ceredig yn cydweithio â Phylip Hughes?
5 Beth yw enw Huw Ceredig yn y gyfres?
6 O ble mae Phylip Hughes yn dod?
7 Pwy sy'n gallu ennill £750 yr wythnos?
8 Ydy Huw Ceredig yn meddwl bod actio yn *Pobol y Cwm* yn waith caled?[10]

Gyda dosbarth da, gellir ychwanegu ymarfer ychwanegol, sef ailadrodd y darn, ond y tro hwn, newid rhai o'r geiriau a/neu ymadroddion a dweud wrth y dysgwyr am ysgrifennu y geiriau/ymadroddion sydd wedi cael eu newid. Mae'r ymarfer hwn yn dda at feithrin y cof, ac at hyfforddi'r dysgwyr i wahaniaethu rhwng gwahanol segmentau o lafar, ac i ddibynnu ar gliwiau ieithyddol yn hytrach na cheisio cyfieithu pob gair y maent yn ei glywed. Sensiteiddio'r dysgwyr i'r Gymraeg yw'r brif nod felly.

Casgliadau

Mae ymestyn arddulliau llafar rhywun yn mynd law yn llaw a datblygu ei sgiliau darllen ac ysgrifennu. Mae hyn yr un mor wir am ail iaith ag ydyw am iaith gyntaf; i sicrhau na fydd dysgwr yn cynhyrchu brawddegau anramadegol – boed ar lafar neu yn ysgrifenedig – rhaid canolbwyntio ar ddysgu'r patrymau llafar yn drylwyr o gyfnod cynnar ar gwrs ail iaith, gan gyflwyno ymarferion darllen ac ysgrifennu mewn ffordd systematig er mwyn atgyfnerthu'r sgiliau llafar. Eto, unwaith y gall dysgwr ddarllen yr iaith darged yn rhwydd a heb gymorth, bydd ffynhonnell werthfawr o wybodaeth ieithyddol, a chymdeithasol, yn agored iddo. Ond nid yw hyn yn dibrisio gwerth y tiwtor ar gyrsiau uwch wrth gwrs. Mae'n bwysig dros ben o ran cywiro gwaith ysgrifenedig y dysgwyr, esbonio rheolau gramadegol na chafwyd amser i'w wneud ar y cwrs sylfaenol, ac wrth gwrs, arwain y dysgwyr at ddarllen deunydd a fydd o wir ddiddordeb iddynt.

---

[10]*Cwrs Uwch De Ceredigion,* (Prifysgol Cymru, Aberystwyth, 2000), 65.

Yn olaf, dim ond enghreifftiau yw'r ymarferion a roir uchod. Mae modd addasu'r rhan fwyaf ohonynt i'w defnyddio gyda dysgwyr profiadol mewn dosbarthiadau safon 5 a 6 gan seilio'r cynnwys ar ddefnyddiau iaith gyntaf. Ar y lefel hon dylai'r tiwtor annog y dysgwyr i ddarllen yn helaeth ar eu pennau eu hunain. Trafodir rôl llenyddiaeth yn y cyswllt hwn yn y bennod nesaf, ond rhaid cadw mewn cof ar yr un pryd nad yw pawb â diddordeb mewn llenyddiaeth fel y cyfryw, ac felly, dylid gofalu hefyd fod gwybodaeth yn cael ei rhoi am destunau anllenyddol.

Llanbedr Pont Steffan   PHYLIP BRAKE

Atodiad 1.
Rhestrau o eiriau posib

1. 'y'

hynny	sydyn	cydio	pryder
tybed	grym	pymtheg	menyn
syndod	trydan	Cymry	pyst
hyn	plentyn	ynys	ysbyty
ystyried	gwyn	tynn	tyner

2. 'u'

clust	munud	cusan	suo
undeb	du	un	mam-gu
pump	esgus	curo	gwerthu
pur	blasus	hapus	drud
plannu	suro	sustem	llu

3. 'y' ac 'u'

symud	ysu	pylu	prysur
Dulyn	plygu	cysgu	tyngu
cysuro	cymylu	dibynnu	dymunol
ymuno	pydru	cymharu	peryglus
tyngu	cyffur	Cymru	symbylu

4. Geiriau Cymraeg sy'n edrych fel rhai Saesneg

campus	union	sail	brain
hurt	afraid	dull	draw
pump	faint	toes	person
dawn	cell	mud	her
offer	Arthur	murmur	march

5. Geiriau tebyg

mân	man	un	yn
ci	si	dur	dŵr
bedd	beth	crafu	craffu
ofer	offer	llon	llong
dal	dall	paent	peint
dallu	dathlu	dau	daw
neu	nai	tân	tan
sŵn	swyn	iâr	iâ
brwsio	brysio		

Atodiad 2.

Stori 1.

O Gaernarfon i Gaerfyrddin mae canolfannau yn paratoi a threfnu a chynllunio pob math o weithgareddau a styntiau – rhai yn wallgo, rhai yn gerddorol, ond i gyd yn egnïol. Y pwrpas, wrth gwrs, yw'r ymdrech flynyddol i gasglu cymaint o arian ag sy'n bosib i Blant mewn Angen.

Mae llwyddiant yr apêl dros y blynyddoedd wedi bod yn aruthrol, gyda phlant sy'n anabl mewn un ffordd neu'i gilydd wedi elwa ar grantiau gan y gronfa yn y gorffennol. Mae camerâu'r BBC wedi bod o gwmpas Cymru i weld canlyniadau'r elwa llynedd. Awn ni draw i gamlas Llangollen i weld sut mae ieuenctid sy'n byw ar stad enfawr, brin ei hadnoddau, yn Wrecsam yn mwynhau y deuddeg canŵ a brynwyd iddyn nhw.

Gallwn ni weld dau ddeg pedwar o blant Gwynedd a Chlwyd, hanner ohonyn nhw'n anabl, yn cael gwyliau ym Mhenllŷn, ger Corwen. Mae integreiddio'n bwysig iawn i'r anabl, a dyma gyfle gwych i blant fwynhau gweithgareddau gyda'i gilydd. Prynodd Ysgol Caedraw, Merthyr Tudful, feiciau arbennig wedi eu haddasu i blant anabl gyda'u grant. *Spinabifida* yw'r anhwylder yma, ac mae'r beiciau wedi'u cynllunio i helpu plant i symud yn rhwyddach a chael hwyl wrth chwarae. Derbyniodd Ysgol Olchfa, Abertawe, arian i brynu pymtheg *minicom,* teclyn sy'n helpu plant byddar i ddefnyddio'r ffôn. Gallan nhw deipio neges i mewn i deipydd bach, ac mae'r person ar yr ochr arall yn derbyn y neges ar y sgrîn. Mae Clwb cychod Afon Tywi yn Llansteffan wedi prynu dau *trimaran* wedi eu haddasu ar gyfer plant anabl.

Stori 2

O Fôn i Fynwy mae ysgolion yn paratoi a threfnu a chynllunio pob math o weithgareddau a styntiau – rhai yn wallgo, rhai yn gerddorol, ond i gyd yn egnïol. Y pwrpas, wrth gwrs, yw'r ymdrech flynyddol i hel cymaint o arian ag sy'n bosib i Ddwylo dros y Môr.

Mae llwyddiant yr apêl dros y blynyddoedd wedi bod yn aruthrol, gyda phlant sy'n anabl mewn un ffordd neu'i gilydd wedi elwa ar grantiau gan y gronfa yn y gorffennol. Mae camerâu HTV wedi bod o gwmpas Cymru i weld canlyniadau'r elwa llynedd. Awn ni draw i gamlas Llangollen i weld sut mae ieuenctid sy'n byw ar stad enfawr, brin ei hadnoddau, yn Wrecsam yn mwynhau y deuddeg canŵ a brynwyd iddyn nhw.

Gallwn ni weld chwe deg o blant Gwynedd a Chlwyd, hanner ohonyn nhw'n anabl, yn cael gwyliau ym Mhenllŷn, ger Corwen. Mae integreiddio'n bwysig iawn i'r anabl, a dyma gyfle gwych i blant fwynhau gwyliau gyda'i gilydd. Prynodd Ysgol Caedraw, Merthyr Tudful, gadeiriau arbennig wedi'u haddasu i blant anabl gyda'u grant. *Spinabifida* yw'r anhwylder yma, ac mae'r cadeiriau wedi'u cynllunio i helpu plant symud yn rhwyddach a chael hwyl wrth chwarae. Derbyniodd Ysgol Olchfa, Abertawe, arian i brynu deunaw *minicom*, teclyn sy'n helpu plant byddar i ddefnyddio'r ffôn. Gallan nhw deipio neges i mewn i deipydd bach, ac mae'r person ar yr ochr arall yn derbyn y neges ar y sgrîn. Mae Clwb hwylio Afon Tywi yn Llansteffan wedi prynu dau *trimaran* wedi eu haddasu ar gyfer plant anabl.

Stori 3

O Gonwy i Gaerdydd mae colegau yn paratoi a threfnu a chynllunio pob math o weithgareddau a styntiau – rhai yn wallgo, rhai yn gerddorol, ond i gyd yn egnïol. Y pwrpas, wrth gwrs, yw'r ymdrech flynyddol i gasglu cymaint o arian ag sy'n bosib i Gronfa Achub y Plant.

Mae llwyddiant yr apêl dros y blynyddoedd wedi bod yn aruthrol, gyda phlant sy'n anabl mewn un ffordd neu'i gilydd wedi elwa ar grantiau gan y gronfa yn y gorffennol. Mae camerâu S4C wedi bod o gwmpas Cymru i weld canlyniadau'r elwa llynedd. Awn ni draw i gamlas Llangollen i weld sut mae ieuenctid sy'n byw ar stad enfawr, brin ei hadnoddau, yn Wrecsam yn mwynhau y deuddeg canŵ a brynwyd iddyn nhw.

Gallwn ni weld un deg chwech o blant Gwynedd a Chlwyd, hanner ohonyn nhw'n anabl, yn cael gwyliau ym Mhenllŷn, ger Corwen. Mae integreiddio'n bwysig iawn i'r anabl, a dyma gyfle gwych i blant fwynhau gweithio gyda'i gilydd. Prynodd Ysgol Caedraw, Merthyr Tudful, gerbydau arbennig wedi eu haddasu i blant anabl gyda'u grant. *Spinabifida* yw'r anhwylder yma, ac mae'r cerbydau wedi'u cynllunio i helpu plant i symud yn rhwyddach a chael hwyl wrth chwarae. Derbyniodd Ysgol Olchfa, Abertawe, arian i brynu naw *minicom*, teclyn sy'n helpu plant byddar i ddefnyddio'r ffôn. Gallan nhw deipio neges i mewn i deipydd bach, ac mae'r person ar yr ochr arall yn derbyn y neges ar y sgrîn. Mae Clwb cwryglau Afon Tywi yn Llansteffan wedi prynu dau *trimaran* wedi eu haddasu ar gyfer plant anabl.

		Ble mae'r gweithgar-eddau'n digwydd?	Pwy sy'n eu paratoi?	Beth yw enw'r elusen?	Camerâu pwy fydd yn mynd o gwmpas Cymru?	Faint o blant allwn ni weld?	Beth maen nhw'n mynd i'w fwynhau gyda'i gilydd?	Beth mae plant Merthyr wedi ei brynu?	Sawl *minicom* a dderbyni-wyd gan Ysgol Olchfa?	Pwy sydd wedi prynu *trimaran*?
STORI 1										
STORI 2										
STORI 3										

LLENYDDIAETH
A'R DOSBARTH IAITH

Ni ddylai'r dysgwr ystyried dysgu iaith yn nod ynddo'i hunan. Un o brif swyddogaethau tiwtoriaid iaith, yn enwedig y rheiny sy'n gyfrifol am gyrsiau pellach ac uwch, yw ysgogi'r myfyrwyr dan eu gofal i ddarllen er mwynhad personol. Dylai dysgwyr amcanu at ddefnyddio'r iaith mewn ffordd briodol, er enghraifft trwy ddarllen amrywiaeth o destunau â rhwyddineb. I'r perwyl hwnnw mae i lenyddiaeth ei swyddogaeth yn y dosbarth iaith a thu hwnt. Ni ddylid anghofio mai darllen cylchgronau megis *Lingo Newydd* a *Golwg* neu ddetholiad o lenyddiaeth Gymraeg, yw'r unig gyfle a gaiff nifer o ddysgwyr mewn ardaloedd Saesneg eu hiaith, i gadw cyswllt â'r Gymraeg y tu allan i'r dosbarth.

Gall llenyddiaeth, felly, fod yn hynod ddefnyddiol er mwyn codi ymwybyddiaeth ieithyddol ymhlith dysgwyr ac i ddatblygu eu gwybodaeth a'u dirnadaeth o'r iaith. Gellir ehangu dealltwriaeth o eirfa trwy ddarllen gan fod y cyd-destun yn gymorth i'r amgyffrediad. Erbyn cyrraedd tua safon 4 bydd y dysgwr wedi synhwyro, mae'n debyg, fod i'r iaith sawl cywair. Daw y cyweiriau hyn i'r amlwg wrth ddarllen llenyddiaeth. Ar un pegwn, er enghraifft, ceir naws dafodieithol straeon byrion Kate Roberts ac ar y llall arddull gofnodol, ffurfiol cyfrolau megis *Dirgelwch y Cwm Du* gan y cyn-dditectif Roy Davies. A dyfynnu Allen a Campbell:

> Literature will increase all language skills because literature will extend knowledge by giving evidence of extensive and subtle vocabulary usage and complex and exact syntax.[1]

Mae sgiliau darllen yn sgiliau y gellir eu meithrin am oes. Gall llithrigrwydd llafar erydu heb ymarfer cyson, ond mae'r gallu i ddarllen yn llai tebygol o ddioddef oherwydd diffyg ymarfer neu dreigl amser. Mae geirfa 'oddefol' y dysgwr, wrth gwrs, yn llawer ehangach na'r eirfa a ddefnyddir wrth siarad neu ysgrifennu. Gwir

---

[1] H. Allen & R. Campbell, *Teaching English as a Second Language,* (New York, 1972), 187.

hyn am y famiaith a'r ail iaith fel ei gilydd. Mae'r sgiliau darllen y mae dysgwyr yn eu meithrin trwy astudio llenyddiaeth yn medru eu helpu hefyd i gadarnhau eu sgiliau llafar.

Rheswm pwysig arall dros gyflwyno llenyddiaeth o bob math i ddysgwyr profiadol, yw am ei bod yn gyfrwng da i gyflwyno gwybodaeth ddiwylliannol berthnasol. Trwy lenyddiaeth yn fynych y daw'r dysgwr i ymgynefino â diwylliant cenedl – ei thraddodiadau brodorol a'i hagwedd tuag at fywyd. Fel tiwtoriaid, dylem ymdrechu i agor llygaid y dysgwyr i'r cyfoeth o lenyddiaeth sydd ar gael iddynt yn y Gymraeg.

Sut bynnag, rhaid i destun llenyddol lwyddo yn y lle cyntaf fel darn o lenyddiaeth greadigol cyn ei ddefnyddio yn yr ystafell ddosbarth. Hynny yw, rhaid iddo roi mwynhad fel darn o lenyddiaeth a chyffroi'r dychymyg yr un pryd. Os nad oes gan y dosbarth ddigon o iaith i fwynhau gwaith arbennig, yna ni ddylai'r tiwtor ei ddefnyddio. Afraid defnyddio testun llenyddol i bwrpas ieithyddol yn unig. Gwnaethpwyd hynny'n gyson yn y gorffennol gan nifer o diwtoriaid a'i câi hi'n anodd i ddeffro dychymyg y dysgwyr am na lwyddwyd ganddynt i gyflwyno darn o lenyddiaeth mewn ffordd gyffrous a deallus.

Wrth gwrs, bydd gan aelodau'r dosbarth ddiddordebau gwahanol; bydd yr hyn sydd o ddiddordeb i rai yn diflasu eraill. Rhaid ceisio sbarduno cymhelliant trwy drafodaeth adeiladol er mwyn rhoi pwrpas a chyfeiriad i'r darllen. Gellir sicrhau hynny trwy gyfrwng testun diddorol neu dasg ddiddorol. Edrychir maes o law ar rai tasgau sy'n seiliedig ar ddarnau o lenyddiaeth, ond yn gyntaf ystyriwn y math o destunau y gellir eu defnyddio yn y dosbarth ail iaith.

Mae addasrwydd testun yn dibynnu, nid yn unig ar iaith a chyrhaeddiad y dysgwyr, ond hefyd ar ba fath o wybodaeth gefndirol sydd ganddynt eisoes. Rhaid dewis testunau y gall myfyrwyr ymateb yn greadigol iddynt ac yn annibynnol ar y tiwtor. Wrth ddarllen darn o lenyddiaeth, mae'n ofynnol i'r darllenydd ail-greu realiti'r gwaith yn ei ddychymyg trwy gyfuno'r dystiolaeth y llwyddodd i'w lloffa yn y testun a'i wybodaeth ef ei hun o'r byd. Rhaid felly i'r byd sydd wedi'i greu gan yr awdur fod o fewn dirnaaeth a dychymyg y dysgwyr ac yn berthnasol ac yn briodol i'w lefel o aeddfedrwydd. Nid mater o ddeall geiriau'n unig yw deall llenyddiaeth – rhaid wrth gynneddf sy'n gallu cydymdeimlo â holl drybestod emosiynol y cymeriadau a bortreadir gan yr awdur. Cefndir cymdeithasol a diwylliannol y cymeriadau sy'n llywio eu gweithredoedd, a heb ddealltwriaeth fanwl o'r cefndir hwnnw, mae'n amhosib i ddysgwyr fedru dirnad yn glir holl rychwant emosiynol y cymeriadau.

Gwelir mor berthnasol yr uchod wrth fynd i'r afael â gweithiau T. Rowland Hughes a Daniel Owen er enghraifft. Mae nofelau'r ddau awdur yn rhagdybio bod gan y myfyrwyr lawer o wybodaeth hanesyddol, ddiwylliannol a chymdeithasol cyn iddynt fedru eu llwyr hamgyffred a'u gwerthfawrogi. Yn achos gweithiau T. Rowland Hughes, rhaid ymgynefino â chefndir gwleidyddol a diwydiannol y diwydiant llechi yng Ngogledd Cymru cyn deall y tlodi a brwydr y gymdeithas glòs yn erbyn ei thynged. Yr un mor bwysig yw dealltwriaeth sylfaenol o Anghydffurffiaeth Gymreig ar ddiwedd y 19eg ganrif cyn mynd i'r afael â gweithiau Daniel Owen. Oni bai fod modd cyfiawnhau cynnwys y fath wybodaeth yn y cwrs, rhaid holi a ddylid astudio testunau fel y rhain mewn dosbarth iaith o gwbl. Hwyrach nad oes raid i'r dysgwr rannu'r ideoleg a ffordd o fyw a bortreadir gan yr awdur, ond yn sicr dylai wybod rhywfaint am y ddeubeth uchod cyn mynd i'r afael â thestun arbennig gan nofelydd a luniodd ei weithiau dros ganrif yn ôl erbyn hyn.

Mae'n rhaid i'r dysgwyr fedru uniaethu â'r testun, felly, ar lefel ddiwylliannol ac ar lefel ieithyddol. Gall gweithiau megis straeon byrion D. J. Williams, sy'n llawn iaith hynafol a tafodieithol iawn, ddigalonni dysgwyr. Ar yr un pryd, ar lefel ganolig dylid osgoi gweithiau o strwythur astrus a chymeriadau sy'n gofyn am ymateb dychmygus a chymleth nes i'r dysgwyr dyfu mewn hyder a gallu ieithyddol. Nid yw testunau llai eu hyd o angenrhaid yn haws i'w deall. Ceir rhai cerddi amlhaenog, er enghraifft, sy'n anodd i'w gwerthfawrogi, hyd yn oed ar y lefel fwyaf sylfaenol. Yn fynych mewn barddoniaeth defnyddir cystrawennau anarferol ac amrywiadau llai nodweddiadol ar y cystrawennau cyffredin. Cymerwn gerdd agoriadol Ifor ap Glyn yng nghystadleuaeth y Goron yn Eisteddfod Genedlaethol Môn 1999.

'Clirio'r tŷ mewn cwmwl tystion'

Elfyn: Llanrwst

Lladd ystyr mae marw iaith,
nid diffodd golau ond sathru'r bylb,
nid chwythu'r gannwyll ond porthi'r moch â'r gwêr.
Heddiw roedd hi
yn oslef gain ac islais main,
and then . . .
it's just not there.

Amhosib fydd ail-greu iaith o'r bag bún du
llawn treigladau anghynnes
mor ddiwerth â dannedd gosod ail-law,
y tronsiau o frawddegau,
botymau sbâr o enwau
a'r berfau a wiwerwyd
at achlysur na ddaw.

Y Saesneg biau'r stryd erbyn hyn,
a chadair fy nhad yn wag
wedi methu ag atal y lli.

Ond baich ardal arall, ers tro byd,
sydd yn hawlio fy nghalon i:

nhw yw fy nheulu yn awr,
Cheryl a Dave, Julie a Wayne;
nhw yw'r dyfodol; nhw yw fy ngwaith;
lladd ystyr mae marw iaith.[2]

Anaml mewn rhyddiaith y ceir cystrawennau cyffelyb i'r hyn a geir gan yn y gerdd uchod.

Wedi dweud hynny, buddiol ar dro yw cynnwys barddoniaeth yn y dosbarth iaith fel bod modd cyflwyno darlun cytbwys a chyflawn o lenyddiaeth Gymraeg i'r dysgwyr. Cyflwynir nifer o bynciau cyfoes, dadleuol mewn iaith gymharol syml gan nifer o feirdd y canu rhydd.

---

[2]Ifor ap Glyn, *Cyfansoddiadau a Beirniadaethau Eisteddddfod Genedlaethol Môn*, (Llandybïe, 1999), 44.

Mae gweithiau beirdd megis Gwyn Thomas a Nesta Wyn Jones yn arbennig o berthnasol i'r diben hwnnw. Gall cerddi fod yn sylfaen dda i drafodaeth fanwl ac yn gyfryngau ffocysu'r deall a'r dychymyg ar broblemau sy'n cymdeithasol a theimladol, yn arbennig os yw'r cerddi hynny wedi eu mynegi'n dda mewn dull cynnil ac uniongyrchol. Yr hyn sy'n hanfodol yw crynoder syniadol ac ieithyddol. Cymerwn gerdd arall gan Ifor ap Glyn o'i gasgliad arobryn fel enghraifft:

'Codi weipars'

Julie: Grangetown

Aethom i Aberystwyth ar drip,
i'r plant gael clywed yr iaith,
i geisio dal y Gymraeg yn ei slipars
a chael tynnu sgwrs,

ond roedden ni fel yr hogia llnau windsgrîn,
rhyw dacla diarth o'r De,
yn sgwrio'u heuogrwydd heb ofyn yn gynta,
eu dal rhwng cydwybod a golau coch.

Serch hynny, cawsom gildwrn o sgwrs gan sawl pen-rwd:
'Da iawn wir, your Welsh is very good,'
cyn weindio'r ffenest, gwên nerfus nawddoglyd,
golau gwyrdd, a gyrru i ffwrdd.[3]

Gall barddoniaeth, yn ogystal ag ailadrodd seiniau, geiriau a phatrymau, gyffwrdd â'n teimladau personol yn fwy na rhyddiaith. Faint o'r dysgwyr tybed fydd wedi cael profiad cyffelyb i Julie uchod, nid yn Aberystwyth hwyrach, ond yn eu hardaloedd hwy? Mae teimladau personol yr un mor bwysig yn ein hail iaith ag ydynt yn ein hiaith gyntaf a dylid trin yr oedolion o ddysgwyr fel oedolion sy'n gallu ymateb i gyflyrau emosiynol/teimladol y rhoddir mynegiant iddynt ym mhob math o gerddi caeth a rhydd.

Ni olyga hynny nad oes lle i lenyddiaeth blant yn y broses ddysgu. Bydd rhai dysgwyr yn dewis dechrau gyda llyfrau plant, neu

---

[3]Ibid., 49.

chwedlau gwerin a nofelau i'r rhai yn eu harddegau, cyn troi at lyfrau i oedolion o ddysgwyr. Wedi meistroli'r rhain byddant yn mynd ymlaen at nofelau i Gymry Cymraeg. Mae chwedlau gwerin yn arbennig o addas i ddechreuwyr am eu bod wedi'u hysgrifennu fel arfer yn yr amser gorffennol – gydag elfen gref o ailadrodd, nifer gyfyngedig o gymeriadau a diweddglo disgwyliadwy. Weithiau bydd y dysgwyr eisoes yn gyfarwydd â'r straeon yn eu hiaith gyntaf. Ar y safon hwn, bydd y pwyslais o bosib ar lefel yr iaith yn hytrach nag ar gynnwys y gwaith. Mae llyfrau megis *Arwyr Gwerin Cymru i Ddysgwyr* gan Eiry Palfrey neu *Cyfres y Sarn* gan Alun Ifans yn boblogaidd iawn ac yn cynnwys gwybodaeth gefndirol ddiwylliannol a hanesyddol sy'n arbennig o ddefnyddiol. Ymhen ychydig dylai'r dysgwyr fod yn barod i symud ymlaen at nofelau byrion, er enghraifft *Cyfres y Dolffin*, sydd wedi ei hysgrifennu i bobl ifainc iaith gyntaf ond sydd ar lefel ieithyddol addas i oedolion safon 4. Nid yw'r rhan fwyaf o straeon yn rhy blentynnaidd eu thema ychwaith. Mae hefyd nifer o nofelau wedi'u hysgrifennu'n arbennig ar gyfer oedolion sydd wedi bod yn dysgu am gyfnod cymharol fyr, megis y rhai yn y gyfres *Nofelau Nawr* neu gyfrolau Bob Eynon a Pat Clayton.

Mae straeon byrion yn fynych yn gyflwyniad da i lenyddiaeth Gymraeg gan eu bod yn fyrrach na nofelau ac yn haws na dramâu a barddoniaeth gan mai mewn rhyddiaith yr ysgrifennwyd hwy. Cyfrol boblogaidd ymysg dysgwyr profiadol yw *Saith Pechod Marwol* gan Mihangel Morgan gan i symlder ieithyddol y testun olygu bod modd iddynt ymateb iddi fel darn o lenyddiaeth yn hytrach na phos darllen. Gall hyd yn oed dysgwyr rhugl iawn elwa o weithio â thestun gweddol fyr gan fod blinder yn fynych yn ffactor allweddol mewn camddealltwriaeth. Mantais arall stori fer yw y gellir ei chwblhau yn ystod un sesiwn iaith. Sut bynnag, ni ddylai neb deimlo ei fod yn esgeuluso ei waith os nad yw'n esbonio rhywbeth o hyd neu'n trefnu gweithgareddau i'r dosbarth i lenwi pob eiliad. Dylid osgoi'r temtasiwn i geisio helpu trwy'r amser. Mae'n rhaid i'r dysgwyr gael amser i ddarllen a myfyrio'n annibynnol. Ar yr un pryd rhaid ystyried y ffordd orau o gyflwyno'r gwahanol destunau a chynllunio cyfarwyddiadau ar sail yr wybodaeth honno.

Yn ogystal â straeon byrion, mae fersiynau talfyredig o rai o'r clasuron Cymraeg yn boblogaidd ymhlith dysgwyr uwch. Yn y gyfres

127

Cam at y Cewri ceir fersiynau talfyredig o nofelau T. Rowland Hughes, Kate Roberts, Islwyn Ffowc Elis a Daniel Owen. Cais y golygydd adeiladu pont i'r dysgwyr yn y gobaith y byddant yn dymuno darllen y gweithiau gwreiddiol maes o law. Wrth eu darllen mae modd trafod a dadansoddi'r cymeriadau, crynhoi'r stori, dadelfennu'r strwythur a phwyso a mesur y gwahanol themâu. Gall y fath weithgareddau fod yn hyfforddiant defnyddiol mewn gwerthfawrogi llenyddiaeth ac nid yw'n syndod felly bod y gyfres hon mor boblogaidd yn ein hysgolion ymhlith disgyblion ail iaith. Dylid nodi serch hynny, y gall talfyrru diofal a symleiddio lurgunio testun. Collir naws a strwythur y gwreiddiol wrth dorri allan nifer o'r manylion sy'n gwneud y stori'n gredadwy. O ganlyniad, cafodd y dulliau a ddefnyddir i addasu testunau gwreiddiol at ddibenion dysgu ail iaith eu beirniadu ar dro gan y rheiny sy'n dysgu Saesneg fel iaith gyntaf ac ail iaith:

> Simplification and abridgement have brought to life not a few books which for the foreign reader and English schoolchild, would otherwise be completely dead: they have also murdered not a few whose lives might have been saved.[4]

Cynhwysa'r gyfres *Cam at y Cewri*, fel nifer o lyfrau eraill i ddysgwyr, eirfa ddethol ar waelod pob tudalen. Dadleuir gan rai addysgwyr sut bynnag, na chaiff hyn unrhyw effaith arwyddocaol ar ddysgu geirfa fel y cyfryw. Ar y llaw arall, mae esbonio ystyr geiriau'n hanfodol os dymunir helpu darllenwyr canolig i ddatblygu diddordeb mewn darllen er mwynhad. Ar yr un pryd mae'n amlwg bod testunau heb gynorthwyon geirfaol yn fwy derbyniol gan amryw diwtoriaid gan eu bod yn fwy agos at ddarllen dilys ac yn ysgogi'r dysgwyr i chwilio am gliwiau cyd-destunol. Weithiau gall cymorthwyon iaith dorri ar draws gallu'r dysgwr i ganolbwyntio ar y stori ei hun gan ei fod yn canolbwyntio drwy'r amser ar ystyr geiriau ac ymadroddion unigol.

Yr hyn sy'n bwysig, rhestr eirfa neu beidio, yw ein bod ni fel tiwtoriaid yn pwysleisio'r angen ymhlith dysgwyr i ddarllen

---

[4]Michael West yn Monica Vincent, 'Simple Text and Reading Text', R.A.Carter & M. N. Long, *The Web of Words, Exploring Literature through Language,* (Cambridge, 1987), 213.

gwahanol fathau o destunau mewn ffyrdd gwahanol. Wrth ddarllen nofelau yn ein mamiaith, ystyriwn nid yn unig ystyr geiriau unigol, ond y testun yn ei gyfanrwydd. Yn aml ni ŵyr plant ystyr pob gair, ond nid yw hynny'n lleihau ar eu mwynhad. Rhaid i ddysgwyr o oedolion osgoi ystyried testun yn glwstwr o eiriau unigol a phob un ohonynt yn gofyn am esboniad. Ni ddylent oedi i chwilio am ystyr geiriau yn y geiriadur yn ystod darllen testun yn yr ail iaith. Gall geiriadur fod yn fwy o rwystr nag o gymorth. Wrth or-ddefnyddio geiriadur gall dysgwyr gamddehongli ystyr gair. Dylid annog y myfyrwyr i edrych ar glystyrau o frawddegau yn hytrach nag ar eiriau unigol.

Un ffordd o sicrhau nad yw'r dysgwyr yn canolbwyntio'n ormodol ar eiriau unigol yn y dosbarth yw osgoi'r arfer o ofyn iddynt ddarllen yn uchel ddarn y maent efallai newydd ei weld am y tro cyntaf. Mae hwn yn weithgaredd hynod ffug a chaiff nifer o siaradwyr Cymraeg iaith gyntaf hi'n anodd i'w gyflawni. Yn achos testunau cymhleth, ychydig yn unig o'r darn y bydd y darllenwr yn ei ddeall a'i gofio. Gall gwrandawyr yn fynych golli rhediad darn os yw'r darllenwr yn betrusgar neu'n aneglur. Mae darllen yn uchel yn gofyn am sgìl hollol wahanol i'r hyn a ddefnyddir gan y mwyafrif ohonom. Dylai'r tiwtor, wrth ddarllen, gyflwyno darnau darllen newydd o hyd amrywiol. Dylai fod yn medru cyfleu ystyr darn newydd i'w ddosbarth trwy rythm, goslef, pwyslais ac ystumiau, ac o ganlyniad osgoi embaras a rhwystredigaeth ar ran rhai o aelodau'r dosbarth.

Dyma'r amser, os yw'n berthnasol, i osod y darn yn ei gefndir hanesyddol, llenyddol a bywgraffyddol, yn enwedig os yw'n rhan o nofel, cerdd hwy neu ddrama. Sut bynnag, dylid gwneud pob ymdrech i ddewis darnau hunangynhaliol gan osgoi darnau sy'n llawn cyfeiriadau at rannau blaenorol o'r testun dan sylw neu agweddau anghyffredin ac ymylol ar un o'r prif gymeriadau.

Mae hefyd yn syniad da wrth ddarllen testun yn uchel, i osod dau neu dri o gwestiynau cyffredinol i arwain ac ysgogi'r dysgwyr. Bydd cwestiynau o'r fath yn helpu i ganolbwyntio eu sylw ar y themâu perthnasol cyn iddynt ddarllen y testun drostynt eu hunain. Dylid gwneud pob ymdrech i'w hannog i geisio deall ystyr gyffredinol y darn ac i beidio â phoeni am fanylion nad ydynt yn siŵr ohonynt.

Wrth iddynt sganio'r darn eu hunain, gellir rhoi cymorth unigol gyda chystrawennau neu eiriau anodd.

Wedi cwblhau'r gweithgaredd hwn dylid dod â phawb at ei gilydd gan fynd dros y cwestiynau cyffredinol fel dosbarth. Gellir adolygu rhai o'r pwyntiau iaith dyrys ar yr un pryd. Yn dilyn hyn, dylai'r dysgwyr ail-ddarllen y testun, y tro hwn yn fwy manwl gan dalu sylw llawn i bob rhan ohono, er mwyn ei ddeall yn llwyr. Bydd y cam hwn wedi'i hwyluso trwy'r darlleniad cynharach a fydd wedi gosod y darn yn ei gyd-destun priodol. Un dechneg effeithiol sy'n ysgogi cymhelliant yw i ofyn i'r dysgwyr ddefnyddio pin ffelt, nid i nodi'r geiriau nad ydynt yn eu deall, ond y rheiny y maent yn eu deall. Gall gweithgaredd fel hwn feithrin eu hyder yn sylweddol gan eu dysgu i ganolbwyntio ar yr hyn y maent yn ei wybod, yn hytrach na'r hyn sy'n achosi problemau iddynt.

Dylid symud ymlaen wedyn at ragor o gwestiynau manwl i brofi a hybu dealltwriaeth y dysgwyr o'r testun. Rhaid dewis cwestiynau darllen a deall yn ofalus er mwyn sicrhau na all y dysgwyr gynnwys darnau cyfan o'r testun gosod yn eu hatebion. Os yw'r cwestiynau'n cynnwys yr un geiriau â'r brawddegau yn y darn, mae yna berygl y bydd y dysgwyr yn eu hateb heb wir ddirnad yr hyn y maent yn ei ddarllen. Dylid ceisio cynnwys geiriau gwahanol yn y cwestiwn gan sicrhau ar yr un pryd nad ydynt yn anos na'r rheiny yn y testun, rhag ofn na fydd y dysgwr yn eu deall. Ystyriwch, er enghraifft, y darn isod o'r nofel *Si Hei Lwli* gan Angharad Tomos a ddylai fod yn addas i ddysgwyr canolig neu uwch:

> Y ci oedd yr unig un wnaeth hi ffrindiau go iawn efo fo – labrador mawr du o'r enw Jumbo. Deuai Jumbo ati bob cyfle a gâi ac aros am fwythau ganddi. Jumbo oedd yr unig un call ohonyn nhw. Arferai'r ci eistedd am amser maith wrth ei chadair yn syllu'n ddefosiynol arni. Roedd ganddo lygaid dwys treiddgar a theimlai fod Jumbo yn deall ei thrafferthion. Weithiau, byddai'n siarad efo fo pan nad oedd neb arall yn y stafell, ond hyd yn oed pan oedd y ddau ohonynt yn dawel, ac yn gwneud dim byd ond syllu ar ei gilydd, teimlai fod yna gytgord perffaith. Teimlai yn grand mai hi a ddewiswyd gan Jumbo i fod yn ffrind iddo. Mae cŵn yn gall. Diau ei fod wedi sylwi mai hi oedd yr unig un synhwyrol yn y Cartref.
>
> Un diwrnod, doedd Jumbo ddim o gwmpas, a bu hi'n aros drwy'r bore amdano. Pan nad oedd golwg ohono yn y pnawn, dechreuodd

bryderu yn ei gylch a holodd un o'r merched. Dywedodd honno ei fod o gwmpas y tŷ rhywle. Ond welodd hi ddim golwg ohono y diwrnod hwnnw na'r diwrnod wedyn a synhwyrodd fod rhywbeth yn bod. Bob tro yr holai am Jumbo, roedd pawb fel petaent yn ei hosgoi. Doedd dim amdani yn y diwedd, ond mynd i holi'r Mêtryn . . .

. . . mae'r Mêtryn yn edrych arni yn anghyfforddus.

'Rŵan Miss Hughes, peidiwch ag ypsetio eich hun, ond mae gynnon ni newydd drwg i chi am Jumbo . . .'

Aeth car drosto ddydd Mawrth ac mi gafodd Jumbo ei niweidio yn ddrwg. Bu'n rhaid mynd ag o at y Fet, a chafodd ei roi i gysgu. Roedd hi'n ddydd Gwener ar Lisi yn cael gwybod.

Pam na fyddai rhywun wedi dweud wrthi? Y noson honno, wylodd Lisi yn hidil. Nid yn gymaint ar ôl Jumbo, roedd yr hiraeth hwnnw'n hen bellach, ond am nad oedd hi'n cyfrif ddigon i rywun drafferthu dweud wrthi fod ei chyfaill gorau yn y Cartref wedi ei ladd.[5]

Gellir profi dealltwriaeth y dysgwyr o'r darn ar ôl y darlleniad cyntaf trwy gwestiynau cyffredinol megis:

1. Pam roedd Jumbo yn bwysig i Lisi?
2. Beth oedd wedi digwydd iddo fe?

Dylid symud ymlaen wedyn at bwyntiau mwy penodol trwy ddefnyddio ychydig o gwestiynau wedi'u graddoli, neu'n achos dysgwyr llai profiadol, nifer o gwestiynau Gwir neu Gau:

		Gwir	Gau
1.	Roedd Jumbo yn gi twp		
2.	Cafodd Jumbo ei ladd ddoe		

Ar y llaw arall, mae cwestiynau amlddewis yn ffordd effeithiol o ehangu geirfa dysgwyr ar lefel uwch:

Roedd llygaid Jumbo'n:
a. wyllt
b. fas
c. hardd
ch. graff

---

[5]Angharad Tomos, *Si Hei Lwli,* (Tal-y-bont, 1991), 74-75, 81.

131

Edrychodd Mêtryn ar Lisi'n:
  a. bryderus
  b. anesmwyth
  c. anghysurus
  ch. nerfus

Mae cwestiynau agored hefyd yn bwysig er mwyn meithrin sgiliau trafod. Hynny yw, cwestiynau megis:

1. Sut fath berson oedd Lisi?
2. Nodwch rai o'r anawsterau y gall hen berson eu hwynebu wrth symud i mewn i gartref hen bobl.
3. Ydy'r darn uchod yn dweud rhywbeth wrthon ni am awdur y gyfrol?

Heb gwestiynau agored fel yr uchod, gall prawf darllen a deall traddodiadol ymddangos yn ffordd negyddol braidd o gyflwyno llenyddiaeth i'r dosbarth iaith. Os mai dod o hyd i wybodaeth neilltuol yw'r nod, mae'n hawdd anghofio bod yna nifer o ymarferion eraill mwy diddorol a rhyngweithiol y gellir eu defnyddio i brofi gallu'r dysgwr. Un gweithgaredd o'r fath yw'r 'jig-so'. Rhennir y dosbarth i mewn i grwpiau a rhoddir gwybodaeth ar bwnc penodol neu sefyllfa i bob grŵp. Rhaid i'r grwpiau wedyn ailosod yr wybodaeth er mwyn ail-greu'r sefyllfa neu ddatrys y broblem – yn union fel y rhoddir rhannau o jig-so at ei gilydd er mwyn ail-greu llun.

Er nad yw'r gweithgaredd uchod yn weithgaredd go iawn yn yr ystyr na fyddai neb fel arfer yn ei wneud bob dydd, cynhwysa sgiliau a ddefnyddir gan bawb yn ddyddiol. Hynny yw, sgiliau megis darllen er mwyn dod o hyd i wybodaeth arbennig neu chwilio am a chyfleu gwybodaeth trwy amryw ffurfiau cyfathrebol megis siarad, gwrando ac ysgrifennu. Dylai'r tiwtor sicrhau bod y dasg ei hun yn ddiddorol. Mae gweithgareddau diddorol sy'n cynnwys darllen yn fwy tebygol o arwain at agwedd bositif tuag at ddarllen. Gellir cyflwyno darnau o lenyddiaeth yn ogystal â gwybodaeth ffeithiol trwy'r dull jig-so, yn enwedig gyda dysgwyr safon 3 ac i fyny. Er enghraifft, newidiwch drefn y brawddegau yn y paragraff canlynol o'r nofel *Mwg* gan Gwyneth Carey a gofynnwch i'r dysgwyr weithio gyda'i gilydd i'w rhoi yn y drefn gywir:

Aeth John adref y diwrnod hwnnw heb wybod sut. Synnodd ei weld ei hun yn troi ei gar i mewn i'r fynedfa, ac yn parcio wrth ochr y tŷ. Dychrynodd wrth feddwl ei fod wedi gyrru yr holl ffordd o'r ysgol heb fod ganddo yr un cof am fod wedi gwneud hynny. Cafodd fraw arall. Beth petai wedi taro rhywun i lawr ar y ffordd, neu fynd trwy olau coch, neu droi i'r ffordd fawr heb edrych? Wedi hunllef y pnawn, doedd wybod beth allai ddigwydd nesa. Chwysodd. Rhoddodd ei ben ar ei ddwylo ar yr olwyn i ddod ato'i hun. Gwyddai y byddai Beryl â'r plant wedi clywed y car yn cyrraedd, ac yn ei ddisgwyl yn llawn asbri ar nos Wener. Sut oedd o'n mynd i ddweud wrthyn nhw beth oedd wedi digwydd? Ar y llaw arall, sut y gallai gymryd arno fod popeth yn iawn? Wyddai o ddim sut olwg oedd arno ond fe wyddai na allai wneud dim siâp o sgwrs â neb. Penderfynodd geisio peidio â rhoi ar ddeall i'r plant fod dim byd o'i le nes cael cyfle i siarad efo Beryl. Tynnodd grib drwy ei wallt, ac aeth drwy'r drws cefn i'r gegin.[6]

Bydd y fath ymarfer yn helpu'r dysgwyr i ddeall cynnwys y darn a'r iaith yn gyffredinol, a hefyd yn arwain at gryn drafodaeth, yn enwedig os oes rhaid iddynt gyfiawnhau eu dewis.

Gellir defnyddio darn o farddoniaeth yn yr un ffordd wrth roi dwy linell yr un o gerdd fer i bawb yn y dosbarth gan ofyn iddynt roi'r llinellau yn y drefn gywir trwy siarad â'r dysgwyr eraill yn y grŵp. Mae llawer o gerddi cyfoes sy'n addas iawn ar gyfer y math hwn o weithgaredd.

Mae 'proffwydo' yn dasg gyfathrebol arall sy'n gweithio'n dda gyda straeon byrion ac yn addas ar gyfer myfyrwyr safon 3 ac i fyny. Mae'n dasg sy'n gofyn am baratoad manwl gan y tiwtor cyn i'r stori gael ei chyflwyno. Wrth ddarllen y stori i'r dosbarth dylid oedi mewn mannau allweddol gan ofyn i'r dysgwyr broffwydo beth fydd yn digwydd nesaf. Ar ddiwedd y paragraff cyntaf, er enghraifft, gellir holi am brif thema'r stori. Gall hyn fod yn ffordd bwysig a defnyddiol o'u cael i ystyried paragraff agoriadol stori a'i berthynas â'r stori lawn. Mae'r stori fer 'Dyma Siân a Gareth' gan Eigra Lewis Roberts yn yr amser presennol a dylai fod yn ddigon syml i ddysgwyr safon 3-4. Dyma'r paragraff cyntaf:

---

[6]Gwyneth Carey, *Mwg*, (Llandysul, 1997), 13.

Dyma Siân. Dyma Gareth. Dyma Siân a Gareth. Maen nhw wedi cyfarfod, ar ddamwain yn y stryd fawr. Petai'r naill yn gwybod fod y llall yn bwriadu dod i'r dref hon heddiw ni fyddai'r llall wedi dod yn agos i'r lle. Cyd-ddigwyddiad hollol ydi hyn, wrth gwrs, er y byddai rhai'n credu fod i ffawd ran yn y digwyddiad.[7]

Ffordd effeithiol arall o ehangu ac ymestyn defnydd y dysgwyr o'u hiaith newydd yw i ddarllen stori fer iddynt heb ddatgelu'r teitl. Wedi'i chwblhau, gofynnwch iddynt am awgrymiadau addas. Gellir ar y llaw arall ddosbarthu nifer o ddarnau darllen byr di-deitl. Cyflwynwch restr o deitlau posibl ar wahân gan ofyn i'r dysgwyr ddewis pa benawdau fyddai'n briodol i'r gwahanol destunau.

Yr hyn sy'n bwysig i'w gofio o hyd wrth gyflwyno llenyddiaeth yn y dosbarth iaith yw bod modd defnyddio'r un testun droeon a hynny mewn gwahanol ffyrdd. Dylid ceisio meddwl am ffyrdd i'w ailgylchynu! Er enghraifft, byddai'r darn uchod o'r nofel *Mwg* yn addas ar gyfer ymarfer 'proffwydo'. Yr hyn sy'n bwysig yw bod y gweithgareddau yn ddysgwr-ganolog yn hytrach nag yn diwtor-ganolog. Mae myfyrwyr yn fwy tebygol o ddarllen yn well ac yn fwy hyderus yn y tymor hir os cânt nifer o dasgau ymarferol, rhyngweithiol i'w cwblhau. Hynny yw, tasgau sy'n eu cynorthwyo i ehangu eu geirfa mewn ffordd bleserus.

Trafodwyd ymarferion ysgrifenedig yn fanwl yn y bennod ar feithrin sgiliau ysgrifennu, ond dyma grybwyll un neu ddau yma yng nghyd-destun cyflwyno llenyddiaeth. Un ffordd boblogaidd i gael dysgwyr i ganolbwyntio ar arwyddocâd stori gyfan yn hytrach nag ar eiriau unigol a'u hystyron yw gofyn iddynt ysgrifennu crynodeb ohoni. Byddai'r ymarfer canlynol yn addas i grŵp o safon 5-6 sydd wedi darllen stori fer yn y dosbarth neu fel gwaith cartref:

1. Tanlinellu 10 gair i'w cynnwys mewn crynodeb o'r stori.
2. Ysgrifennu crynodeb sydd heb fod yn hwy na 100 o eiriau ac sy'n cynnwys y 10 gair a danlinellwyd.
3. Cymharu crynodebau â phartner.
4. Llunio crynodeb pellach o rwng 50-60 o eiriau.

---

[7]Eigra Lewis Roberts, 'Dyma Siân a Gareth', *Cymer a Fynnot,* (Llandysul, 1988), 11.

5. Cymharu'r crynodebau newydd mewn parau a llunio teitl yr un i'r stori.

Mae cyfyngu'r nifer o eiriau y disgwylir i'r dysgwyr eu defnyddio yn eu gorfodi i ganolbwyntio ar yr hyn sy'n arwyddocaol ac ar yr un pryd yn eu cynorthwyo i ddatblygu arddull gryno a chlir. Unwaith eto, mae dewis teitl yn golygu bod yn rhaid iddynt ddehongli'r stori fel cyfanwaith.

Ffurf ysgrifenedig ar ymarferion 'proffwydo', lle mae'r ffocws ar eiriau unigol neu ddilyniant o eiriau yn hytrach nag ar ddarnau hir o destun, yw'r prawf 'cloze'. Copïr darn o destun gan ddiddymu nifer o eiriau. Rhaid i'r dysgwyr ddod o hyd i'r geiriau coll heb edrych ar y testun gwreiddiol. Mae'r rhan fwyaf o ddysgwyr safon 3 ac i fyny yn gyfarwydd ag ymarfer o'r fath gan y'i cynhwysir bob blwyddyn yn yr arholiad Defnyddio'r Gymraeg. Byddai'n bosibl cynorthwyo dysgwyr safon 2-3 sut bynnag, drwy gynnwys llythyren gyntaf pob gair coll efallai, neu drwy gynnwys rhestr o'r geiriau priodol ar waelod y tudalen. Mae'n hynod bwysig i'r tiwtor ystyried gallu ieithyddol y dosbarth cyn penderfynu ynghyd â faint a'r mathau o eiriau i'w diddymu. Nodwyd enghraifft o'r math hwn o weithgaredd, yn seiliedig ar ddarn o'r cylchgrawn wythnosol *Golwg*, yn y bennod flaenorol ond gellir defnyddio'r prawf 'cloze' yr un mor effeithiol â nofelau a straeon byrion fel y dengys yr ymarfer isod ar gyfer dysgwyr safon 6. Seilir y darn ar y nofel *Yn ôl i Leifior* gan Islwyn Ffowc Elis:

Trannoeth, _____ Vera i Leifior

Roedd Iorwerth, _____ yr addawodd, wedi hysbysebu yn y papurau am help i Marged yn y tŷ. Un llythyr yn _____ a ddaeth yn ateb i'r hysbysebion, ac roedd Iorwerth, mewn ffydd, wedi gwahodd y ferch a'i hanfonodd i _____ y lle. Pan _____ Sheila ato i'r beudy i ddweud _____ y ferch wedi cyrraedd, dywedodd Iorwerth _____ am fynd â hi i'r offis, ac y byddai'n dod ati ar ei _____.

Ar y buarth, gwelodd Gwdig yn tynnu bagiau o'r Landrofer. Gwdig a aeth i Henberth i gyfarfod y ferch _____ ar y trên.

'Wel, Gwdig,'_____ Iorwerth, 'sut ferch?'

'Whi-whiw!' chwibanodd Gwdig, a diflannu drachefn i grombil y modur.

Tynnodd Iorwerth wyneb anfoddog, ac aeth yn ei _____ tua'r tŷ.
Pan agorodd _____ yr offis, y peth cyntaf a _____ oedd _____
goes luniaidd mewn sanau pur anaddas at bwrpas fferm. Yna gwelodd
_____ mewn siwt a chot werth arian, a bag gwerth arian at ei glin. Yr
oedd aeliau pensil a lliw pensil ar ei hamrannau, ac yr oedd ei
gwefusau del yn _____binc. Yr oedd ei _____brown ddu at ei
'sgwyddau. Glamor digywilydd, meddai Iorwerth wrtho'i _____.
Merch bur anaddawol.[8]

Gall ymarferion fel yr uchod ysgogi cryn drafodaeth ar sawl lefel –
o'r ieithyddol i'r llenyddol. Gall y darn hwn arwain at drafodaeth
ynglŷn ag agweddau pobl at ffasiwn, a sut y mae agweddau at wisg ac
ymarweddiad pobl wedi newid dros yr hanner can mlynedd diwethaf
er cyhoeddi'r nofel.

Ymarfer arall sy'n cyfuno sgiliau ysgrifenedig a sgiliau llafar yw'r
gêm 'Pam?' Mae gan bob dysgwr ddwy funud i feddwl am ddau
gwestiwn ar y llyfr/testun gosod, yn dechrau gyda'r gair pam. Dylent
ysgrifennu eu cwestiynau ar ddarnau o bapur i'w dosbarthu ymhlith
aelodau eraill y dosbarth. Mewn timoedd o dri neu bedwar rhaid
iddynt geisio ateb cwestiynau gweddill y grŵp. Mae hwn yn
weithgaredd addas tu hwnt ar gyfer diwedd y tymor neu ddiwedd
cwrs fel modd adolygu nofel neu ddrama.

Wrth gwrs, os astudir darn o lenyddiaeth fel gwaith cartref nid oes
rhaid i bawb yn y dosbarth ddarllen yr un llyfr. Mae'n well rhoi dewis
iddynt, gan fod mwy o amser rhydd gan rai y tu allan i'r dosbarth nag
eraill. Gellir addasu rhai ymarferion ysgrifenedig i ateb gofynion pob
nofel, er enghraifft gellir gofyn am ddetholiad o ddyddiadur un o'r
cymeriadau neu lythyr dychmygol oddi wrth un cymeriad at un arall.
Dylai dysgwyr profiadol fedru llunio rhagair neu atodiad i'r gwaith
dan sylw yn arddull y gwreiddiol.

Wrth gloi felly, gobeithiwn y dengys y casgliad byr o awgrymiadau
a ddisgrifir yma, fod modd defnyddio cyfuniad o wahanol ddulliau i
gyflwyno darn o lenyddiaeth yn y dosbarth iaith. Prin yw'r sylw sydd
wedi'i roi i lenyddiaeth yn y dosbarth hyd yma gan i addysgwyr
deimlo yn y gorffennol fod darllen yn weithgaredd i'w gyflawni gan
yr unigolyn y tu allan i'r dosbarth. Sut bynnag, o'i ddefnyddio mewn

---

[8]Daw'r enghraifft hon o'r *Tiwtor*, Haf 1994, 14.

ffordd adeiladol, gall darllen llenyddiaeth droi o fod yn sgìl goddefol i fod yn sgìl cynhyrchiol. Gellir dysgu llenyddiaeth mewn modd cyfathrebol ac mae yna le i weithgareddau iaith cyfathrebol wrth gyflwyno llenyddiaeth i ddysgwyr y Gymraeg. Mae llenyddiaeth yn rhan o'r iaith yn hytrach nag yn atodiad iddi. Mae'n gyfrwng sy'n hawlio ymateb greddfol – digwydd y rhyngweithio rhwng y dysgwr a'r testun yn gyntaf ac yna rhwng y dysgwyr a'i gilydd. Mae'r llenor yn fynych iawn yn gadael rhai sefyllfaoedd sy'n aneglur neu sy'n gofyn am ddyfalu bwriadus, a bydd hynny'n esgor ar ymateb dadansoddol. Wedi dweud hynny, nid hyfforddi myfyrwyr mewn beirniadaeth lenyddol yw ein nod, ond defnyddio llenyddiaeth i ymestyn ac ehangu gwybodaeth dysgwyr o'n hiaith, hanes a diwylliant. Yn ddiau, mae gan lenyddiaeth lawer i'w gynnig i'r tiwtor iaith ac i'r dysgwr sydd hefyd yn oedolyn.

Felin-fach   D. Islwyn Edwards
Llanbedr Pont Steffan   Christine Jones

PROFI PERFFORMIAD

Lluniwyd y bennod hon yn ystod cyfnod o newid ym maes asesu. Rhoddir sylw i bedwar maes: Unedau Rhwydwaith y Coleg Agored (RhCA), Arholiad Defnyddio'r Gymraeg, Arholiad Defnyddio'r Gymraeg Uwch ac Unedau Iaith CGC (Cymwysterau Galwedigaethol Cenedlaethol). Ymddengys nad oes dyfodol tymor hir ar gyfer y ddau arholiad y cyfeirir atynt ond hyderir y daw arholiadau tebyg i gymryd eu lle. Gallaf ond gobeithio y bydd y sylwadau a syniadau a gynigir yma hefyd yn ddefnyddiol ar gyfer unrhyw arholiadau newydd a ddaw i fodolaeth.

Mae maes asesu wedi cynyddu yn ei bwysigrwydd wrth iddo ddod yn fwyfwy cysylltiedig â'r drefn o ariannu cyrsiau Cymraeg i Oedolion. Fodd bynnag, mae yna resymau dilys iawn dros brofi perfformiad dysgwyr o oedolion heblaw am y rhesymau ariannol. O safbwynt y cynlluniau asesu digon anffurfiol, braf yw gweld dysgwyr yn ymfalchïo yn eu cyflawniad ac yn cael gweld drostynt eu hunain yr hyn y maent wedi'i gyflawni. Mae cofnodi'r llwyddiant hwn a thystysgrifo yn aml yn hwb ymlaen at y lefel nesaf. Mae'r broses asesu ei hun hefyd yn gymorth i'r tiwtor adnabod unrhyw fannau gwan yng ngwybodaeth a gallu'r dysgwyr.

Gwna'r rhan fwyaf o'r dysgwyr yr unedau mwy anffurfiol hyn, lleiafrif ohonynt sy'n mynd ymlaen i sefyll yr arholiadau ffurfiol sef **Defnyddio'r Gymraeg** sy'n cyfateb yn fras i arholiad TGAU ac arholiad safon uwch sef **Defnyddio'r Gymraeg Uwch**. Mae'r arholiad cyntaf yn nod realistig iawn ar ôl tua dau gant o oriau cyswllt ac yn sicr yn ffordd o newid agweddau dysgwyr. Gan amlaf maent yn ymroi i siarad Cymraeg ar bob cyfle ac yn gweithio'n galetach ar eu pennau eu hunain, oherwydd eu bod yn gwybod eu bod yn gorfod perfformio mewn arholiad. Mae'r ail arholiad, ar y llaw arall, yn rhoi cyfle i'r dysgwyr roi eu Cymraeg ar waith y tu allan i'r dosbarth ac mae wedi'i ddisgrifio fel arholiad 'blaengar' oherwydd ei fod yn sicrhau bod y teitl, sef Defnyddio'r Gymraeg Uwch, yn un priodol. Nid yw'n ddigon bod dysgwyr yn dysgu'r iaith yn y dosbarth – rhaid iddynt ei defnyddio yn y gymuned, y gweithle neu'r cartref.

Yr hyn yr ymdrechir i'w wneud yn y bennod hon yw rhoi

cyflwyniad i bob un o'r cynlluniau sydd ar gael i brofi perfformiad dysgwyr gan ddechrau gyda'r cynllun asesu anffurfiol a ddefnyddir mewn dosbarthiadau Cymraeg i Oedolion ledled Cymru a thu hwnt.

Unedau Rhwydwaith y Coleg Agored

Tan 1995 roedd dysgwyr mewn dosbarthiadau safon 1, 2 a 3 (blynyddoedd 1, 2 a 3 mewn dosbarth unwaith yr wythnos neu gwrs dwys i ddechreuwyr) yn cael cyfle i ennill tystysgrifau Nodau Cyfathrebol Cyd-bwyllgor Addysg Cymru (CBAC). Rhoddwyd tystysgrifau lefel 1 am waith llafar yn unig o fewn y ffwythiannau canlynol: cyfarch, manylion personol, digwyddiadau yn y gorffennol, ffarwelio, diolch, anghenion, hoffter, mynegi bwriad. Gwnaed yr asesu'n anffurfiol iawn ar ffurf nifer o dasgau a/neu sgwrs gyda thiwtor. Un dull digon poblogaidd o asesu oedd sgwrs ffôn gyda'r Swyddog Cenedlaethol yng Nghaerdydd ar ddyddiadau penodedig. Yn lefelau 2 a 3 profwyd sgiliau gwrando, darllen ac ysgrifennu yn ogystal â gwaith llafar a gosodwyd tasgau gan CBAC i'w cwblhau gan y dysgwyr. Gweithredai'r Swyddog Cenedlaethol fel safonydd trwy wirio pob un o'r profion.

Y Cyngor Cyllido Addysg Bellach orfododd y newid o'r cynllun hwn i ddefnyddio unedau Rhwydwaith y Coleg Agored. Nid oedd y nodau cyfathrebol yn cael eu cydnabod fel cymwysterau a allai gael eu cyllido o fewn y Dull Cyllido Rheolaidd, (trwy'r dull hwn y cyllidir cyrsiau Cymraeg i Oedolion) ac felly lluniwyd unedau newydd a allai gael eu derbyn gan Rwydwaith y Coleg Agored. Erbyn hyn, mae'r unedau hyn wedi eu treialu ac wedi cael eu diwygio neu eu dileu yn ôl yr angen, a chyfres o unedau newydd wedi eu creu lle amlygwyd bylchau. Hon yw'r drefn gyda'r Coleg Agored – y darparwyr eu hunain sy'n llunio'r unedau yn hytrach na gorfod dilyn maes llafur neu feini prawf a osodir gan gorff allanol.

Dywedir yn y rhagymadrodd fod y broses achredu yn gallu bod yn hwb ymlaen i ddysgwyr ac yn dangos iddynt eu cynnydd. Un pryder bob amser yw'r lleiafrif sy'n awyddus i ddysgu Cymraeg ond sy'n cael y gwaith yn anodd ac yn methu â chyrraedd y safon. Er mai lleiafrif yw'r garfan hon, cadwyd hwy mewn cof wrth lunio'r unedau Cymraeg. Fel gyda phob cynllun asesu, mae'n ofynnol ymgyfarwyddo â rhywfaint o derminoleg:

Teitl

Mae gan bob uned deitl e.e. Siarad – Digwyddiadau yn y Gorffennol. Mae'r teitlau hyn yn ymddangos ar y tystysgrifau.

Lefel

Rhennir unedau RhCA yn dair prif lefel (ym mhob maes, nid Cymraeg i Oedolion yn unig) a ddiffinir fel a ganlyn:

mynediad – dynodi cynnydd gan unigolyn
lefel 1 – is na TGAU
lefel 2 – yn cyfateb i safon TGAU
lefel 3 – yn cyfateb i Safon Uwch

Rhaid pwysleisio nad yw ennill unedau lefel 2 cyfystyr ag ennill TGAU – y cyfan y mae'r lefel yn ei dynodi yw'r safon o safbwynt anhawster.

O ran gweithredu'r unedau yn y dosbarthiadau Cymraeg, argymhellir y canlynol:

mynediad – ar gyfer lleiafrif o unigolion na allant gyflawni unrhyw un o unedau lefel 1
lefel 1 – safon 1, 2, cwrs dwys
lefel 2 – safon 3, 4, cwrs 300 awr i ddechreuwyr
lefel 3 – safon 5, 6

Credyd

Mae gan bob uned werth gredydol a benderfynir gan grŵp o arbenigwyr. Y sail ar gyfer penderfynu gwerth y credyd yw 30 o oriau tybiannol (cyfuniad o oriau cyswllt ac astudio preifat). Pan welwyd enghreifftiau o unedau mewn ieithoedd eraill, gwelwyd yn aml iawn fod unedau yn werth dau neu dri chredyd.

Yn sgîl y sylwadau uchod am y gweiniaid sy'n gallu cael anhawster i gyflawni, penderfynwyd creu unedau bach yn werth un credyd yn unig a fyddai'n rhoi mwy o gyfle i'r bobl hyn lwyddo i ennill o leiaf un credyd. Mae hefyd yn rhoi mwy o hyblygrwydd i diwtoriaid ddewis yr unedau mwyaf perthnasol ac mae'r broses asesu ei hun hefyd yn haws pan fydd yr unedau yn llai gan ei bod yn aml yn bosibl canolbwyntio ar un neu ddau o batrymau ieithyddol penodol. Y drydedd fantais yw bod cryn ddewis o unedau ar gael ar gyfer tiwtoriaid.

Mae un eithriad i'r uchod, sef Darllen Cyfrol (teitl yr uned) ar lefel 3. Ar ôl cwblhau'r uned hon, 'bydd y myfyriwr yn gallu darllen a deall cyhoeddiadau wedi'u hysgrifennu ar gyfer siaradwyr Cymraeg gyda chymorth geiriadur'. Disgwylir i'r dysgwyr ddarllen llyfr heb ei gyfansoddi yn benodol ar gyfer dysgwyr ar ei hyd ac felly derbynnir bod hyn yn mynd i gymryd yn nes at 60 awr na 30 awr ac felly mae'r uned yn werth dau gredyd.

Canlyniadau Dysgu

Y cyfan mae'r canlyniadau dysgu'n eu gwneud yw egluro'n llawn yr hyn a geir yn nheitl yr uned. Yn yr uned Siarad – Holi ac Ateb Personol, mae'r canlyniadau dysgu fel a ganlyn:

Ar ôl cwblhau'r uned hon, bydd y myfyriwr yn gallu rhoi a holi am fanylion personol (gan ddefnyddio ti a chi).

Meini Prawf Asesu

Gydag unedau safon 1 ceir disgrifiad bras o'r safon a ddisgwylir. Mewn arholiad, ceir graddau a gellir gwahaniaethu rhwng pobl ar sail gradd. Nid yw hyn yn wir am unedau RhCA – mae pawb yn derbyn yr un dystysgrif. Mae'r disgrifiad o'r safon ddisgwyliedig felly yn bwysig. Disgrifir y safon ar gyfer unedau siarad lefel 1 fel hyn:

Bydd y myfyriwr yn gwneud y canlynol yn ddigon hyderus i siaradwr Cymraeg â chydymdeimlad fedru ei ddeall.

Ar gyfer yr ail a'r drydedd lefel, disgwylir i'r myfyrwyr gael eu deall gan unrhyw siaradwr/aig Cymraeg/Gymraeg

Yr ail beth pwysig a nodir yn y meini prawf asesu yw'r union nodau y disgwylir i'r myfyrwyr eu cyflawni.

Dyfynnir uned Holi ac Ateb Personol o dan Y Canlyniadau Dysgu uchod a dyma'r meini prawf asesu a nodir yn yr uned honno:

1.1 Holi am enw person a chyflwyno ei hun.

1.2 Holi o ble mae person yn dod ac ymateb i'r cwestiwn ei hun.

1.3 Holi ble mae person yn byw ac ymateb i'r cwestiwn ei hun.

1.4 Holi am gyfeiriad person ac ymateb i'r cwestiwn ei hun.

1.5 Holi cwestiynau am fywyd pob dydd person a throsglwyddo gwybodaeth elfennol am ei fywyd pob dydd ei hun (e.e. gwaith, teulu, ffrindiau, ac ati)

1.6 Holi am rif ffôn person a medru trosglwyddo rhif ei hun.

Y Broses Weinyddol

Rhennir Cymru yn dri rhanbarth ar gyfer y broses weinyddol gan fod yna dair adain o'r Coleg Agored yn gweithredu yng Nghymru: yn y de-ddwyrain (SEWAC), yn y de-orllewin (SWWOCAC) ac yn y gogledd (NWACC). Oherwydd y rhaniad hwn, mae'n amhosibl egluro'r broses weinyddol yn fanwl gan nad oes unffurfiaeth. Mae gan bob darparwr sy'n cymryd rhan yn y cynllun safonydd allanol. Swyddogaeth y safonydd yw cadarnhau, trwy drafodaeth gyda threfnyddion, tiwtoriaid a/neu ddysgwyr, bod unigolion yn haeddu credyd.

Gweithredu'r Cynllun

Rhaid pwysleisio mai rhywbeth anffurfiol ddylai'r cynllun hwn fod. Gellir dibynnu ar air tiwtor bod y dysgwyr wedi cyflawni'r nodau dan sylw yn yr uned ond fel arfer darperir rhywfaint o dystiolaeth ar gyfer y safonydd. Tasgau a baratowyd yn genedlaethol yw'r dystiolaeth fel arfer. Mae'r tasgau hyn yn debyg iawn i'r gweithgareddau y bydd y dysgwyr wedi arfer â hwy yn y dosbarth. Gellir profi bod pob un o'r meini prawf asesu wedi'u cyflawni gydag un dasg ar gyfer rhai o'r unedau. Mae Digwyddiadau yn y Gorffennol (uned siarad lefel 1) yn enghraifft o hyn. Rhaid i'r dysgwyr ddefnyddio'r holiadur isod gan siarad â phum person yn y dosbarth am eu gwyliau diwethaf:

Enw?　Ble?　Pryd?　Sut?　Gyda phwy?　Gwneud beth?

(Fel gyda phob holiadur, dim ond y gair allweddol a roir yn hytrach na'r cwestiwn cyfan neu ymarfer darllen yw gofyn y cwestiwn yn hytrach na chynhyrchu iaith.)

Gofynna'r meini prawf asesu yn yr uned uchod am ddefnydd o'r trydydd person unigol ond gellir cael sesiwn adrodd yn ôl i sicrhau bod y dysgwyr yn gallu gwneud hyn.

Fel arfer cedwir copi o'r tasgau hyn fel tystiolaeth ar gyfer y safonydd a fydd, o bosibl, am weld sampl o'r holl dystiolaeth a gesglir.

Mae'r broses i'r dysgwyr felly yn gymharol ddi-boen ac mae nifer fawr o diwtoriaid yn ystyried y cynllun yn ffordd ardderchog o adolygu. Dylai pob rheolwr/aig weithio allan pryd yn union y gall y dysgwyr gyflawni'r gwahanol unedau o fewn eu cyfundrefn hwy ac anfon cyfarwyddiadau manwl at y tiwtoriaid yn nodi pa dasgau i'w gweithredu a phryd.

O fewn yr unedau Cymraeg ceir 18 o unedau siarad (7 lefel 1, 6 lefel 2, 4 lefel 3 ac 1 uned fynediad), 5 uned ddarllen (1 uned lefel 1, 2 uned lefel 2 a 2 uned lefel 3), 3 uned wrando, 4 uned ysgrifennu (2 ar lefel 3), 1 uned wylio (lefel 3) a dwy uned sydd yn cyfuno sgiliau (1 lefel 2 ac 1 lefel 3). Fel yr enghreifftir uchod, yn yr unedau siarad lefel 1, mae'r meini prawf asesu'n benodol iawn. Erbyn cyrraedd lefel 3, maent yn llawer iawn mwy penagored. Mae hyn yn adlewyrchu'r datblygiad ieithyddol lle cyfyngir dysgwyr i siarad o fewn patrymau arbennig ar y safonau is, ond lle anogir hwy i fynegi pob math o syniadau a theimladau erbyn dosbarthiadau safon 5 a 6. Yn Siarad 3 – Gofyn am farn a mynegi neu ddyfynnu barn – rhaid i'r dysgwyr fedru ymateb i sbardun ac ymhelaethu. Gellir defnyddio darn darllen, darn wedi'i godi o'r radio neu'r teledu neu yn syml iawn lun.

Un cwestiwn a ofynnir gan rai yw beth yw gwerth y credydau hyn. Hyd yn hyn ni ellir eu trosgwlyddo i system gredydau addysg uwch tuag at radd ac nid ydynt o'r un statws â chymwysterau TGAU, Safon Uwch neu Gymwysterau Galwedigaethol Cenedlaethol. Yr hyn y mae'r dysgwyr yn ei gael yw cofnod o'u cyrhaeddiad, sbardun i fynd ymlaen a'r cyfle i adolygu a chymryd rhan mewn gweithgareddau defnyddiol a difyr yn y dosbarth ar hyd y ffordd. Un sgîl-effaith negyddol y mae'n rhaid ei chrybwyll yw'r cynnydd enfawr mewn gwaith papur i diwtoriaid unigol a rheolwyr y rhaglenni, ond nid yw hyn yn effeithio ar y dysgwyr o gwbl.

Yn fy mhrofiad i, nid oes un dysgwr wedi gwrthwynebu bod yn rhan o'r cynllun hwn oherwydd nad yw'n golygu fawr o ymdrech iddynt. Gwneir yr unedau hyn fel unrhyw weithgaredd arall yn y dosbarth ac maent yn raddol yn dod yn rhan annatod o'r gwerslyfrau ac felly'n cymryd eu lle naturiol yn y broses ddysgu. Mae hyn yn wahanol i'r ddau arholiad ffurfiol, a dyna pam yr wyf yn gobeithio na fydd Unedau Rhwydwaith y Coleg Agored byth yn disodli arholiadau ffurfiol.

143

Arholiad Defnyddio'r Gymraeg

Arholiad arbennig i oedolion yw Defnyddio'r Gymraeg sy'n denu dros 400 o ymgeiswyr yn flynyddol. Arholiad annibynnol y tu allan i gyfundrefn TGAU ydyw a gynigir gan Uned Iaith Genedlaethol Cymru. Bu'n arholiad TGAU llawn nes i'r arholiadau rheiny orfod newid oherwydd gofynion statudol a phenderfynwyd eithrio er mwyn cadw'r pwyslais ar waith llafar. Cynigir cyfanswm o 60% o'r marciau am waith llafar – 10% am dâp a baratoir cyn yr arholiad, a 50% am sgwrs 15-20 munud sy'n digwydd ar ddiwrnod yr arholiad ei hun. Digwydd y prawf llafar yn y prynhawn. Yn y bore mae'r ymgeiswyr yn gwneud papur ysgrifennu (20%), prawf gwrando a deall (10%) a phrawf darllen a deall (10%). Ymddengys fod newid ar ddod unwaith eto ond ni wyddys beth fydd y newid hwnnw.

Mae'r rhan fwyaf o ymgeiswyr angen o leiaf 200 awr mewn dosbarth i lwyddo yn yr arholiad. Mae rhai yn cymryd tipyn yn fwy ac yn ddiweddar gwelwyd rhai sefydliadau'n ceisio gwthio myfyrwyr i sefyll yr arholiad mewn tua hanner yr amser. Beth bynnag fo'r rheswm am hyn, gallai fod yn beryglus. Rhaid i ni fod yn wyliadwrus – dysgu pobl i siarad Cymraeg yw priod nod maes Cymraeg i Oedolion, nid cael pobl trwy arholiadau heb eu bod yn gwbl barod. Mae'r arholiad yn wych fel sbardun ychwanegol i ddysgwyr ar y llwybr tuag at ddod yn siaradwyr rhugl ond ni ddylai fod yn nod ynddo'i hun.

Paratoi Ymgeiswyr ar gyfer Elfennau Gwahanol yr Arholiad

Y Prawf Llafar

Ceir dwy ran i'r prawf llafar – sgwrs gyffredinol a thasg. Mae'n bwysig iawn bod yr ymgeiswyr yn cael eu paratoi yn drylwyr ar gyfer y sgwrs. Mae'r pynciau canlynol yn dueddol o godi ym mhob sgwrs: cefndir, teulu, gwaith, diddordebau, gwyliau, cynlluniau ar gyfer y dyfodol (er mwyn defnyddio'r amser dyfodol), yr hyn hoffai'r dysgwyr fynd ymlaen i'w wneud ar ôl yr arholiad neu ar ôl dod yn siaradwyr rhugl (er mwyn defnyddio'r amodol). Mae'n hanfodol bwysig bod y dysgwyr yn teimlo'n hyderus eu bod yn gallu ymdopi â'r pynciau hyn. Argymhellir y dylai tiwtoriaid:

1. Neilltuo amser siarad ar y testunau hyn mewn cymaint o wersi ag sy'n bosibl gan sicrhau bod pawb yn gwybod yr eirfa y byddant ei hangen. Rhaid ymarfer y pethau hanfodol yn drylwyr. Mae'n syndod faint o gamgymeriadau a wneir wrth i bobl ddweud faint o blant sydd gyda nhw ac yn enwedig eu hoedran.

2. Hyfforddi dysgwyr i ateb pob cwestiwn ag o leiaf dair brawddeg. Nid oes dim byd gwaeth i gyfwelydd llafar nag ymgeisydd sy'n ateb neu'n ymateb yn unsillafog. Mae gêmau bwrdd megis yr un yn yr Atodiad i'r bennod hon yn gallu bod yn ffordd dda o annog pobl i ymhelaethu wrth siarad. Dylid cyflwyno'r rheol bod yn rhaid ateb pob cwestiwn gydag o leiaf dair brawddeg. Gellir chwarae'r gêm mewn grwpiau bach o 3 – 5. Fel y dywedir uchod, rhaid i'r person sy'n glanio ar y sgwâr ateb ag o leiaf dair brawddeg ond rhaid i aelodau eraill y grŵp ofyn cwestiwn atodol ar yr un thema.

3. Sicrhau bod y dysgwyr yn cael o leiaf un prawf llafar ffug cyn yr arholiad. Dylid edrych ar hwn, nid yn unig fel cyfle i'r dysgwyr ymarfer, ond i'r tiwtor neu'r person sy'n cynnal y prawf, ddarparu adborth adeiladol. Dylid nodi unrhyw gamgymeriadau mae'r dysgwyr yn eu gwneud yn gyson ac awgrymu unrhyw beth a allai gryfhau perfformiad yr ymgeisydd.

4. Rhybuddio'r dysgwyr y byddant yn cael eu recordio ar ddiwrnod yr arholiad. Mae'r arholwyr allanol yn sicrhau bod pawb yn cael tegwch trwy ailwrando ar bob cyfweliad ond nid yw pob dysgwr yn sylweddoli wrth gyrraedd ystafell y cyfweliad y bydd yn cael ei recordio.

5. Dweud wrth yr ymgeiswyr am ddweud 'Prynhawn da' wrth groesi trothwy drws yr ystafell gyfweld. Mae rhai yn nerfus iawn a gall cael y ddau air syml hynny allan yn Gymraeg leddfu'r nerfau i rai pobl.

Mae ychydig yn fwy anodd paratoi ar gyfer y dasg gyfathrebol sydd hefyd yn rhan o'r prawf llafar. Mae dau bwrpas i'r dasg – un yw dylanwadu ar yr hyn sy'n digwydd yn y dosbarthiadau gan roi digon o gyfle i diwtoriaid greu sefyllfaoedd chwarae rôl a'r llall yw creu un elfen o'r prawf llafar nad yw'n bosibl paratoi ar ei chyfer. Yr unig baratoi sy'n bosibl, fel y nodir uchod, yw digon o ymarfer o fewn sefyllfaoedd amrywiol yn y dosbarth. Rhoddir dewis o dair tasg ac mae'r ymgeiswyr yn cael hanner awr cyn y prawf llafar i baratoi. Yn ystod y cyfnod hwn, maent yng nghwmni'r dysgwyr eraill sy'n cael y prawf yr un pryd â hwy a chânt helpu ei gilydd. Dyma'r math o dasgau a roddir:

> Mae'r dosbarth yn llawn, meddai'r tiwtor. Ond mae'n bwysig iawn am nifer o resymau eich bod yn cael mynd ar y cwrs. Ceisiwch berswadio'r tiwtor (yr arholwr) i adael i chi ymuno â'r cwrs.

> Cawsoch chi wyliau ofnadwy. Dych chi eisiau eich arian yn ôl nawr. Cwynwch wrth y person wrth y ddesg yn swyddfa'r cwmni teithio (yr arholwr).

> Mae eich plentyn wedi dod adre o'r ysgol yn cwyno ei fod e wedi cael ei fwlio. Ewch i weld y Brifathrawes/Prifathro i gwyno.

Dylid rhoi cyngor i'r dysgwyr ynglŷn â dewis eu tasgau:

1. Os ydynt yn wan yn defnyddio rhyw amser arbennig, dywedwch wrthynt am osgoi tasg a fyddai'n gofyn am yr amser hwnnw. Yn y tasgau uchod, mae gofyn am ddefnyddio'r amser gorffennol yn yr ail a'r drydedd dasg.
2. Mae dysgwyr yn aml iawn yn perfformio'n well os ydynt yn teimlo'n gryf ynglŷn â rhywbeth ac felly os gallant uniaethu ag un o'r tasgau, dylent ddewis y dasg honno.
3. Nid oes fawr o bwynt ceisio dysgu geiriau newydd hanner awr cyn prawf llafar pan mae'r rhan fwyaf yn teimlo'n ddigon nerfus beth bynnag. Un peth yw gofyn i un o'r dysgwyr eraill am air sydd wedi'i anghofio ond anodd iawn i'r rhan fwyaf yw dysgu geiriau sy'n hollol ddieithr iddynt mor fuan cyn yr arholiad.
4. Dywedwch wrthynt am ddefnyddio'r hanner awr o baratoi yn gall ac am ymarfer gyda rhywun a fydd wedi dewis yr un dasg.

Y Prawf Ysgrifenedig

Y Llythyr

Rhaid wrth ddigon o ymarfer yn llunio brawddegau ac atgoffwch bobl am roi eu cyfeiriadau a'r dyddiad – mae'n syndod faint sy'n anghofio pethau mor elfennol â hyn dan bwysau amodau arholiad. Cewch helpu gyda dechrau a diwedd y llythyr trwy roi brawddegau stoc i'r dysgwyr eu meistroli a phrofwch hwy yn y dosbarth o bryd i'w gilydd. Gall y canlynol fod yn ddefnyddiol:

Diolch am eich llythyr dyddiedig.......
Dw i'n ysgrifennu ynglŷn â phroblem sy'n fy mhoeni'n fawr.
Dw i'n ysgrifennu atoch ar ran ....

Dw i'n edrych ymlaen at glywed oddi wrthoch chi mor fuan â phosibl.
Dw i'n edrych ymlaen at dderbyn eich ymateb gyda throad y post.

Yn gywir/Cofion cynnes

Byddaf bob amser hefyd yn cynghori ymgeiswyr i ddodi O.N. er mwyn dangos i'r arholwr eu bod yn gwybod beth yw P.S. yn Gymraeg!

Y Ffurflen

Mae'n fwy anodd paratoi ar gyfer y ffurflen oherwydd bod y cynnwys yn amrywio o flwyddyn i flwyddyn. Heblaw am sicrhau eu bod yn cael digon o ymarfer yn llenwi ffurflenni gwahanol, rhaid gwneud yn siŵr eu bod yn gyfarwydd â geiriau megis cyfenw, cyfeiriad a statws priodasol. Mae'r rheiny sy'n gosod y papurau hefyd yn ceisio profi amserau gwahanol y ferf yn y cwestiynau gwahanol, felly dywedwch wrth y dysgwyr am fod yn barod ar gyfer hyn.

Llenwi Bylchau

Hwn yw'r prawf y mae'r rhan fwyaf o ddysgwyr yn honni y maent yn ei gasáu. Fel gair o gysur, mae'r prawf cyfan yn werth pum marc yn unig ac felly pob bwlch yn werth chwarter marc. Mae hynny fel arfer yn llwyddo i godi calonnau. Ymarfer cyson yw'r allwedd i lwyddiant unwaith eto ac mae digon o enghreifftiau ar gael mewn hen bapurau neu gellwch greu eich ymarferion eich hunain tebyg i'r un isod. Os ydych yn mynd i greu eich profion eich hunain, gwnewch yn siŵr eich bod yn cynnwys enghreifftiau o'r canlynol: terfyniadau berfau, cymharu ansoddeiriau, cymalau enwol, arddodiaid a threigladau.

147

Roedd y siop _____ (llyfrau) yn _____ (llawn)
iawn pan _____ (mynd) Tom i mewn i _____
(prynu) ei _____ (copi) pythefnosol o *Now You're Talking*.

'Ydy *Now You're Talking* wedi cyrraedd?' _____
(gofyn) Tom i'r ferch y tu ôl i'r cownter.

'_____ (√). Mae e ar y silff _____ (uchel). Dw i'n edrych
ar y rhaglen hefyd.'

'Dych chi'n mwynhau'r rhaglen?'

'_____ . (√). Mae llawer o bobl yn edrych _____ hi. Mae
llawer o bobl yn prynu'r cylchgrawn hefyd.'

'Mae'n mynd yn _____ (cyflym) nawr nag oedd hi ar y
dechrau. Fy mhroblem i yw mod i ddim yn cael digon o gyfle i
ymarfer.'

'Ble dych chi'n byw?'

'Yn _____ (Treforys)'

'Dw i'n byw dair _____ (milltir) o Dreforys. Basen
ni'n gallu cyfarfod i ymarfer siarad Cymraeg.'

'Dyna syniad da!'

'Dw i'n meddwl (ei) _____ e'n syniad da hefyd.'

'Nos Sadwrn te?'

'_____' (√)

'_____ (dod) i'r tŷ. _____ (coginio) i bryd o fwyd i
ni.'

'Dof i â _____ (potel) o win. Beth ydy'ch
cyfeiriad chi?'
'Deg, Heol y Mynydd.'

'Gwela i chi nos Sadwrn te.'

'Iawn.'

Aeth Tom allan o'r siop yn teimlo'n hapus iawn. Roedd un broblem –
anghofiodd e ofyn ei _____ (enw) hi.

Y Prawf Darllen a Deall

Unwaith eto, mae'n anodd iawn paratoi ar gyfer y prawf hwn heblaw am roi digon o ymarfer i'r dysgwyr. Ceir dau ddarn yn yr arholiad – darn darllen sydd fel arfer yn addasiad o erthygl o gylchgrawn neu bapur newydd Cymraeg, a hysbyseb.

Y Prawf Gwrando a Deall

Dau ddarn a geir yn y prawf hwn hefyd – cyfweliad neu sgwrs, a deg o benawdau newyddion. Ar yr olwg gyntaf, mae'r sgwrs yn ymddangos yn haws na'r penawdau. Fodd bynnag, mae modd ymarfer ar gyfer y penawdau'n haws gan fod y fformiwla'n debyg bob blwyddyn. Byddaf bob amser yn rhoi rhestr o eiriau i ymgeiswyr eu dysgu – ni fydd pob un o'r geiriau'n codi bob blwyddyn ond gellwch sicrhau y bydd rhai ohonynt yn y bwletin. Hon yw'r rhestr fer byddaf yn ei rhoi:

llys ynadon, llys y goron, achos, tyst, carchar, carcharu, rhyddhau, cyhuddo, ar gyhuddiad o, parhau.

Cynulliad, Aelod Cynulliad, Prif Weinidog, arweinydd, Ysgrifennydd Gwladol Cymru, Arlywydd, cynhadledd i'r wasg, llywodraeth, llefarydd, diweithdra, gwariant.

mewn gwrthdrawiad â, daethpwyd o hyd i.

triniaeth, digwyddiad, dod i law.

anafu, saethu, ffrwydrad, ymchwilio.

gêm gyfartal, ar y blaen, terfynol.

cilio, lledu, ledled, tymheredd, mwyn.

Y Tâp Dewis Arbennig

Hwn yw'r tâp y mae'n rhaid ei baratoi cyn dyddiad yr arholiad, sef sgwrs bum munud ar dâp gydag unrhyw siaradwr rhugl heblaw'r tiwtor. Y syniad y tu ôl i hyn yw gorfodi'r dysgwyr i siarad Cymraeg y tu allan i'r dosbarth. Gofynnir iddynt arwain y sgwrs gan y bydd y cyfwelydd yn arwain ar ddiwrnod yr arholiad. Y rhai sy'n cael y marciau gorau yw'r rheiny sy'n trafod rhyw bwnc neu'i gilydd. Nid oes gwahaniaeth beth yw'r pwnc – mae unrhyw bwnc yn fwy diddorol na gofyn i bobl beth yw eu henwau, o ble maen nhw'n dod, ble maen nhw'n byw ac ati. Mae hyn yn arbennig o wir pan fydd yr holwr/aig yn gwybod yr atebion i'r cwestiynau hyn yn barod.

Ymwneud â phethau bywyd pob dydd ar y cyfan mae Arholiad Defnyddio'r Gymraeg. Mae ei sefyll a'i basio megis man cychwyn i'r rheiny sydd am ddod yn siaradwyr rhugl ac mae eu llwyddiant yn yr arholiad hwn yn aml yn sbardun iddynt fynd yn eu blaenau i sefyll arholiad Safon Uwch.

Arholiad Safon Uwch/Defnyddio'r Gymraeg Uwch

Mae hwn, hyd yn hyn, yn ddilyniant i Defnyddio'r Gymraeg o fewn cyfundrefn arholi ffurfiol CBAC, sef cymhwyster safon uwch cyflawn o'r enw Defnyddio'r Gymraeg Uwch. Unwaith eto, disgwylir newid. Mae penderfyniadau gan lywodraeth ganolog wedi effeithio ar faes Cymraeg i Oedolion. Ym mis Mawrth 1996 cyhoeddwyd Adroddiad Dearing, sef arolwg o gymwysterau 16-19 oed ac ymhlith ei 198 o argymhellion yr oedd rhai a oedd yn ymwneud â chywmysterau safon uwch. Ei brif argymhelliad mewn perthynas â safon uwch oedd bod yn rhaid wrth arholiad Uwch Gyfrannol i gyd-fynd â phob maes llafur safon uwch. Golyga hyn asesiad a fydd yn unol â'r hyn a ddisgwylir gan fyfyrwyr sydd hanner ffordd trwy gwrs safon uwch llawn. Gellid bod wedi cydymffurfio â'r gofyniad hwn ac un o'r argymhellion eraill fu'r hoelen olaf yn arch cymhwyster safon uwch i oedolion. O ganlyniad i'r arolwg, bwriedir y bydd meysydd llafur y gwahanol fyrddau arholi yn dod yn llawer mwy unffurf.

Yn sgil hyn mae'r llywodraeth wedi awgrymu na ddylid caniatáu mwy nag un maes llafur ar draws Cymru, Lloegr a Gogledd Iwerddon ar gyfer unrhyw bwnc lle ceir llai na 10,000 o ymgeiswyr yn flynyddol. Nid oes angen dweud bod Cymraeg ail iaith yn y categori hwn. Oherwydd hyn, mae Awdurdod Cwricwlwm ac Asesu Cymru (ACAC), sef y corff yng Nghymru sy'n sicrhau y diwygir yr holl feysydd llafur, yn anfodlon cymeradwyo un maes llafur i ddisgyblion ysgol ac un arall i oedolion.

Daethpwyd â'r ddwy garfan (yr athrawon ysgol a'r tiwtoriaid oedolion) ynghyd mewn cyfres o gyfarfodydd i geisio cael cyfaddawd a llunio maes llafur a fyddai'n bodloni'r ddwy ochr. Fodd bynnag, oherwydd y pwyslais ar astudio llenyddiaeth yn yr ysgol, ac oherwydd y pwyslais ar brojectau ymarferol ac arfogi'r oedolion i fyw mewn cymdeithas Gymraeg, bu'n amhosibl cael cyfaddawd boddhaol. Ni wyddys eto beth a ddaw yn lle Defnyddio'r Gymraeg Uwch fel cymhwyster ar gyfer dysgwyr safon 6 o fewn cyfundrefn Cymraeg i Oedolion.

Un o'r elfennau yn yr arholiad sy'n sicrhau bod y dysgwyr yn gorfod defnyddio'r Gymraeg y tu allan i'r ystafell ddosbarth yw'r ffolio a baratoir gan yr ymgeiswyr cyn dyddiad yr arholiad ac a drafodir yn ystod yr arholiad. Mae'r ffolio'n cynnwys sgwrs ddeng munud yr un gyda thri o siaradwyr rhugl nad ydynt yn diwtoriaid Cymraeg a pharatoi project arbennig. Cynigir project llenyddol a phroject ymarferol, ac mae'r rhan fwyaf o ddysgwyr yn dewis project ymarferol. Golyga hyn eu bod yn rhoi o'u hamser a'u talentau i gynorthwyo mudiad Cymraeg neu fod yn aelod o glwb neu gymdeithas sy'n gweithredu trwy gyfrwng y Gymraeg. Yr hyn sy'n bwysig yw eu bod yng nghanol awyrgylch lle defnyddir y Gymraeg fel iaith gyntaf ac iaith naturiol y cyfathrebu am ugain awr. Rhestrir isod y mathau o brojectau y mae'r dysgwyr yn ymgymryd â hwy:

cynorthwyo mewn cylch meithrin neu ysgol Gymraeg
canu mewn côr Cymraeg
gweithio y tu ôl i'r bar mewn clwb Cymraeg
cerdded gyda Chymdeithas Edward Llwyd
gweithio mewn swyddfeydd lle defnyddir y Gymraeg
cynorthwyo gyda mudiadau megis Mentrau Iaith
gweithio i gwmnïau teledu
hyfforddi i fod yn diwtor Cymraeg i Oedolion
gweithio mewn siop Gymraeg
helpu gyda'r papur bro
stiwardio yn yr Eisteddfod Genedlaethol
trefnu mynd i weithio mewn ardaloedd neu swyddfeydd Cymraeg

Yn aml iawn, gweithreda'r project fel sbardun ac mae'r dysgwyr yn parhau i gynorthwyo yn yr ysgol neu fynychu'r gymdeithas.

Yr elfennau eraill yn y ffolio sy'n gwneud yn siŵr bod y dysgwyr yn dod yn rhan o'r byd Cymraeg yw gorfod ymateb i raglen deledu neu radio Cymraeg ac ysgrifennu paragraffau cefndir ar sefydliadau, mudiadau neu bobl o bwys yn y Gymru gyfoes.

Dilyna elfennau'r arholiad ei hun yr un trywydd. Yn y papur Darllen a Deall ceir un darn ffuglen ac un darn ffeithiol – darnau dilys o nofelau a chylchgronau Cymraeg. Mae hyn fel arfer yn sbardun i rai o'r ymgeiswyr o leiaf danysgrifio i rai o'n cylchgronau Cymraeg. Yn yr un modd, yn y Prawf Gwylio a Gwrando a Deall, ceir un darn wedi'i godi o'r radio a darn arall wedi'i gymryd o raglen deledu Gymraeg ac felly mae'r papur hwn hefyd yn sbarduno pobl i wrando ar Radio Cymru a gwylio S4C.

Yn wahanol i arholiad Defnyddio'r Gymraeg, gofynna'r arholiad uwch i'r ymgeiswyr drafod pob math o bynciau, ar lafar ac yn ysgrifenedig. Mae'r prawf llafar ei hun yn para tri chwarter awr pan drafodir ystod eang o bynciau.

Er bod dosbarthiadau safon uwch yn gryn dipyn o waith paratoi i'r tiwtor, maent gan amlaf yn bleser eu dysgu ac yn gofyn am lawer llai o egni yn yr ystafell ddosbarth na chwrs i ddechreuwyr. Rhaid cael cyfuniad o waith llafar sy'n atgyfnerthu'r patrymau sylfaenol ac yn cyfoethogi iaith, a hefyd waith sy'n arwain at siarad rhydd, trafod a dadlau. Mae rhoi sylw i gywirdeb iaith yn bwysig os yw pobl am wneud yn dda yn yr ochr ysgrifenedig ac am fynd yn eu blaenau i astudio'r Gymraeg ymhellach neu weithio trwy gyfrwng y Gymraeg. Yr elfen arall mae'n rhaid ei chael yw'r cyfle i ddatblygu sgiliau gwrando – sgìl a all fod yn anos na'r un, yn enwedig i'r dysgwyr mewn ardaloedd di-Gymraeg nad ydynt yn clywed y Gymraeg o'u cwmpas.

Hyd yn hyn, soniwyd am y Cynlluniau Achredu ac Arholi sydd ar waith o fewn y dosbarthiadau i'r cyhoedd o fewn y gyfundrefn dysgu Cymraeg i Oedolion. I gloi, rhaid rhoi sylw i ddatblygiad arall ym maes profi perfformiad, sef Unedau Iaith CGC (Cymwysterau Galwedigaethol Cenedlaethol) sy'n cael eu gweithredu mewn gweithleoedd.

Unedau Iaith CGC (Cymwysterau Galwedigaethol Cenedlaethol)

Cyhoeddodd y Corff Arwain ar Ieithoedd y Safonau Iaith Cenedlaethol ym mis Mai 1993. Fel ym mhob maes galwedigaethol, y drefn yw bod Corff Arwain yn cyhoeddi safonau ac yna mae byrddau arholi yn creu cynlluniau gwaith ac asesu sy'n cyd-fynd â'r safonau cenedlaethol. Nid yw iaith yn alwedigaeth ac felly nid yw'n bosibl ennill Cymhwyster Galwedigaethol Cenedlaethol llawn mewn iaith. Ond mae'n bosibl ennill unedau annibynnol naill ai i gyd-fynd â chymhwyster galwedigaethol mewn maes arall neu i sefyll ar eu pennau eu hunain fel unedau annibynnol.

Fel gydag unedau Rhwydwaith y Coleg Agored, rhennir y sgiliau dysgu iaith (siarad, gwrando, darllen ac ysgrifennu) yn unedau gwahanol. Y gwahaniaeth rhwng unedau'r Coleg Agored a'r safonau iaith yw bod y safonau iaith wedi'u creu yn benodol ar gyfer y gweithle ac un o'r egwyddorion pwysicaf yw bod yr asesu'n digwydd trwy berfformiad naturiol yn y gweithle, h.y. caiff yr ymgeisydd gyfle i roi ar waith yr hyn a wneir yn yr ystafell ddosbarth wrth ei waith. Dylai hyn gyfeirio natur y dysgu ei hun gan sicrhau bod y gwersi yn berthnasol i waith aelodau'r dosbarth.

Yn egwyddorol, mae hyn yn swnio'n ddelfrydol ond mae nifer o broblemau yn gallu codi. Yn gyntaf, nid yw pawb sy'n dysgu Cymraeg yn cael y cyfle i ddefnyddio'r Gymraeg yn y gwaith. Yn ail, er bod pobl yn gweithio i'r un cyflogwr, megis cyngor lleol, gall eu swyddi a'u holl amodau gwaith amrywio'n enfawr, sy'n ei gwneud yn anodd i'r tiwtor sicrhau bod y gwaith i gyd yn berthnasol i bawb yn y dosbarth drwy'r adeg.

Fodd bynnag, mae modd goresgyn problemau os bydd yn golygu budd i'r dysgwyr. O safbwynt diffyg cyfle i berfformio'n naturiol, mae'n bosibl creu efelychiadau. Gall hyn olygu cryn dipyn o waith i'r asesydd gan fod angen creu efelychiad sy'n berthnasol i fyd gwaith yr ymgeisydd. Yr hyn y mae ei angen ar bob asesydd yw stoc o efelychiadau y gellir amrywio eu cynnwys manwl yn ôl swydd yr ymgeisydd. Ceir enghraifft isod o dasg a luniwyd ar gyfer osteopath a oedd yn awyddus i ddysgu termau perthnasol i'w gwaith er mwyn ceisio denu cwsmeriaid Cymraeg. Ond gellir newid y dasg hon yn hawdd iawn ar gyfer unrhyw swydd:

Taflen yr Ymgeisydd

Bob prynhawn dydd Gwener dych chi'n trafod eich dyddiadur *(diary)* gyda'r swyddog gweinyddol. Ro'ch chi'n rhy brysur dydd Gwener diwethaf, felly rhaid i chi ffonio'r swyddog gweinyddol yn y tŷ. Dych chi'n gwybod am rai o'ch apwyntiadau ddydd Llun a ddydd Mawrth ond bydd rhaid i chi ofyn i'r swyddog gweinyddol am rai eraill. Os dych chi ddim yn gwybod beth dych chi'n wneud, ysgrifennwch e yn Gymraeg ar ôl i'r swyddog gweinyddol ddweud wrthoch chi. Os dych chi'n gwybod beth dych chi'n wneud, dwedwch – yn Gymraeg.

Dydd Llun

bore   free

2pm   _____

3pm   _____

3.45pm   Visit Siân Jones at her home in 6 Thomas St, Trehafod

7.30pm   Speak to a Womens Group in Porth about osteopathy

Dydd Mawrth

9am   _____

10.45am   _____

11.30am   Visit the hospital in Llantrisant to see a client

12.45pm   Meet a friend for lunch

2.30pm   _____

3.30pm   _____

4pm   Home visit – a new client in Tonypandy – 33 Prichard St

Taflen yr asesydd

Mae'r ymgeisydd yn gweithio fel osteopath a chi yw'r swyddog gweinyddol. Bob prynhawn dydd Gwener, byddwch chi'n trafod dyddiadur yr wythnos ddilynol. Yr wythnos diwethaf, roedd hi mor brysur na chawsoch chi amser i drafod y dyddiadur ac felly mae'n rhaid i'r ymgeisydd eich ffonio gartref i drafod apwyntiadau ddydd Llun a ddydd Mawrth. Mae'r ymgeisydd yn gwybod beth bydd yn ei wneud ar rai adegau a bydd yn dweud wrthoch ond bydd bylchau yn ei dyddiadur a bydd yn gofyn i chi beth mae i fod i'w wneud ar yr adegau hynny.

Dydd Llun

bore   _____

2pm   Gweld Mrs Catherine Williams – cleient newydd

3pm   Ffonio David Jenkins i siarad am y cyfarfod i osteopaths De Cymru yn Abertawe y mis nesaf

3.45pm   _____

7.30pm   _____

Dydd Mawrth

9am   Galw i weld Jac Williams, Graigwen, ar y ffordd i'r gwaith

10.45am   Gweld merch ysgol sy eisiau triniaeth ar ôl cwympo'n chwarae hoci

11.30am   _____

12.45pm   _____

2.30pm   Gweld Phil Smith sy'n chwarae rygbi i Gymru

3.30pm   Mrs Harris, cleient newydd, yn dod am sgwrs

4pm   _____

O ran amserau'r ferf, cyfyngir y sgwrs i'r amser presennol.

155

Fel y gwelir uchod, pwysleisir ar gyfer lefel 1 bod angen i'r ymgeiswyr fedru delio â phethau pob dydd rhagweladwy yn unig. Gofynna lefel 2 am ymdrin â phethau rheolaidd a lefel 3 am ymdrin â thasgau gwaith amrywiol. Mae'r rhaniad yma hefyd yn gallu creu rhai problemau ym maes asesu dilys. Os bydd rhywun yn gwneud cymhwyster galwedigaethol, mae'n gwneud y lefel sy'n berthnasol i'w gwaith neu i'w waith (ceir pum lefel o fewn y fframwaith galwedigaethol.) Fodd bynnag, wrth ddysgu iaith, mae rhywun yn dysgu sgìl atodol. Gallai'r person fod yn rheolwr a fyddai'n cyfateb yn alwedigaethol i lefel 5 ond yn ieithyddol i lefel 1. Mae'n debygol mai ychydig iawn o waith y person hwn sy'n rhagweladwy ac eto ymdrin â materion rhagweladwy yw'r gofyniad ar lefel 1 yn y safonau iaith. Y cyfan y gellir ei wneud o dan yr amgylchiadau hyn yw creu tasgau mor realistig â phosibl.

Pan fydd ymgeiswyr yn gweithio mewn gweithleoedd lle defnyddir y Gymraeg yn rheolaidd, mae'n bwysig ceisio bodloni rhai o'r meini prawf mewn uned trwy berfformiad naturiol. Ni fydd yr asesydd yn gallu bod yn bresennol ar hyd yr adeg yn y gweithle gyda'r ymgeisydd, felly mae'n rhaid i'r ymgeisydd gofnodi pryd defnyddir y Gymraeg, (mae hyn yn hawdd os bydd yr ymgeisydd yn gwneud uned ysgrifennu neu ddarllen gan ei bod yn bosibl cyflwyno'r dystiolaeth) a sut. Dewis arall yw bod gan yr ymgeisydd fentor sy'n deall yn union beth yw gofynion yr unedau mae'r ymgeisydd yn gweithio tuag atynt ac yn gallu tystio bod yr ymgeisydd wedi cyflawni rhai o'r meini prawf trwy berfformiad naturiol.

Nid oes dim dwywaith bod mwy a mwy o alw am gyrsiau Cymraeg yn y gweithle. Mae yna rai cyflogwyr sydd am i'w staff gael y cyfle i ddysgu Cymraeg at ddibenion cymdeithasol yn unig ac nid ydynt am roi pwysau ychwanegol arnynt mewn unrhyw ffordd. Ar yr un pryd, mae nifer cynyddol sy'n gorfod cydymdffurfio â gofynion y Ddeddf Iaith a'u cynlluniau iaith hwy eu hunain ac sy'n edrych am dargedau mesuradwy. Mae'r unedau iaith cenedlaethol yn sicr yn un ffordd o brofi perfformiad.

Ond i'r cynllun weithio'n iawn dylid cael cefnogaeth pawb sy'n gweithio o fewn y sefydliad, (yn enwedig y siaradwyr Cymraeg) ac nid y dysgwyr yn unig. Bydd yn rhaid i bob ymgeisydd, mewn ymgynghoriad â'r tiwtor neu'r asesydd, roi portffolio at ei gilydd a ddylai yn ddelfrydol fod yn cofnodi tystiolaeth o berfformiad naturiol gydag ychydig o efelychiadau wedi'u creu i sicrhau bod pob un o'r meini prawf wedi'u bodloni. Y realiti mewn llawer o weithleoedd yw mai portffolio cyfan o efelychiadau a geir, ond bod y rheiny o leiaf yn berthnasol i waith yr ymgeisydd. Os yw cyflogwr o ddifrif ynglŷn â gweithredu'r cymwysterau hyn, gall fod yn gyfle i Gymreigio'r gweithle ar yr un pryd, e.e. trwy greu dogfennau a ffurflenni dwyieithog at ddibenion gwaith mewnol. Y pwynt arall mae'n rhaid ei gofio yw ei bod yn debygol iawn y bydd dilyn y cynllun asesu hwn yn ddrutach nag unrhyw un o'r lleill a amlinellwyd oherwydd bod yn rhaid cael portffolio unigryw ar gyfer pob ymgeisydd, neu glwstwr o ymgeiswyr sy'n gwneud yr un gwaith.

Casgliadau

Erbyn hyn mae digon o ddulliau o brofi perfformiad ar ffurf ennill tystysgrifau i gwrdd â gofynion pob dysgwr. Ychydig iawn o ddysgwyr sy'n dysgu o fewn y sefydliadau addysg na fydd yn cael tystysgrif y Coleg Agored. Mantais y cymwysterau hyn yw eu bod mor anffurfiol i'r dysgwyr eu hunain ac nid oes rhaid mynd trwy broses asesu boenus i ennill y dystysgrif. Y cyfan y mae'n rhaid ei wneud yw tasgau yn y dosbarth sy'n debyg iawn i unrhyw weithgaredd arall ac mae'r dysgwyr yn derbyn cydnabyddiaeth am eu cyflawniad. Mae'n ffordd ardderchog o godi hyder dysgwyr ac o annog pobl i fynd ymlaen â'u Cymraeg, ac efallai meddwl am un o'r arholiadau ffurfiol. Ac mae'r arholiadau hyn yn dal i fod yn dipyn o ffefryn ymhlith tiwtoriaid Cymraeg – maent yn darparu ffocws i anelu ato ac yn aml yn golygu newid agwedd yn y dysgwyr oherwydd eu bod yn paratoi at arholiad. Hyderir y bydd unrhyw arholiadau newydd a ddarperir yr un mor berthnasol ar gyfer oedolion sy'n dysgu'r Gymraeg yng Nghymru â'r ddau y cyfeirir atynt yn y bennod hon. Yn olaf, i'r rheiny sydd yn dysgu er mwyn gweithio trwy gyfrwng y Gymraeg, mae'r unedau iaith galwedigaethol yn opsiwn y dylid ei ystyried er mwyn sicrhau bod y dysgu, yn ogystal â'r asesu, yn berthnasol i'r gweithle.

Beth bynnag bo'r cymhwyster yr anelir ato, rhaid i ni i gyd ochel rhag gwneud y cymhwyster yn nod ynddo'i hun. Dylai'r cymhwyster fod yno i sbarduno'r dysgwyr yn eu blaen i wneud cynnydd yn yr iaith at ba ddefnydd bynnag y maent yn ei ddymuno.

Caerdydd   HELEN PROSSER

Atodiad

DECHRAU	Ble dych chi'n byw?	Ble dych chi'n dysgu Cymraeg?	Dych chi wedi darllen llyfr Cymraeg?	Dych c brio
	1	**2**	**3**	**4**
Beth yw'ch diddordebau chi?	Ble aethoch chi ar eich gwyliau y llynedd?	Oes rhywun yn eich teulu sy'n siarad Cymraeg?	Pam dych chi wedi dewis byw yn . . . ?	Beth oed swydd g
19	**18**	**17**	**16**	**15**
Ble dych chi'n mynd yfory?	Beth yw enw'ch gŵr/gwraig?	Ble dych chi'n gweithio?	O ble dych chi'n dod yn wreiddiol?	Dych ch darllen Cymra
20	**21**	**22**	**23**	**24**
Dych chi wedi cael gwyliau eleni?	Dych chi'n hoffi siarad ar y ffôn?	Dych chi'n darllen papurau Cymraeg o gwbl?	Oes plant gyda chi?	Oes uch gyda c gwb
30	**31**	**32**	**33**	**34**
Dych chi'n nerfus mewn arholiad?	Dych chi'n briod?	Ble dych chi'n mynd ar eich gwyliau nesaf?	Disgrifiwch eich tŷ	Disgrif eich a
49	**48**	**47**	**46**	**45**
Pwy yw'ch hoff actor chi?	Ble dych chi'n dysgu Cymraeg?	Dych chi wedi darllen llyfr Cymraeg?	Beth yw'ch hoff raglen deledu?	Dych c edrych a weithi
50	**51**	**52**	**53**	**54**
Oes uchelgais gyda chi?	Pa fath o bobl dych chi ddim yn hoffi?	Ble dych chi'n byw?	Oes rhywun yn eich teulu sy'n siarad Cymraeg?	Dych c gweith
60	**61**	**62**	**63**	**64**

yd dych hoffi?	Beth yw'ch gwaith chi? 6	Disgrifiwch eich ardal 7	Ble dych chi'n mynd ar eich gwyliau nesaf? 8	Dych chi wedi gweld *Lingo Newydd*? 9	
ddordeb ig gyda hi?	Dych chi'n edrych ar S4C weithiau? 13	O ble dych chi'n dod yn wreiddiol? 12	Oes plant gyda chi? 11	Ble aethoch chi dydd Sadwrn diwethaf? 10	
h o bobl chi'n ffi?	Ble dych chi'n byw? 26	Dych chi'n mynd allan gyda'r nos? 27	Pa lyfr ddarllenoch chi ddiwetha? 28	Beth yw'ch hoff raglen radio? 29	
chi'n i eich aith?	Ble dych chi'n mynd yfory? 36	Beth yw'ch diddordebau chi? 37	Pa fwyd dych chi'n hoffi? 38	Oes wyrion gyda chi? 39	
yd dych hoffi?	Ble aethoch chi ar eich gwyliau y llynedd? 43	Oes car gyda chi? 42	Dych chi'n hoffi mynd allan gyda'r nos? 41	Dych chi'n gwrando ar Radio Cymru weithiau? 40	
lych chi ewis byw . . . ?	O ble dych chi'n dod yn wreiddiol? 56	Dych chi wedi darllen llyfr Cymraeg? 57	Dych chi wedi cael gwyliau eto eleni? 58	Ydy'ch teulu chi'n siarad Cymraeg? 59	
v'ch hoff ores?	Beth yw'ch diddordebau chi? 66	Ble dych chi'n mynd dydd Sadwrn? 67	Oes plant gyda chi? 68	DIWEDD	

Y DOSBARTH A'R GYMDEITHAS

Pe gofynnid i rywun ddiffinio beth yn union yw'r iaith Gymraeg, neu unrhyw iaith arall o ran hynny, byddai'n dipyn o dasg gan nad rhywbeth unffurf, digyfnewid mohono. Mae iaith yn newid ar draws y diriogaeth y perthyn iddi gan ymrannu'n dafodieithoedd ac mae gan bob siaradwr unigol amrywiol gyweiriau iaith at ei alw. Ceir wedyn amrywiadau sy'n codi o wahaniaethau rhwng unigolion a'i gilydd. Gall y rhain ddeillio o nam ar y lleferydd, megis atal dweud neu anallu i ynganu 'r', o dôn anarferol y llais neu o'r ffaith fod mamiaith siaradwr yn dylanwadu'n drwm ar ei ail iaith. O bryd i'w gilydd, bydd pob un o'r achosion hyn yn peri anhawster i siaradwyr brodorol ac, yn sicr, gallant hefyd fod yn faen tramgwydd i'r dysgwr.

Bydd tafodiaith yn dweud wrthym o ble mae siaradwr yn dod. Y cliwiau a gawn wrth geisio ei leoli yw'r geiriau, cystrawennau, idiomau a seiniau arbennig a ddefnyddir. Mae'r modd y bydd rhywun yn ynganu 'u', er enghraifft, yn dweud wrthym a ydyw'n dod o'r gogledd neu'r de a bydd y ffordd yr yngenir geiriau fel 'oen' ac 'oes' gan bobl gogledd Penfro a de Ceredigion yn bradychu eu cynefin. Gall y defnydd a wneir o eiriau megis, 'losin', 'fferins', 'da-da', 'pethau da' a 'taffis' ddweud wrthym yn fras o ble mae rhywun yn dod yn yr un modd ag y gall cystrawen megis 'ddaru iddo' neu 'mynd acha beic'. Bydd siaradwr brodorol yn etifeddu tafodiaith gan y gymdeithas y perthyn iddi ond wrth i'w brofiad ieithyddol ymgyfoethogi, daw i ddeall yn raddol nodweddion unigryw tafodieithoedd eraill. Er na fydd brodor o'r de yn defnyddio geiriau fel 'rŵan', 'llwynog' neu 'taid' ac ymadroddion fel 'wsti be' neu 'hidia befo', bydd fel arfer yn eu deall.

Fodd bynnag, pan nad oes unrhyw gyswllt rhwng siaradwyr gwahanol dafodieithoedd a'i gilydd, gall y broses o gyd-ddeall fod yn fwy anodd. A dweud hynny, erbyn hyn mae symudoledd pobl, effaith addysg a dylanwad cynyddol y cyfryngau torfol wedi dod â siaradwyr llawer o ieithoedd yn nes at ei gilydd. Yn lle pwysleisio'r gwahaniaethau, gwerthfawrogir fwyfwy yr elfennau cyffredin sy'n uno tafodieithoedd. Er bod gwahaniaethau mawr rhwng Saesneg bugail o Swydd Efrog a physgotwr o Gernyw, nid oes neb yn amau nad ydynt yn siarad yr un iaith. Yn wir, yn ystod yr ugeinfed ganrif mae'r dylanwadau a nodwyd uchod wedi glastwreiddio tafodieithoedd pob gwlad.

Os oes amrywiaeth o ran tafodiaith, rhaid cydnabod hefyd ein bod yn meddu ar wahanol gyweiriau iaith a ddefnyddir yn ôl y sefyllfaoedd y cawn ein hunain ynddynt. Bydd yr iaith a ddefnyddiwn wrth siarad â phlant yn dra gwahanol i'r hyn a arferwn wrth annerch yn gyhoeddus. Bydd iaith y gweinidog yn y pulpud yn hollol wahanol i'r hyn a ddefnyddia wrth sgwrsio â'i wraig wrth y bwrdd brecwast. Ond mae iaith sgwrs anffurfiol, darlith neu fwletin newyddion i gyd yn rhan annatod o'r cyfangorff a alwn yn iaith Gymraeg.

O'r hyn a ddywedwyd, felly, gwelir bod cryn dasg yn wynebu'r dysgwr wrth iddo ymgodymu â'r holl amrywebau hyn, yn dafodieithoedd, idiolectau a chyweiriau. Dylai fod yr un mor amlwg i'r tiwtor na all ef neu hi gyflwyno holl amrywiaeth yr iaith o fewn cyfyngiadau amlwg y dosbarth. Nid oes modd i un person gwmpasu crynswth y sefyllfaoedd a geir o fewn unrhyw iaith nac ychwaith yr holl amrywiadau llafar posibl. O dderbyn, felly, mai ffenomen gymdeithasol yw iaith yn y bôn, rhaid derbyn hefyd fod angen holl adnoddau'r gymdeithas y tu allan i'r dosbarth i'w chyflwyno'n effeithiol yn ei chyfanrwydd i'r dysgwr.

Cyn trafod hyn ymhellach, rhaid son am un nodwedd sy'n arbennig i ieithoedd lleiafrifol sy'n cymhlethu tasg y tiwtor a'r dysgwr fel ei gilydd. O dan amgylchiadau normal bydd iaith yn treiddio i bob twll a chornel o'r gymdeithas sy'n ei defnyddio. Mewn tref neu bentref yn Ffrainc, Sbaen neu Loegr, gellir disgwyl y bydd pawb, fwy neu lai, yn siarad ac yn deall iaith y wlad ac yn ei defnyddio i gyflenwi eu holl anghenion beunyddiol. Nid yw hyn yn wir am ieithoedd fel Llydaweg, Basgeg, Gaeleg neu'r Gymraeg. Yn un peth, nid yw pawb sy'n Llydawr, yn Fasgiad, yn Gael neu'n Gymro'n siarad yr iaith frodorol. Yn ail, gall person dwyieithog newid ei iaith yn ôl y sefyllfa a'r cwmni. Yn drydydd, nid oes modd i unrhyw un fod yn siŵr pwy sy'n medru'r iaith ai peidio. Ar ben hyn oll, bydd pawb yn y wlad yn gallu siarad yr iaith fwyafrifol sef Ffrangeg, Sbaeneg neu Saesneg yn yr enghreifftiau a nodwyd. Oherwydd hyn, y peth arferol i'w wneud mewn cyfyngder yw troi at brif iaith y wlad, ond nid yw hyn o unrhyw gymorth i'r sawl sydd am ddysgu'r iaith leiafrifol. Pan nad oes cyfle i ddefnyddio iaith yn naturiol o fewn y gymdeithas, rhaid i'r athro greu'r cyfle hwnnw.

Mae pawb sydd wedi dysgu ail iaith yn gwybod pa mor bwysig yw cael eich gorfodi i fynegi eich hun yn yr iaith honno. Dan bwysau o'r fath, daw geiriau, ymadroddion a chystrawennau i'r wyneb o grombil y cof, er nad yw'r siaradwr yn ymwybodol eu bod yno, ac o orfod cyfathrebu â siaradwr uniaith, mae'n syndod y defnydd y gall dysgwr ei wneud o'r adnoddau ieithyddol prin sydd ganddo. Mae gorfodaeth yn elfen bwysig wrth ddysgu iaith ac os nad yw'r orfodaeth honno ar gael yn naturiol yn y gymdeithas, rhaid sicrhau ei bod yn rhan hanfodol o athroniaeth a methodoleg yr ystafell ddosbarth.

Un o'r dulliau gorau o ddwyn pwysau o'r fath ar ddysgwyr yw trefnu eu bod yn treulio penwythnos neu fwy yng nghwmni ei gilydd ynghyd â'r tiwtor. Mae canolfannau megis Glan Llyn, Nant Gwrtheyrn a Llangrannog yn ddelfrydol oherwydd bod modd cyfuno gwaith ac adloniant drwy gyfrwng y Gymraeg. Gwneud popeth yn Gymraeg yw'r nod ar yr achlysuron hyn ac mae llawer o bobl yn fy mhrofiad i yn cyfeirio at ymweliadau o'r fath fel trobwynt seicolegol yn eu defnydd o'r iaith. Mae amseru'r ymweliadau hyn yn gywir yn bwysig. Nid oes pwrpas eu trefnu nes bod digon o iaith gan y dysgwyr i ymdopi a rhaid ceisio gwneud hyn yn y cyfnod pan fydd y tiwtoriaid yn pwyso ar y dosbarth i ddefnyddio'r iaith darged drwy'r amser. Mae'n werth sicrhau bod pethau diddorol, deniadol yn digwydd yn ystod y penwythnosau hyn er mwyn cysylltu'r iaith â phrofiadau hwyliog a phleserus a pheri ei bod yn cael ei gweld yn gyfrwng byw bywyd yn llawnach ac yn helaethach.

Er mwyn caffael iaith, rhaid i'r dysgwr dderbyn negesau dealladwy yn yr iaith honno. Yn ôl Stephen Krashen yr ydym yn codi iaith mewn trefn naturiol trwy ddeall mewnbwn sy'n cynnwys cystrawennau a geirfa sydd ychydig y tu hwnt i'n deall presennol.[1] Mae llawer o bethau yn ein galluogi i wneud hyn megis y cyd-destun, ein hamgyffred o'r byd a'r corff o wybodaeth ieithyddol sydd gennym eisoes. Mae'n bwysig felly fod yr athro iaith yn sicrhau bod y dysgwr yn clywed llif cyson o iaith sydd, ar y cyfan, yn ddealladwy ac eto'n

---

[1]Stephen D. Krashen, *The Input Hypothesis: Issues and Implications*, (Llundain, 1985).

162

cynnwys elfennau cystrawennol a geirfaol newydd a fydd yn datblygu ei ddefnydd a'i wybodaeth ohoni. Y gamp yw troedio'r ffin denau rhwng colli diddordeb y dysgwr trwy gynnig gormod o eitemau newydd a pheidio â'i ymestyn trwy ond defnyddio iaith sydd eisoes yn wybyddus iddo.

Camgymeriad yw meddwl y bydd y sgiliau cyfathrebu'n ymddangos yn sydyn ar ôl gorffen unrhyw gwrs ail iaith. Rhaid bod yn ymwybodol ohonynt o'r wers gyntaf un, a dylid dechrau'r broses o ddiddyfnu'r dysgwr o'r funud honno gan ddangos iddo mai pont ddigon simsan i mewn i'r gymdeithas yn unig yw'r dosbarth. Gellir gwneud hyn mewn dwy ffordd, o leiaf. Yn gyntaf, trwy ddod ag aelodau o'r gymdeithas i mewn i'r dosbarth ac yn ail trwy fynd â'r dosbarth i fannau lle y cânt gyfle i ddefnyddio'r iaith.

Y prif reswm dros ddysgu ail iaith yw'r angen i gyfathrebu yn yr iaith honno. Gwelir, felly, pa mor bwysig yw sicrhau bod y dysgwr yn cael cwrdd â Chymry Cymraeg – yn enwedig rhai sy'n rhannu'r un cefndir a'r un diddordebau. Bydd hyn yn effeithio ar ei agwedd at siaradwyr yr iaith, a hynny yn ei dro yn cryfhau ei gymhelliant. Os yw agwedd y dysgwr at siaradwyr yr iaith darged yn ffafriol, bydd am gyfathrachu fwyfwy a hwy, ac ni all hynny ond helpu'r broses o ddysgu.

Os cydnabyddir yn gyffredinol, felly, fod cymhelliant dysgwyr yn ffactor pwysig iawn wrth fesur llwyddiant, nid drwg o beth ar ddechrau cwrs yw sicrhau bod y dosbarth yn cwrdd â phobl sydd wedi llwyddo i ddysgu'r iaith a chael cyfle i gyfranogi o'u profiad, eu brwdfrydedd a'u cyngor. Mae syniad cyffredinol ar led fod ieithoedd lleiafrifol yn arbennig o anodd eu dysgu – syniad a ledaenir yn aml gan siaradwyr prif iaith swyddogol y wladwriaeth. Rhaid dangos o'r dechrau un, felly, mai chwedl wrach yw hon. Yr unig beth sy'n gwneud ieithoedd llai eu defnydd yn fwy anodd nag ieithoedd eraill yw eu diffyg statws, y ffaith fod eu siaradwyr yn medru iaith arall a bod y dysgwr yn gorfod chwilio'n fwriadus am gyfle i'w siarad. Mae cyflwyno dysgwyr llwyddiannus i ddechreuwyr, felly, yn arf pwysig yn y frwydr seicolegol i'w hargyhoeddi bod dysgu'n gwbl bosib. Mae meithrin agwedd bositif at y dasg o'r dechrau yn hanfodol ac yn ystod y blynyddoedd diwethaf gwelodd llawer o diwtoriaid Cymraeg gymaint y gall llwyddiant esgor ar lwyddiant pellach.

Y gymhariaeth orau y gwn i amdani yn y cyswllt hwn yw camp Roger Bannister yn rhedeg milltir mewn pedair munud. Cyn iddo lwyddo ar y noson fythgofiadwy honno yn 1952, ymddangosai'r dasg bron yn amhosibl. Unwaith y llwyddodd, fodd bynnag, gwelwyd llu o rhedwyr eraill yn llwyddo i'w efelychu. Bylchwyd rhyw ffin seicolegol y noson honno yn Rhydychen a gwelwyd ffenomen debyg ym maes dysgu'r Gymraeg yn ail iaith yn ystod y blynyddoedd diwethaf wrth i fwyfwy lwyddo i ddod i'w siarad yn rhugl. Yn ogystal â meithrin hyder yn y dosbarth, gellir defnyddio'r bobl hyn i ddechrau datblygu sgiliau cyfathrebu. Maent yn ddelfrydol at y pwrpas hwnnw gan eu bod, ar y cyfan, yn fwy ymwybodol o'r cyfyngiadau iaith sydd ar y dysgwr newydd nag yw siaradwyr brodorol.

Trwy ganolbwyntio ar y sefyllfaoedd caeth, ailadroddus sy'n nodweddu ein cyfathrach feunyddiol â'n gilydd, gellir defnyddio ymwelwyr â'r dosbarth yn y modd hwn o'r cychwyn cyntaf. Meddylier am yr iaith a ddefnyddir wrth gwrdd â rhywun:

> Bore da / prynhawn da/ noswaith dda!
> Sut dych chi? Da iawn / gweddol / eithaf da, diolch. A chi?
> Mae'n braf / ddiflas/ oer / dwym heddiw.
> Ydy, wir.

Mae'r fformiwla yn eithaf sefydlog a gellir ei defnyddio bron ar unwaith ar ôl drilio'r gwahanol batrymau. Yn yr un modd gellir llunio rhestr o gwestiynau personol:

> Pwy dych chi?
> Ble dych chi'n byw?
> Dych chi'n briod?
> Oes plant 'da chi?
> Faint? Beth yw enw eich mab / merch?

Ar unwaith mae gan y dosbarth rywbeth i'w ofyn ac wrth wneud y pethau syml hyn, byddwch yn tanlinellu'r ffaith mai prif swyddogaeth iaith yw cyfathrebu. Ar yr un pryd, bydd derbyn adborth positif yn dweud wrth y dysgwr yn syth fod y person arall wedi ei ddeall. Mae pob athro da'n ymwybodol o werth Mr, Mrs neu Miss X yn galw heibio a'r cyfle i bob dysgwr eu defnyddio yn ôl ei allu a'i wybodaeth. Ar y dechrau mae cwrdd ag ymwelwyr yn caniatáu i ddysgwyr ymgyfarwyddo â'r weithred o siarad â phobl mewn iaith ddieithr a cheisio deall eu hymateb. Mae hefyd yn gyfle iddynt i ddysgu y gellir cyfathrebu'n effeithiol heb orfod bod yn hollol gywir. Mae ymchwil yn awgrymu y gall personoliaeth allblyg fod o fantais i rai gaffael iaith yn gyflym, ond mae angen llawer o ymarfer siarad o fewn canllawiau cyfyng iawn ar eraill sy'n llai hyderus.

Yn yr un modd, gall ymweliadau â mannau lle y defnyddir yr iaith gan bobl wrth eu gwaith beunyddiol fod yn llesol. Yn un peth, bydd dysgwyr yn gweld ac yn clywed yr iaith ar waith ac yn sylweddoli bod pobl yn ei defnyddio'n naturiol i gyflawni amrywiol swyddogaethau. Yn ail, trwy gynllunio'n ofalus, gellir trefnu bod y dysgwr yn cael cyfle uniongyrchol i'w defnyddio. Yn y de-ddwyrain, byddwn yn cael bod Amgueddfa Sain Ffagan yn lle delfrydol i'w ddefnyddio at y pwrpas hwn – yn enwedig adeg y gaeaf pan na fydd y gofalwyr o dan gymaint o bwysau gwaith. Mantais fawr yr Amgueddfa o safbwynt dysgu iaith yw amrywiol gefndiroedd y staff, sy'n eich galluogi i glywed nifer fawr o dafodieithoedd o fewn cwmpas cymharol gyfyng. Ail fantais yw bod y gofalwyr yn gyfarwydd â siarad â phobl ac yn fwy na pharod i ateb cwestiynau. Wrth drefnu ar gyfer dechreuwyr, gall yr athro baratoi rhestr o gwestiynau cyfyngedig yn ymwneud â gorchwylion gwaith a chefndir personol megis:

Ble dych chi'n byw?
O ble dych chi'n dod yn wreiddiol?
Sut dych chi'n dod i'r gwaith?
Am faint o'r gloch dych chi'n dechrau / gorffen gwaith?
Dych chi'n gweithio bob dydd?
P'un yw eich hoff dŷ?

Wrth grwydro o dŷ i dŷ yr hyn sy'n digwydd mewn gwirionedd yw bod y dysgwr yn ei ddrilio ei hun ac yn ennill hyder trwy ymarfer â phatrymau newydd. Bydd hefyd yn dechrau ymgyfarwyddo â'r man wahaniaethau iaith y cyfeiriwyd atynt ar y dechrau ac yn dod yn ymwybodol o'r ffaith mai ffenomen gymdeithasol yw iaith yn y bôn.

Ar achlysuron o'r fath, rôl yr athro yw cymell y dysgwr, ei atgoffa o'r iaith sydd ganddo a'r defnydd y gall ei wneud ohoni. Mae angen iddo glustfeinio'n ofalus, gan nodi'r anawsterau y bydd rhaid iddo eu trafod yn ôl yn y dosbarth, a chynnig help pan fydd unrhyw un mewn trafferth. Ei nod, fodd bynnag, fydd hybu cyfathrebu yn hytrach na thynnu sylw at wallau. Rhaid bod yn gall wrth gywiro gan ganolbwyntio'n bennaf ar y gwallau sy'n rhwystro cyfathrebu effeithiol yn hytrach na manion iaith. Gwell yw manylu ar un neu ddau o bethau ar y tro yn hytrach na cheisio cywiro popeth.

Yr hyn y ceisir ei danlinellu yw ei bod hi'n bwysig meithrin y defnydd cymdeithasol o'r iaith o'r cychwyn. Nid atodiad i'w ystyried ar ôl meistroli hyn a hyn o eirfa a chystrawennau mohono oherwydd mae'n ymwneud yn gymaint â meithrin agwedd iach at ddefnyddio iaith ag yw â chywirdeb. Yn wir, ar y dechrau, byddwn yn dadlau o blaid hybu'r agwedd hon ar draul cywirdeb os oes rhaid dewis. Gwell yw cyfathrebu'n anghywir na pheidio â chyfathrebu o gwbl, oherwydd wrth gyfathrebu ceir adborth gan siaradwyr Cymraeg a bydd hwnnw yn ei dro yn dylanwadu, er lles gobeithio, ar gywirdeb a derbynioldeb iaith y dysgwr.

Afraid dweud y dylai'r dosbarth Gymraeg droi'n uniaith Gymraeg cyn gynted ag y bo modd. Ni ddylid gwneud hyn trwy ddweud o'r dechrau nad oes hawl defnyddio'r Saesneg. Llawer gwell yw mynnu na ddylid defnyddio Saesneg pan fo modd mynegi'r hyn a ddymunir yn Gymraeg. Gall hyn olygu defnyddio geiriau Saesneg mewn brawddegau Cymraeg ar y dechrau, ynghyd ag ambell frawddeg sy'n gyfangwbl Saesneg, ond gellir derbyn hyn yng nghyfnod y pontio ond bod y nod terfynol yn gwbl glir.

Sylwyd yn barod mai diffyg statws y Gymraeg, y diffyg cyfle a'r diffyg rheidrwydd i'w defnyddio yw'r prif fwganod i'r dysgwr yn y byd mawr oddi allan. Rhaid sicrhau nad ydym yn ailadrodd y diffygion hyn o fewn meicrocosm y dosbarth. Yn llwyddiant yr ysgolion Cymraeg, gwelsom mai dysgu trwy gyfrwng yr iaith yw un o'r dulliau mwyaf effeithiol o'i chaffael. Trwy ennyn diddordeb dysgwr mewn pwnc, symudir y pwyslais o'r cyfrwng i'r neges a bron na ellir dweud y codir yr iaith yn sgil y diddordeb yn y pwnc. Ychydig o bobl sy'n ymddiddori mewn iaith fel y cyfryw ond mae gan bawb ddiddordeb ysol mewn rhyw bwnc neu'i gilydd. Camp yr athro ail iaith yw darganfod y diddordebau hyn a'u defnyddio'n fachau er mwyn datblygu gwybodaeth o'r Gymraeg.

Cwestiwn y mae'n rhaid i bob tiwtor ei ateb wrth baratoi myfyrwyr yw pa iaith y dylid ei dysgu. Pan fydd y dosbarth wedi ei leoli mewn ardal lle y siaredir Cymraeg gan drwch y boblogaeth, mae'n amlwg mai iaith yr ardal a ddysgir. Gofynnir yn aml a ddylid cyflwyno'r ffurfiau sathredig hynny a glywir yn gyson megis, 'joio', 'lico' a 'fflio' a'r geiriau bach Saesneg megis, 'neis,' 'so', 'just', 'off' a 'wel' sydd wedi mynd yn gymaint rhan o'n sgwrs. Gwaith athro iaith, yn fy marn i, yw sicrhau bod dysgwyr yn cyfranogi'n llawn o fywyd yr ardal ac i wneud hyn rhaid iddynt ymgyfarwyddo ag iaith yr ardal yn ei nerth a'i gwendid. Nid dadlau yr wyf na ddylid cyflwyno ffurfiau safonol yn ogystal, ond dweud mai busnes athro iaith yw cydnabod realiti'r sefyllfa ieithyddol o'i gwmpas a pharatoi ei ddosbarth ar ei gyfer. Mewn unrhyw wlad ddwyieithog, derbynioldeb iaith y dysgwr yw un o'r ffactorau allweddol wrth ystyried llwyddiant.

Ond beth am yr ardaloedd hynny lle nad yw'r Gymraeg yn iaith y gymdeithas? Unwaith eto, rhaid parchu arferion ieithyddol traddodiadol yr ardal trwy ddewis ffurfiau sy'n gydnaws â'r arfer honno. Golyga hyn y byddai rhywun o'r de-ddwyrain yn dewis 'cadno' a 'tad-cu' yn lle 'llwynog' a 'taid', tra y byddai dysgwr yn y gogledd – ddwyrain yn dysgu 'rŵan' a 'dau funud' yn lle 'nawr a 'dwy funud'. Dyma'r math o ddewis a wneir gan athrawon wrth gyflwyno'r iaith mewn ardaloedd di-Gymraeg. Eu nod yw sicrhau bod iaith y dysgwr yn dderbyniol o fewn y cylch lle mae'n byw, a bod hynny yn ei dro'n hybu'r broses o gymathu'r dysgwr.

Rhaid i bob dysgwr ddod i adnabod Cymry Cymraeg er mwyn defnyddio'r iaith. Mae adnabod un yn ddigon i ddechrau. Clywais lawer yn dweud pa mor bwysig oedd dod o hyd i berson a oedd â digon o amynedd i ddygymod ag arafwch y brawddegau cyntaf ac yn ddigon call i beidio â thynnu sylw at gamgymeriadau drwy'r amser. Rhywun i wrando ac i ymateb yn Gymraeg gan wybod nad yw troi i'r Saesneg yn help yn y byd i'r sawl a fyn feistroli'r Gymraeg. Yn aml, gall y tiwtor awgrymu person o'r fath ac yn wir, mae'n bwysig cael rhestr o bobl addas y gellir eu defnyddio wrth osod aseiniadau llafar. Gellir seilio'r rhain ar holiaduron syml yn ymwneud â chefndir, diddordebau, teulu, hoff a chas bethau a gwyliau, er enghraifft.

Mae hefyd angen tynnu sylw'r dysgwr at unrhyw weithgareddau sy'n digwydd yn yr ardal drwy gyfrwng y Gymraeg. Pan oedd anghydffurfiaeth yn ei grym, yn ogystal â bod yn ganolfannau crefyddol, yr oedd y capeli yn gadarnleoedd yr iaith, yn amlwg weladwy ac yn cynnig cyfle i bawb i wrando ar iaith lafar safonol ac ymgyfarwyddo â chyfoeth ein hemynau ac iaith gyfoethog yr ysgrythyrau. Nid yw hyn yn gyffredinol wir bellach, er bod llawer o gapeli'n dal yn hyfyw ac yn falch iawn o estyn croeso i wynebau newydd.

Mewn rhai trefi, sefydlwyd clybiau Cymraeg lle y ceir cyfle i gymdeithasu'n anffurfiol a chyfranogi o weithgareddau amrywiol trwy gyfrwng yr iaith. Bu rhai o'r rhain yn llwyddiannus iawn yn y trefi mawr megis Caerdydd ac Abertawe gan gynnig cyfleoedd i ddysgu'r iaith yn ogystal â'i defnyddio mewn sefyllfaoedd pleserus ac ystyrlon. Un o fanteision y mannau hyn yw bod yr awyrgylch yn anffurfiol a gall pobl ymlacio yng nghwmni cyfeillion i drafod pynciau sydd o ddiddordeb cyffredin iddynt. Profodd llawer o ddysgwyr o oedolion fethiant wrth ddilyn y system addysg ac mae ganddynt oherwydd hynny agwedd negyddol tuag at ystafell ddosbarth. Dangosodd ymchwil yn y maes fod diffyg hyder, pryder neu deimlad o fod dan fygythiad yn effeithio ar allu dysgwr i godi iaith. Teimla'n aml mai man lle y dynodir ei wendidau yw'r dosbarth ac mae effaith hyn ar ei berfformiad yn ddeifiol. Dyna paham y gall sesiynau anffurfiol fod mor effeithiol i rai, ac yn sicr, gall pob dysgwr elwa ar brofiadau o'r fath.

Sylweddolwyd hyn gan sylfaenwyr CYD, y mudiad sy'n hyrwyddo'r defnydd o'r Gymraeg. Bellach ceir canghennau ledled Cymru lle y gall dysgwyr gwrdd â'i gilydd a dod i gysylltiad hefyd â Chymry Cymraeg. Fel arfer, bydd y grwpiau hyn yn trefnu rhaglen o gyfarfodydd, yn rhai ffurfiol ac anffurfiol, trwy gydol y flwyddyn, ynghyd â chyrsiau preswyl ar raddfa genedlaethol. Cymwynas fwyaf CYD yw creu cyfle cymdeithasol i ddefnyddio'r iaith a chwarae rhan allweddol yn y broses o gymhathu dysgwyr trwy eu cyflwyno i siaradwyr Cymraeg o fewn ardal arbennig. Mae gan y mudiad swyddogion cyswllt rhanbarthol trwy'r wlad ac mae bwrlwm y gweithgareddau a ddisgrifir yn ei gyhoeddiad, *Cadwyn CYD* yn tystio i'w dyfeisgarwch a'u brwdfrydedd. Dengys gweithgareddau megis cwisiau, teithiau cerdded, nosweithiau i'r teulu, sesiynau canu a chwarae gêmau fod y pwyslais ar addysgu trwy ddiddanu. Cydnabyddwyd pwysigrwydd CYD gan yr wyth consortiwm

Cymraeg i Oedolion sy'n trefnu'r maes yng Nghymru a derbynnir bellach fod y wedd gymdeithasol hon yn gwbl hanfodol i lwyddiant y dosbarthiadau dysgu Cymraeg.

Wrth gwrs, mewn llawer o ardaloedd mae gweithgareddau sy'n digwydd yn gyson ac yn naturiol trwy gyfrwng y Gymraeg, yn gorau, timau rygbi, cymdeithasau diwylliannol, cylchoedd cinio, Merched y Wawr, Clybiau Gwawr, grwpiau dawnsio gwerin ac yn y blaen. Yn aml, nid yw dysgwyr yn ymwybodol o fodolaeth y rhain ac mae'n bwysig bod tiwtoriaid yn tynnu eu sylw atynt. Maent oll yn bont i mewn i'r gymdeithas Gymraeg ac yn gyfle i'r sawl a fyn i ddefnyddio'r iaith i drafod pethau sydd o ddiddordeb iddo.

Un o'r carfannau pwysicaf o ddysgwyr yw'r rhieni ifainc sydd wedi penderfynu rhoi addysg drwy gyfrwng y Gymraeg i'w plant. Yn ogystal â rhoi cymhelliant iddynt feistroli'r iaith, mae gweithgareddau'r Cymdeithasau Rhieni ac Athrawon yn gyfle iddynt i gwrdd â siaradwyr Cymraeg o'r un oedran a defnyddio'r iaith. Efallai y bydd rhai ohonynt wedi manteisio ar gyfleoedd tebyg yn barod wrth i'w plant fynychu un o gylchoedd Mudiad Ysgolion Meithrin (M.Y.M). Mae cynllun y Mudiad, 'Cymraeg i'r Teulu' hefyd yn cynnig cyfle iddynt i ddysgu darllen i'w plant a chodi patrymau a geiriau y gellir eu defnyddio yn y cartref. Bydd cyfle i ddechrau siarad wrth ymwneud ag athrawon a dod i adnabod Cymry'r ardal. Wrth iddynt ennill hyder a dod yn fwy cartrefol yn yr iaith, bydd rhai yn cynnig helpu yn yr ysgol trwy wrando ar blant yn darllen neu gynorthwyo'n gyffredinol yn y dosbarth. Mae hyn yn gyfle iddynt i fod yn sŵn yr iaith a chyfranogi am gyfnod byr o awyrgylch hollol Gymraeg.

Ymhlith y rhieni ifainc hyn, ceir un dosbarth diddorol iawn, sef y rheiny â phartner sy'n siarad Cymraeg. Mae newid iaith arferol cyfathrebu â pherson arall, (yn enwedig rhywun agos) yn dasg anodd, ond gwyddom am ddigon o enghreifftiau o bobl a lwyddodd i wneud hynny. Rhaid wrth benderfyniad ac amynedd o'r ddau du i lwyddo, ynghyd â strategaeth bendant. Un ffordd o fynd ati yw neilltuo amser neu le ar gyfer siarad Cymraeg yn unig. I ddechrau gellid penderfynu defnyddio'r Gymraeg wrth gael brecwast neu ginio neu pan fo'r ddau yn y lolfa neu'r gegin. Wedyn, yn raddol, dylid lledu'r arfer o ran amser a lleoliadau nes bod y Gymraeg yn dod yn brif iaith yr aelwyd. Fel y gwyddom yn achos plant o aelwydydd di-Gymraeg sy'n derbyn

169

eu haddysg drwy gyfrwng yr iaith, mae cysylltu iaith â man arbennig yn ffactor real iawn a gellir defnyddio'r un egwyddor wrth gymreigio'r aelwyd.

Mae cynlluniau gwaith rhai o'r Mentrau Iaith wedi profi gwerth y wedd gymdeithasol ar iaith. Trefnir cynlluniau chwarae adeg gwyliau, er enghraifft, gan gyflogi pobl ifainc yn drefnyddion-oruchwylwyr a gweld bod gorfod defnyddio'r Gymraeg yn feunyddiol yn cryfau eu gafael ar yr iaith a'u hawydd i'w defnyddio. Yn yr un modd, cafwyd bod gosod athrawon sy'n dysgu'r iaith am gyfnodau mewn ysgolion Cymraeg yn cael yr un effaith gan eu bod yn defnyddio'r Gymraeg, nid yn unig mewn sefyllfa ffurfiol y dosbarth, ond yn sefyllfa gymdeithasol anffurfiol yr ystafell athrawon.

Wrth drefnu cyrsiau 'Cymraeg yn y Gweithle' felly, mae gosod dysgwyr mewn sefyllfaoedd gwaith cyfrwng Cymraeg yn bwysig iawn ac os oes cyfle i'r dysgwr cyffredinol gyflawni unrhyw ddyletswyddau o dan amodau tebyg, bydd yn llesol i'w iaith. Un ffynhonnell o waith gwirfoddol ledled Cymru yw'r papurau bro. Wrth eu cynhyrchu cyflenwir amrywiaeth o dasgau drwy gyfrwng y Gymraeg, o gasglu newyddion a phlygu papurau hyd at eu dosbarthu. Ym mhob un o'r rhain rhaid ymwneud â Chymry Cymraeg a rhoddant gyfle digymar i'r newyddian i ymgyfarwyddo â'r fro a defnyddio ei sgiliau llafar ac ysgrifennu.

Yn ddiweddar yng Nghymru bu llawer o drafod ar natur cyrsiau Cymraeg ail iaith ac aeth yn ddadl ffyrnig rhwng y strwythurwyr ar y naill law a'r ffwythianwyr ar y llall. Fel sydd wedi'i nodi eisoes mewn penodau blaenorol, dadl y strwythurwyr yw y dylid adeiladu gwybodaeth eirfaol a chystrawennol yn gwbl fwriadus gan symud yn ofalus o gam i gam gan raddio'r deunyddiau'n gyfewin. Mae'r ffwythianwyr ar y llaw arall yn pwysleisio cyfathrebu'n naturiol o fewn sefyllfa heb geisio dysgu patrymau yn eu cyfanrwydd os nad oes eu hangen ar y pryd. Mae'r dull hwn yn anathema i'w feirniaid sy'n honni ei fod yn fympwyol ac yn euog o ddarnio iaith. Bydd y sawl sy'n treulio blynyddoedd yn tiwtora yn cyflym dod i'r casgliad nad oes un dull a all ateb ei holl ofynion a bod rhaid iddo fod yn eclectig. Cadw diddordeb a sylw'r dosbarth yw ei frwydr feunyddiol ac i wneud hyn, rhaid wrth amrywiaeth deunyddiau a dulliau.

Rhaid hefyd i'r Gymraeg ddod yn iaith naturiol y dosbarth ac i wneud hyn rhaid troi'r sefyllfaoedd ailadroddus sy'n digwydd ym mhob dosbarth yn Gymraeg cyn gynted ag y bo modd. Yn aml, bydd hyn yn golygu newid y drefn batrymol a rag-gynlluniwyd. Gall hyn ddigwydd hefyd pan fydd rhywbeth yn codi sydd o ddiddordeb mawr i'r dosbarth, megis eitem yn y newyddion neu ddigwyddiad lleol. Dan yr amgylchiadau, dau ddewis yn unig sy'n wynebu'r tiwtor, sef trafod y pwnc yn Saesneg neu fanteisio ar y cyfle i'w droi'n Gymraeg. O ddewis y cyntaf, byddwn yn euog o gadw'r iaith 'o dan yr hatsys' gan awgrymu y gellir byw yn gyfforddus hebddi. Ar y llaw arall, mae achub y cyfle i droi'r dŵr i felin y Gymraeg yn codi statws yr iaith ac yn ei gwneud yn hanfod yn hytrach na'i chadw'n 'jwg ar seld'. Mae sylweddoli hyn yn arbennig o bwysig mewn cyrsiau dwys lle y bydd pobl yn treulio llawer o amser yng nghwmni ei gilydd gan ffurfio cymdeithas glòs sy'n gorfod dysgu cyd-fyw o dan amgylchiadau digon anodd. Byddai canolbwyntio ar yr iaith gan anwybyddu'r ffactorau cymdeithasol hyn yn drychinebus. Mae gan y strwythurwyr a'r ffwythianwyr eu pwynt, ond cyfuno'u safbwyntiau mewn ffordd gall yw'r unig ateb. Yn sicr, rhaid rhoi'r flaenoriaeth i gyfathrebu effeithiol a chydnabod bod rhaid meithrin sgiliau sgwrsio o'r cychwyn cyntaf.

Sgìl yw siarad ac fel pob sgìl arall oni chaiff ei ddefnyddio fe'i collir. Os na yrrwn y car, gweu neu nofio am amser hir, buan y sylweddolwn nad yw'r lefel o fedrusrwydd a oedd gennym wedi aros yn ei hunfan. Mae dirywiad yn anorfod, ac mae'r un peth yn wir am ein gafael ar iaith. Os na ddefnyddir y Gymraeg, fe'i graddol gollir. Mae dysgwyr yn sylweddoli hyn a phan nad ydynt wedi llwyddo i ymgysylltu â Chymry Cymraeg eu tuedd yw dal i fynychu dosbarth er mwyn ceisio cynnal eu lefel o rugledd. Bydd rhai canolfannau'n cydnabod y broblem trwy gynnig dosbarthiadau trwy gyfrwng y Gymraeg. Gall y rhain ymdrin â phob math o bwnc a gallant fod yn werthfawr iawn wrth iddynt ddatblygu'r wybodaeth o'r iaith a chynnig cyfle cymdeithasol i'w defnyddio. Ar y llaw arall, mae cefnu ar ddosbarth ac ymuno â'r gymdeithas Gymraeg naturiol yn well opsiwn. O wneud hyn, peidir â bod yn ddysgwr a thyfir yn siaradwr Cymraeg a dderbynnir gan Gymry Cymraeg.

Gwelir, felly, fod y broses o bontio rhwng y dosbarth a'r gymdeithas yn hollbwysig ac ni fydd athro wedi cwblhau ei waith yn llwyddiannus os nad yw wedi ceisio datrys y broblem hon. I ddechrau, rhaid sylweddoli beth y gellir ei wneud a beth na ellir ei wneud yn yr ystafell ddosbarth. Er imi dreulio gyrfa gyfan yn dysgu Cymraeg i oedolion, ni allaf honni imi ddysgu'r iaith yn gyflawn i un o'r cannoedd a aeth trwy fy nosbarthiadau. Mae'r ffaith bod cymaint ohonynt bellach yn siaradwyr rhugl i'w phriodoli imi lwyddo i'w rhoi mewn cysylltiad â Chymry Cymraeg ac i'r rheiny orffen yr addysg ieithyddol mewn ffordd hamddenol, bleserus a naturiol heb ddefnyddio'r un darn o sialc nac agor yr un llyfr gramadeg.

Treorci   CENNARD DAVIES

Y GYMRAEG AC e-ADDYSG[1]

Fel y noda'r Athro Bobi Jones yn ei gyflwyniad i'r gyfrol hon, maes sy'n tyfu yw dysgu Gymraeg i Oedolion, a dros y blynyddoedd diwethaf, yr ydym wedi gweld twf yn nifer yr adnoddau dysgu sydd ar gael ar y Rhyngrwyd. Bellach mae gennym eiriaduron ar-lein, cyrsiau ar sawl lefel, gwasanaethau newyddion, a nifer helaeth o destunau. Mae cael tudalennau yn Gymraeg ar y We yn hynod bwysig o ran delwedd yr iaith. Yn ogystal â chael ei chysylltu â thechnoleg a'r dulliau cyfathrebu diweddaraf, oherwydd natur y cyfrwng, daw y Gymraeg i sylw cynulleidfa fyd-eang. Mae rhai'n mynd mor bell â mynnu mai'r dechnoleg newydd fydd achubiaeth yr iaith, ac mai drwy ddefnyddio'r dechnoleg gyfathrebol ddiweddaraf i hyrwyddo'r iaith y mae modd cyflawni hyn. Drwy osod tudalennau ar y We mae modd cyrraedd cynulleidfa eang ac mae hyn yn ffordd rad iawn o gyhoeddi pethau. Mae Cymru'r Byd sef tudalennau Cymraeg BBC Cymru ar-lein, yn cyrraedd llawer o bobl dros y byd i gyd; pobl na fyddent yn cael y cyfle i ddarllen newyddion y dydd yn yr iaith fel arall.

Cyfrwng dysgu sydd wedi dod yn fwy amlwg dros y blynyddoedd diwethaf yw'r cwrs Cymraeg ar-lein sydd, fel arfer, yn cael ei ddarparu ar gyfer dysgwyr nad ydynt yn medru mynychu dosbarth traddodiadol. Un o'r darparwyr cyntaf i sylweddoli potensial y dechnoleg newydd oedd Adran y Gymraeg, Prifysgol Cymru Llanbedr Pont Steffan, a lansiodd ei chwrs i ddechreuwyr yn ystod Eisteddfod yr Urdd, Mai 1999. Bellach mae ganddi 600 o fyfyrwyr o 24 o wledydd gwahanol ac ar gyfartaledd, mae rhywun yn cofrestru ar y cwrs bob dydd. Cwrs wedi ei achredu yw hwn, sy'n cynnig mynediad i addysg uwch yn ogystal â'r cyfle i ddysgu'r iaith. Mae canolfan e-addysg yr Adran, a'r ystod o gyrsiau a ddarperir gan yr Adran, yn enghraifft o sut y gall technoleg rwydweithiol gael ei defnyddio i gynllunio, darparu, dewis, gweinyddu ac ehangu dysgu. Gan ei fod yn faes newydd o fewn dysgu Cymraeg i Oedolion, a chan mai nifer fechan o gyrsiau sydd ar gael ar-lein ar hyn o bryd, ychydig iawn o ymchwil sydd wedi cael ei gwneud ar ddulliau cyflwyno iaith ar y

---

[1]addysg electronig

Rhyngrwyd. Ar yr un pryd, golyga hyn mai ychydig iawn o diwtoriaid ar-lein sydd yng Nghymru ac ychydig iawn o rannu profiadau sydd wedi digwydd hyd yn hyn. Golwg bersonol yw'r erthygl hon felly, yn seiliedig ar flwyddyn o diwtora ar-lein.

Beth yw'r Rhyngrwyd?

Yn syml, mechanwaith yw'r Rhyngrwyd sy'n galluogi cyfrifiaduron i gyfnewid gwybodaeth – i siarad â'i gilydd fel petai. I ddefnyddwyr yn y cartref, mae'r cysylltiad hwn yn digwydd naill ai drwy gyfrwng y llinell ffôn, y teledu neu ffôn symudol. Tudalennau yw'r We, a welir drwy borydd *(browser)* megis *Netscape* neu *Microsoft Explorer.* Daw *Microsoft Explorer* fel rhan o system operadu *Windows,* a gellir cael hyd i boryddion ar y disgiau a roir gyda chylchgronau cyfrifiadurol. Gall tudalennau gwe gynnwys testun, lluniau, sain a fideo, yn ogystal ag elfennau rhyngweithiol sy'n ymateb i'r hyn y mae'r defnyddiwr yn ei wneud, a dolenni i ddogfennau eraill ar y We. Un o rinweddau'r We yw nad yw lleoliad daearyddol yn bwysig: gall ffeil testun yng Nghymru gynnwys llun sy'n cael ei storio yn Seland Newydd, yn ogystal â dolen i ddogfen gysylltiedig sydd mewn gwirionedd yn America. Gall tudalennau fod ar gael i bawb, neu gellir cyfyngu ar fynediad drwy amryw ffyrdd megis gosod cyfrinair *(password)* .

Mae'r Rhyngrwyd yn tyfu bob dydd; credir bod tua miliwn o gwefannau newydd yn cael eu hychwanegu at y We yn feunyddiol. Mae bron tair miliwn ar ddeg o oedolion ym Mhrydain yn defnyddio'r Rhyngrwyd yn ôl ymchwil farchnad a wnaethpwyd gan Mori ar ran astudiaeth ar-lein *Which?* i ddefnydd o'r We. Yn ôl yr ymchwil, yr oedd dwy ran o dair o'r boblogaeth o'r farn fod y Rhyngrwyd yn rhan o fywyd bob dydd. Mae'r Rhyngrwyd felly, yn chwarae rhan bwysig ym mywydau nifer gynyddol o bobl. Bellach mae'n bosib siopa, hysbysebu, bancio a threfnu gwyliau ar-lein. Credir bod 25% o deuluoedd Cymru'n defnyddio cyfrifiadur yn y tŷ. Yn arwyddocaol iawn ym maes Dysgu Cymraeg i Oedolion yw'r ffaith bod llawer o bobl yn dewis mynd ar-lein yn unswydd i chwilio am gyfleon dysgu.

Gan nad yw'r dysgwyr yn gorfforol bresennol o flaen y tiwtor, a chan fod rhai o ddilynwyr cyrsiau ar-lein filoedd o filltiroedd i ffwrdd

174

o ddarparwyr y cyrsiau y maent yn eu dilyn, mae cyrsiau ar-lein yn cael eu hystyried yn gyrsiau o hirbell. Wrth gwrs, nid rhywbeth newydd mo gyrsiau Cymraeg o hirbell, lle mae'r dysgwyr yn gweithio ar eu pennau eu hunain drwy ddeunydd. Ar y dechrau, yr oedd cyrsiau Cymraeg o hirbell yn cael eu darparu drwy gyfrwng deunyddiau a thestunau argraffedig. Nes ymlaen, datblygwyd cyrsiau a oedd yn cyfuno dulliau amlgyfryngol megis cyrsiau a oedd yn seiliedig ar raglenni teledu neu raglenni radio megis *Catchphrase.* Y drydedd genhedlaeth o addysg o hirbell yw'r cyrsiau ar-lein.

Mae gan gwrs ar-lein lawer i'w gynnig i'r dysgwyr a'r darparwyr fel ei gilydd:

1. Mae, wrth natur, yn hyblyg. Gall y dysgwyr reoli eu dysgu eu hunain a nhw sy'n penderfynu faint o amser y maent yn ei glustnodi ar gyfer dysgu a phryd maent yn ei wneud. Mae nifer sylweddol o'r bobl sydd wedi cofrestru ar ein cwrs yn Llambed yn rhai sy'n byw yng Nghymru ac o fewn cyrraedd dosbarth traddodiadol ond sy'n methu â mynychu dosbarthiadau traddodiadol oherwydd oriau gwaith ac ati. Dangoswyd bod dysgu yn y ffordd hon, lle mae'r dysgwyr yn cael gweithio yn ôl eu cyflymdra eu hunain, yn fwy effeithiol na chyrsiau traddodiadol sy'n cynnwys sesiynau o amser penodol.

2. Yn yr oes gyfathrebol hon, mae'n bosib i unrhyw un sydd ar-lein ddysgu bron unrhyw bwnc ar unrhyw adeg o'r dydd. Mae llawer o'r bobl sydd wedi cofrestru ar gwrs Llambed i ddechreuwyr yn ddysgwyr sy'n mynychu cyrsiau dwys neu gyrsiau unwaith yr wythnos yn barod, ond sydd eisiau cadw eu gafael ar yr iaith yn ystod y gwyliau pan nad oes cyrsiau wythnosol ar gael.

3. Mae cwrs ar-lein yn cynnig cyfle unigryw i'r rhai nad ydynt yn medru teithio i ystafelloedd dosbarth. Mae dysgu fel hyn yn dod â'r dysgu i'r dysgwyr eu hunain, lle bynnag y bônt. Daw y dydd pan fydd yn bosib gwneud gradd yn y Gymraeg heb symud o'ch desg.

4. Adeg cofrestru ar ein cwrs ar-lein, gofynnir i'r dysgwyr pam y maent wedi dewis y dull hwn o ddysgu'r Gymraeg. Mae rhai'n gweld dysgu ar-lein, lle nad ydynt yn rhan o grŵp o bobl ddieithr y mae'n rhaid perfformio o'u blaen, a lle maent yn gallu dewis cyflwyno gwaith neu beidio ac aros yn ddi-wyneb, yn ffordd ddi-boen iawn o gyrraedd eu nod. Fel arfer mae ganddynt atgofion anhapus o ddysgu ieithoedd yn yr ysgol. O'r grŵp hwn, â nifer

175

ymlaen i gofrestru ar gwrs traddodiadol unwaith y maent wedi profi
i'w hunain eu bod yn gallu dysgu.

5. Mae modd apelio ar sawl lefel. Gellir teilwra'r defnydd ar-lein i
ateb anghenion unigol y dysgwyr. Mae fel bwyty lle mae'r cogydd
yn paratoi bwyd yn ôl dymuniad y cwsmer. Mae modd gweld yn
syth sut mae'r dysgwyr yn ymdopi â rhannau gwahanol o'r cwrs.
Gellir rhoi cymorth ychwanegol i'r rhai sy'n cael anhawster. Caiff
pob dysgwr y sylw y maent ei angen heb iddynt deimlo eu bod yn
gwastraffu amser 'dosbarth'.

6. Gellir gweld yn syth pa rannau o'r cwrs sy'n achosi problemau i'r
dysgwyr a newid y deunydd yn gyflym iawn.

7. Mae pob dysgu'n weithred gymdeithasol. Mae pobl yn dysgu drwy
gyfathrebu â'i gilydd yn anffurfiol. Rhydd e-Addysg y rhyddid, yr
amser, a'r anogaeth i bobl i ddysgu yn y dull hwn. Erbyn hyn mae
gennym gyfathrebu dwy ffordd drwy gyfrwng cyswllt fideo ar-lein
ac ystafelloedd sgyrsio. Mae'r ddau ddull yn caniatáu cyfathrebu
uniongyrchol ar ffurf testun rhwng y dysgwyr. Mae hefyd yn bosib
cyfathrebu drwy gyfrwng e-bost neu drafodfannau (*discussion
boards*), ond nid yw'r ddau ddull olaf hyn yn caniatáu cyfathrebu
mewn amser real.

Serch y manteision amlwg, nid yw dysgu ar-lein yn debygol o
ddisodli dysgu traddodiadol yn gyfan gwbl, a chyda'r fantais
ddiwethaf a gofnodwyd uchod y mae'r prif reswm am hyn. Ar-lein,
does dim modd cael cyfathrebu wyneb yn wyneb, ac felly, mae'r elfen
o gyfathrebu naturiol, sydd mor bwysig wrth ddysgu siarad, yn cael ei
cholli. Fel y mae Emyr Davies yn nodi ar ddechrau'r gyfrol hon, creu
siaradwyr Cymraeg yw nod dysgu Cymraeg i Oedolion. I'r dysgwyr
sy'n dysgu ar eu pennau eu hunain yn bell o Gymru, lle mae'r
cyfleoedd i glywed yr iaith yn brin, a'r cyfle i'w siarad yn brinnach
byth, mae'n hawdd iawn teimlo'n ynysig. Mae'r elfen o gyfathrebu
digymell yn anodd ei chreu ar-lein a heb y cyfle i brofi eu hiaith lafar
ar siaradwyr rhugl, mae'r dysgwyr yn ei chael yn anodd magu hyder
yn eu gallu eu hunain. Mae'n anodd trosglwyddo'r gymdeithas
Gymraeg ei hiaith i sgrîn cyfrifiadur ac i ddangos y Gymraeg yn cael
ei defnyddio mewn sefyllfaoedd bob dydd. Nid yw pob dysgwr â'r
cyfarpar angenrheidiol i elwa o'r ffeiliau sain neu fideo.

Tiwtora ar y We

Oherwydd natur y cyfrwng, mae'n bosib bod rôl y tiwtor yn fwy allweddol i lwyddiant y myfyrwyr sy'n dysgu o hirbell nag yw hi mewn dosbarth traddodiadol. Gan nad yw'r dysgu'n digwydd wyneb yn wyneb mae'n bwysig iawn ennill hyder y dysgwyr o'r dechrau a'u tywys yn ofalus drwy'r cwrs gan mai'r tiwtor yw unig gyswllt llawer o'r dysgwyr â siaradwyr rhugl. Mae rôl y tiwtor ar-lein yn un fwy 'bugeiliol' o bosib na rôl y tiwtor traddodiadol ac mae rhaid creu perthynas yn gyflym iawn â'r dysgwyr dan eich gofal er mwyn eu cynnal ar y daith. Mae rhaid cadw mewn cysylltiad cyson â'r dysgwyr er mwyn lleihau eu teimlad o fod ar eu pennau eu hunain. Er mwyn lleihau'r teimlad unig hwn, mae rhaid i'r dysgwyr gael gwybod eich bod chi, fel eu tiwtor personol, ar gael i'w cynorthwyo a'ch bod chi'n ateb eu negeseuon o fewn 24 awr. Mae o'r pwys blaenaf fod y dysgwyr ynysig yn teimlo bod eu tiwtor yn cydymdeimlo â hwy a bod eu hymdrechion yn haeddu sylw ac yn cael eu gwerthfawrogi. Mae llawer o'r hyn sydd wedi ei nodi eisoes yn y gyfrol hon am diwtora llwyddiannus yn ddilys ar gyfer tiwtora ar y We hefyd. Mae rhai o nodweddion tiwtor da hefyd yn berthnasol i'r We – mae rhaid wrth frwdfrydedd, diffuantrwydd a digon o egni. Afraid dweud bod rhaid ymateb i anghenion y dysgwyr. Dylid cadw'r pwyntiau canlynol mewn cof hefyd wrth diwtora o hirbell:

1. Fel y nodwyd gan Geraint Wilson-Price, rhaid cydnabod bod rhai pethau yn y cwrs yn anodd. Mae hyn o'r pwys mwyaf i'r dysgwyr, gan nad ydynt mewn dosbarth lle gallant gymharu eu cynnydd.
2. Mae rhoi adborth cadarnhaol yn hollbwysig. Mewn dosbarth traddodiadol, fe'i ceir gan y tiwtor a gweddill y dosbarth. Nid digon cywiro gwaith, rhaid gwneud sylwadau manwl ar yr hyn a gyflawnwyd – yn enwedig os yw'r dysgwr wedi arbrofi â'r iaith mewn rhyw ffordd. Mae'n hawdd iawn anghofio'r rôl y mae iaith y corff yn ei chwarae wrth inni roi adborth wrth ddysgu wyneb yn wyneb. Yn yr ystafell ddosbarth yr ydym yn dangos gwerthfawrogiad ac yn annog y dysgwyr drwy wenu a chanmol. Mae dangos cefnogaeth yn y modd hwn yn amhosib drwy gyfrwng e-bost ac felly, mae eisiau ysgrifennu geiriau o ganmoliaeth drwy'r gwaith sy'n cael ei gyflwyno, yn hytrach na gadael y sylwadau i un 'da iawn' ar waelod y gwaith.

3. Gan nad oes cliwiau gweledol, rhaid sicrhau bod eich sylwadau a'ch cyfarwyddiadau'n glir ac yn ddealladwy. Does dim byd sy'n fwy rhwystredig i'r dysgwyr na'r teimlad nad ydynt yn cyflawni eu llawn botensial.

4. Sylwyd eisoes yn y gyfrol hon ar rôl hiwmor yn y dosbarth. Rhaid bod yn hynod ofalus wrth wneud unrhyw fath o sylwadau mewn sefyllfa lle nad oes cliwiau gweledol i'r hyn sy'n cael ei ddweud. Hawdd iawn camddehongli pethau ysgrifenedig pan nad yw'n bosib gweld wyneb y sawl sy'n ysgrifennu.

Mae dysgu ar y We felly, yn creu cymuned o ddysgwyr sy'n gallu dysgu'n weddol gyflym ac yn rhad iawn. Mae'n rhatach defnyddio'r We yn y cartref nag erioed o'r blaen a'r tebyg yw y bydd yn mynd yn fwyfwy rhad yn y dyfodol. Drwy ddulliau technolegol modern gellir cyrraedd cynulleidfa eang ac amrywiol a darparu dysg 24 awr y dydd, saith diwrnod yr wythnos. Mae'r maes newydd hwn yn cynyddu'r potensial am lwyddiant y dysgwyr gan ei fod yn llwybr newydd at gyrraedd y nod o ddod yn siaradwyr rhugl. Po fwyaf o lwybrau a dulliau sy'n cael eu cynnig, mwyaf tebygol yw llwyddiant. Yn Llambed yr ydym yn cyfuno'r cyrsiau ar-lein â chyrsiau preswyl, cyfuniad sydd wedi profi'n llwyddiannus iawn gyda'n myfyrwyr.

Sut y gall tiwtor iaith ddefnyddio'r Rhyngrwyd fel adnodd dysgu?

Nid oes modd ateb y cwestiwn hwn yn llawn mewn gwirionedd gan fod sefyllfa pob tiwtor yn wahanol. Bydd llawer yn dibynnu ar lefel eich arbenigedd ac ar yr offer cyfrifiadurol sydd gennych. Hyd yn oed os nad ydych yn diwtor ar-lein, mae sawl ffordd y gellwch ddefnyddio'r We wrth ddysgu. Dyma rai o'r gwefannau a fydd o ddiddordeb o bosib i diwtoriaid Cymraeg i Oedolion:

Cwrs ar-lein Adran y Gymraeg, Llanbedr Pont Steffan
(http://welsh.lamp.ac.uk/camu/)
Bwrdd yr Iaith Gymraeg
(http://www.bwrdd-yr-iaith.org.uk/)
Cyngor Llyfrau Cymru
(http://www.cllc.org.uk/)
Acen
(http:// www. acen.co.uk/)

A Welsh Course
(http://www.cs.brown.edu/fun/welsh/home.html)
welsh-termau-cymraeg
(http://www.mailbase.ac.uk/lists/welsh-termau-cymraeg/)
BBC Catchphrase
(http://www.bbc.co.uk/wales/catchphrase 2000/webguide.html/)
Wales Digital College/Coleg Digidol Cymru
(http://www.colegdigidol.co.uk/)
BBC Cymru'r Byd
(www.bbc.co.uk/cymru/)
Un o'r gwefannau gorau ar gyfer cael hyd i adnoddau dysgu Cymraeg
yw:
(http://gwybodiadur.tripod.com/)

Ar y We ceir llawer o gylchoedd gwe a thrafodfannau lle daw pobl â
chanddynt yr un diddordebau ynghyd i rannu syniadau a dysgu oddi
wrth ei gilydd. Mae modd creu rhestrau postio'n rhad ac am ddim drwy
ddefnyddio gwasanaethau megis eGroups (http://www.eGroups.com/).
Byddai'n braf gweld rhestr bostio'n cael ei sefydlu ar gyfer tiwtoriaid
Cymraeg i Oedolion er mwyn rhannu deunydd dysgu, argymell
adnoddau a gofyn cyngor. Drwy ddefnyddio adnoddau di-dal fel hyn,
gallwn elwa ar brofiad ein gilydd, osgoi dyblygu deunyddiau a
chydweithio ar ddeunydd newydd. Mae nifer o drafodfannau a
chylchoedd newyddion ar gael ar-lein yn barod megis:

Annedd y Cynganeddwyr
(http://www.cynghanedd.com/)
a
Cylch Cynghanedd (Web ring)
(http://www.bangor.ac.uk/~tcs020/)

Rhai o'r trafodfannau sy'n trafod yr iaith Gymraeg yw:

WELSH-L
(http://listserv.hea.ie/lists/welsh-l.html/)
POWYS-L
(http://www.embetech.demon.co.uk/powys/welcome/html/)
CYMRAEG-L
(http://www.oseda.missouri.edu/~diana/cymraeg-l.html/)

Mae modd defnyddio'r We ar gyfer ymchwilio testun arbennig i'w ddefnyddio yn y dosbarth. Ffordd hwylus o ddod o hyd i wybodaeth ar y We yw defnyddio peiriant chwilio. Mae'r gwahanol beiriannau chwilio'n defnyddio egwyddorion gwahanol wrth chwilio: mae rhai'n gosod eu cynnwys yn ôl categorïau ac eraill yn eu gosod yn ôl digwyddiad geiriau allweddol yn y tudalennau. Mae rhai'n defnyddio bodau dynol i wneud y gwaith ac eraill yn gadael y gwaith chwilio i feddalwedd. Ceir peiriannau meta-chwilio hefyd, sy'n chwilio mwy nag un peiriant ar yr un pryd.

Netscape
(http://www.netscape.com/)
Yahoo sy'n defnyddio dull deuol
(http://uk.yahoo.com/)
Altavista
(http://www.altavista.com/)
Hefyd yn defnyddio'r dull deuol e.e.
(http:dir.altavista.com/World/Cymraeg/)
Jeeves (http://wwwaskjeeves.com/)
Google (http://www.google.com/)

Cyngor ynglŷn â chwilio safleoedd gwe

1. Defnyddiwch fwy nag un peiriant chwilio – peidiwch ag aros gyda'r un un drwy'r amser.
2. Ceisiwch feddwl yn ochrog – os nad yw'r term yr ydych yn ei ddefnyddio wrth chwilio yn rhoi digon o atebion, chwiliwch am agweddau eraill ar yr un pwnc.
3. Nid yw'r ffaith bod rhywbeth yn cael ei ddatgan ar safle we yn golygu ei fod yn wir.

Yn sicr, mae gan y dechnoleg newydd rôl i'w chwarae mewn cyflwyno'r Gymraeg, ac ar ddechrau mileniwm newydd ac ar gyfnod sy'n rhoi pwyslais ar ddysgu gydol oes ac ehangu addysg, mae'n maes sydd yn siŵr o ddatblygu yn y dyfodol.

Llanbedr Pont Steffan   JULIE BRAKE

LLYFRYDDIAETH

Mae'r nifer o lyfrau ar y maes hwn yn anferth. Mae llawer ohonynt yn cynnig gweithgareddau a syniadau hynod ddefnyddiol. Dyma restr ddethol:

Edward Allen & Rebecca Valette, *Classroom Techniques: Foreign Languages and English as a Foreign Language,* (Efrog Newydd, 1977).

H. Allen & R. Campbell, *Teaching English as a Second Language,* (Efrog Newydd, 1972).

A. Anderson & Tony Lynch, *Listening,* (Rhydychen, 1988).

Anthony Barley, *Making the most of Audio,* (CILT, Llundain, 1992).

Roger T. Bell, *An Introduction to Applied Linguistics: Approaches and Methods in Language Teaching,* (Llundain, 1981).

Martin Bygate, *Speaking,* (Rhydychen, 1987).

Donn Byrne, *Teaching Writing Skills,* (Llundain, 1988).

R. A. Carter & M. N. Long, *The Web of Words: exploring literature through language,* (Caergrawnt, 1987).

Vivian Cook, *Second Language Learning and Language Teaching,* (Llundain, 1991).

Richard Crowe, *Yr Wlpan yn Israel,* (Aberystwyth, 1988).

C. J. Crumfit & R. A. Carter, *Literature and Language Teaching,* (Rhydychen, 1986).

Cyd-bwyllgor Addysg Cymru, *Pecyn Hyfforddi Tiwtoriaid Cymraeg i Oedolion,* (Caerdydd, 1990).

Cyd-bwyllgor Addysg Cymru, *Ffurfiau Ysgrifenedig Cymraeg Llafar,* (Caerdydd, 1991).

Cyd-bwyllgor Addysg Cymru, *Gweithgareddau Llafar,* (Caerdydd, Dim dyddiad).

Cennard Davies, 'Cymraeg Byw', yn *The Use of Welsh,* gol. Martin J. Ball, (Clevedon, 1986), 200-10.

Ibid., *Seiliau Sgwrs,* (Llandysul, 1993).

Françoise Grellet, *Developing Reading Skills,* (Caergrawnt, 1981).

Peter Grundy, *Beginners,* (Rhydychen, 1994).

Arthur & Stella Hurd, *The Adult Language Learner – a guide to good teaching practice,* (CILT, Llundain, 1992).

Richard Johnstone, *Communicative Interaction: A Guide for Language Teachers*, (CILT, 1989).

Bob Morris Jones, *Ar Lafar ac ar Bapur: Cyflwyniad i'r Berthynas rhwng yr Iaith Lafar a'r Iaith Ysgrifenedig,* (Aberystwyth, 1993).

Geraint Wyn Jones, *Agweddau ar Ddysgu Iaith,* (Bangor, 1993).

R. M. Jones & Megan Roberts, *Cyfeiriadur i'r Athro Iaith,* (Aberystwyth, 1974).

Stephen Krashen, *Second Language Learning,* (Rhydychen, 1981).

William Littlewood, *Communicative Language Teaching: An Introduction,* (Caergrawnt, 1981).

Ibid., *Foreign & Second Language Learning,* (Caergrawnt, 1984).

Tony Lynch, *Communication in the Language Classroom: input, interaction and negotiation,* (Rhydychen, 1996).

William Mackay, *Language Teaching Analysis,* (Llundain, 1965).

Jo McDonough & Christopher Shaw, *Materials and Methods in ELT: A Teacher's Guide,* (Rhydychen, 1993).

Eugène Nida, *Toward a Science of Translating,* (Leiden, 1964).

David Nunan, *Designing Tasks for the Communicative Classroom,* (Caergrawnt, 1989).

Brian Page, *What do you mean it's wrong?,* (CILT, Llundain, 1992).

Jane Revell, *Teaching Techniques for Communicative English,* (Llundain, 1983).

Mario Rinvolucri, *Grammar Games,* (Caergrawnt, 1984).

Ibid., *More Grammar Games,* (Caergrawnt, 1995).

Wilga Rivers, *Teaching Foreign Language Skills,* (Chicago, 1971).

Ibid., *Communicating Naturally in a Second Language,* (Caergrawnt, 1983).

Shelagh Rixon, *How to use Games in Language Teaching,* (Llundain, 1981).

Joe Sheils, *Communication in the Modern Language Classroom,* (Gwasg Cyngor Ewrop, project 12, 'Learning & Teaching Modern Languages for Communication', 1993).

Duncan Sidwell, *Teaching Languages to Adults,* (CILT, Llundain, 1984).

Ibid., *A Toolkit for Talking,* (CILT, Llundain, 1993).

H. H. Stern, *Fundamental Concepts of Language Teaching,* (Rhydychen, 1983).

Ibid., *Issues and Options in Language Teaching,* (Rhydychen, 19963).

Penny Ur, *Teaching Listening Comprehension,* (Caergrawnt, 1984).

Ibid., *Five Minute Activities,* (Caergrawnt, 1995).

Ibid., *A Course in Language Teaching,* (Caergrawnt, 1996).

Catherine Wallace, *Reading,* (Rhydychen, 1992).

H. G. Widdowson, *Aspects of Language Teaching,* (Caergrawnt, 1990).

Eddie Williams, *Reading in the Language Classroom,* (Llundain, 1984).

Andrew Wright, David Betteridge & Michael Buckby, *Games for Language Learning,* (Caergrawnt, 1984).

Colin Wringe, *The Effective Teaching of Modern Languages,* (Llundain, 1989).

Dylid hefyd ystyried ymuno â'r Gymdeithas Broffesiynol i Diwtoriaid Cymraeg. Mae'n gorff proffesiynol cenedlaethol i bawb sy'n gweithio ym maes dysgu'r Gymraeg i Oedolion.

Amcanion y gymdeithas yw:
* bod yn fforwm ar gyfer cyfnewid a gwyntyllu syniadau.
* cyfrannu at ddatblygiad proffesiynol yn y maes trwy hyfforddiant a chyhoeddiadau.
* bod yn llais i'r arbenigwyr yn y maes, h.y. y tiwtoriaid sy'n gweithio ar lawr gwlad, er mwyn dylanwadu ar brosesau gwleidyddiol/cyllidol sy'n effeithio ar y maes.

Am fanylion pellach ynglŷn ag ymaelodi, cysylltwch ag Ysgrifenydd Aelodaeth y Gymdeithas:

Aled Davies,
Adran Addysg Barhaus Oedolion,
Prifysgol Cymru Abertawe,
Parc Singleton,
Abertawe
SA2 8PP.